D1177974

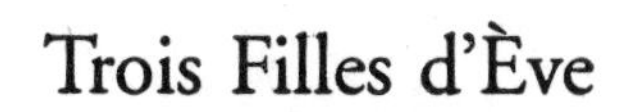

Trois Filles d'Ève

Du même auteur

La Bâtarde d'Istanbul, Phébus, 2007 ; 10/18, 2008.
Bonbon Palace, Phébus, 2008 ; 10/18, 2009.
Lait noir, Phébus, 2009 ; 10/18, 2011.
Soufi, mon amour, Phébus, 2010 ; 10/18, 2011.
Crime d'honneur, Phébus, 2013 ; 10/18, 2014.
L'Architecte du sultan, Flammarion, 2015 ; J'ai lu, 2017.

Elif SHAFAK

Trois Filles d'Ève

Traduit de l'anglais par Dominique Goy-Blanquet

Flammarion

Les citations de Byron, T. S. Eliot, Hâfez, Omar Khayyam, Karl Marx, Johannes Eckhart, Rûmî sont données respectivement dans les traductions de Benjamin Laroche, Jacques Darras, Charles-Henri de Fouchécour, Omar Ali-Shah, Albert Baraquin, Jeanne Ancelet-Hustache, Eva de Vitray-Meyerovitch.

Titre original : *Three Daughters of Eve*
Éditeur original : Viking UK, une division de Penguin Random House

www.elifsafak.com

ISBN : 978-2-0813-9568-8

Que feras-tu, Dieu, si je meurs ?
Moi, ton cruchon (si je me brise) ?
Moi, ta boisson (si je me corromps) ?
Je suis ton vêtement et ton métier,
sans moi, tu n'auras plus de sens.

Rainer Maria Rilke, *Le Livre d'heures*,
trad. Jean-Claude Crespy.

Viendrais-tu si quelqu'un t'appelait
Par un faux nom ?
J'ai pleuré, car pendant des années,
Il n'est pas entré dans mes bras ;
puis une nuit on m'a dit un secret ;
le nom que tu donnes à Dieu
peut-être n'est pas le Sien,
peut-être n'est-ce qu'un alias

Rabia al-Adawiyya (première sainte soufie,
VIIIe siècle, Irak), *Chants de la recluse*,
trad. Mohamed Oudaima et Gérard Pfister.

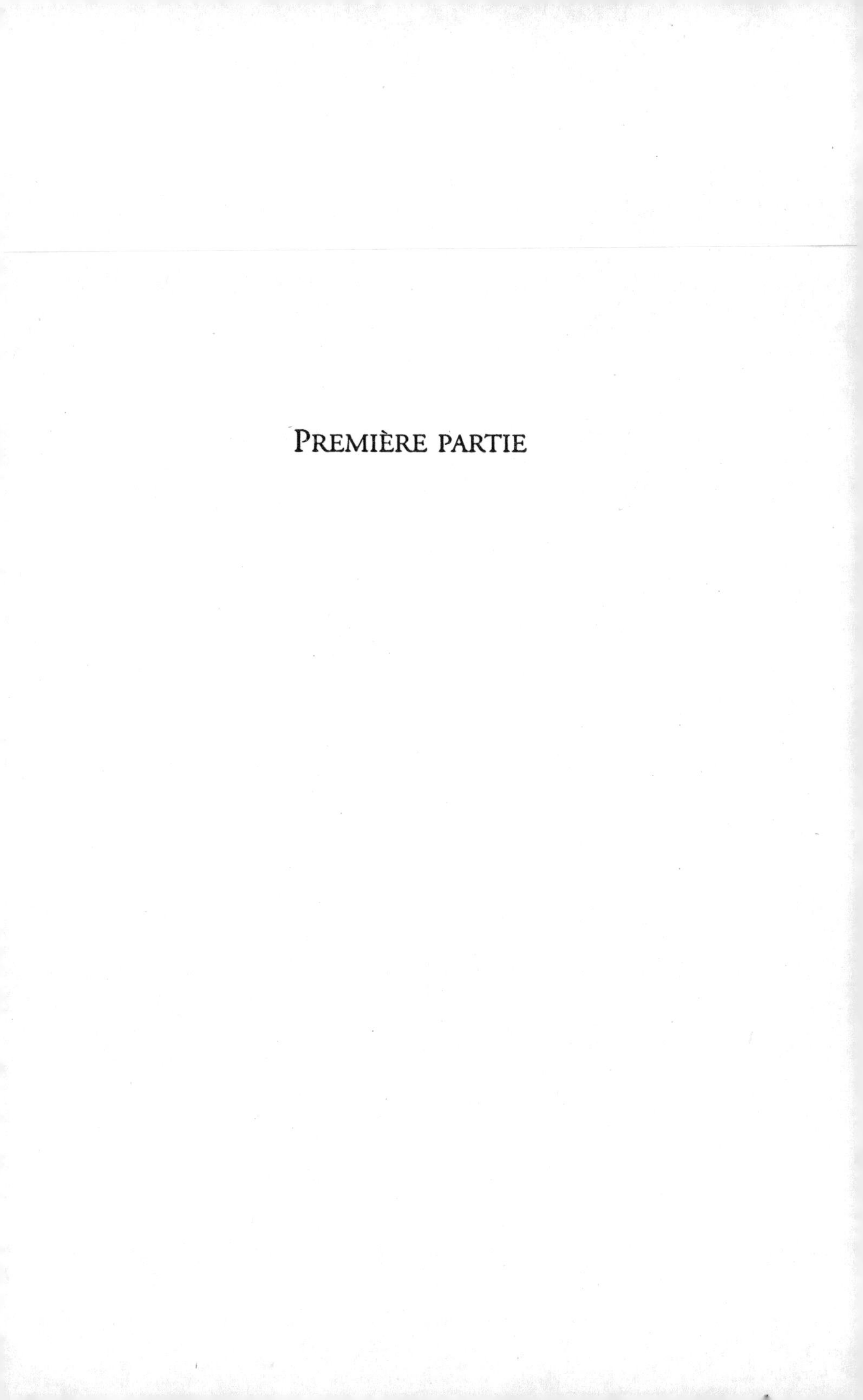

Première partie

Le sac à main

Istanbul, 2016

Par un jour ordinaire de printemps à Istanbul, une longue après-midi de plomb comme tant d'autres, elle découvrit avec une sensation de vide à l'estomac qu'elle était capable de tuer. Elle avait toujours soupçonné que sous l'effet du stress même les femmes les plus calmes et les plus douces pouvaient céder à des accès de violence. Comme elle ne se jugeait ni calme ni douce, elle estimait avoir un potentiel plus élevé que le leur à la perte de contrôle. Mais « potentiel » est un mot traître. On a toujours dit que la Turquie avait un énorme potentiel, et voyez le résultat. Elle se rassurait donc à l'idée que son potentiel de noirceur ne produirait pas plus d'effet à la longue.

Et grâce au ciel le Destin – cette précieuse tablette où est inscrit tout ce qui est advenu, et tout ce qui adviendra – lui avait jusqu'ici à peu près épargné les mauvaises actions. Depuis des années elle menait une vie irréprochable. Elle n'avait fait de mal à aucun être humain, du moins pas exprès, du moins pas récemment, sinon en s'accordant parfois un brin de médisance ou de commérage, mais ça, sûrement, ça ne comptait pas. Et puis tout le monde le faisait, et si c'était un péché vraiment grave, l'enfer serait plein à ras bord. Si elle avait causé de l'anxiété à qui que ce soit, c'était à Dieu, et Dieu, même si un rien L'indispose et si on Le dit capricieux, Dieu ne souffre jamais. Souffrir et faire souffrir, voilà un trait foncièrement humain.

Aux yeux de la famille et des amis, Nazperi Nalbantoğlu – que tout le monde appelait Peri – était une *bonne* personne. Elle parrainait des œuvres de charité, sensibilisait le public aux ravages de la maladie d'Alzheimer et collectait de l'argent pour les familles démunies ; se portait volontaire pour aller dans les maisons de retraite disputer des tournois de backgammon qu'elle perdait délibérément ; transportait dans son sac des friandises destinées aux innombrables chats errants d'Istanbul et, de temps en temps, les faisait châtrer à ses frais ; surveillait les résultats scolaires de ses enfants ; offrait d'élégants dîners au patron et aux collègues de son mari ; jeûnait le premier et le dernier jour du Ramadan, mais négligeait de le faire les jours restants ; sacrifiait annuellement un mouton teint de henné à la fête de l'Aïd. Elle ne jetait jamais rien dans les rues, ne resquillait jamais dans les files d'attente au supermarché, n'élevait jamais la voix. Bonne épouse, bonne mère, bonne maîtresse de maison, bonne citoyenne, bonne musulmane moderne, voilà ce qu'elle était.

Le temps, comme un tailleur adroit, avait raccordé par des coutures invisibles les deux tissus qui gainaient la vie de Peri : ce que les gens pensaient d'elle, et ce qu'elle pensait d'elle-même. L'impression qu'elle produisait sur les autres et sa propre perception s'entre-tissaient en un tout si achevé qu'elle ne pouvait plus distinguer quelle part de chaque jour répondait à ce qu'on attendait d'elle et quelle part à ce qu'elle désirait vraiment. Elle sentait souvent une forte envie d'empoigner un seau d'eau savonneuse et de lessiver les rues, les jardins publics, le gouvernement, le parlement, la bureaucratie, et pendant qu'elle y était, de rincer aussi quelques bouches sales. Il y avait tant de crasse à nettoyer ; tant d'objets brisés à réparer ; tant d'erreurs à corriger. Chaque matin en sortant de chez elle, elle poussait un léger soupir, comme si d'un souffle elle pouvait chasser les détritus de la journée précédente. Si Peri remettait le monde en question sans relâche, et n'était pas du genre à rester muette devant l'injustice, elle avait résolu il y a des années de se satisfaire de ce qu'elle avait. Ce serait donc une surprise quand, par une journée médiocre, à l'âge de trente-cinq ans, cette femme stable et respectée se retrouverait face au vide de son âme.

Tout cela à cause de la circulation, se dirait-elle plus tard pour se rassurer. Les vrombissements, les cliquetis de métal contre métal évoquaient les cris d'un millier de guerriers. La ville tout entière était un immense chantier. Istanbul s'était développée hors de tout contrôle et continuait à grossir – une carpe bouffie, incapable de comprendre qu'elle avait les yeux plus gros que le ventre, et toujours en quête de davantage de nourriture. En repensant à cette après-midi fatale, Peri conclurait que sans cet embouteillage inextricable, la chaîne d'événements qui allait réveiller une zone longtemps somnolente de sa mémoire n'aurait jamais été déclenchée.

Elles avançaient au pas sur une route à deux voies en partie bloquée par un camion renversé, coincées entre des véhicules de toute taille. Les doigts de Peri pianotaient sur le volant, changeaient de station de radio toutes les trois minutes, tandis que sa fille bâillait d'ennui, enfoncée dans le siège du passager, ses écouteurs sur les oreilles. Comme une baguette magique entre des mains inexpertes, le ralentissement changeait les minutes en heures, les humains en sauvages, et leurs restes de raison en simple démence. Istanbul semblait s'en moquer. Du temps, des sauvages et de la démence, elle en avait à foison.

Une heure de plus, une heure de moins ; un sauvage de plus, un cinglé de moins, cela ne changeait pas grand-chose.

La folie courait dans les rues de la ville comme une drogue enivrante dans le sang. Chaque jour, des millions de Stambouliotes en ingurgitaient une dose supplémentaire, sans s'apercevoir qu'ils devenaient de plus en plus dérangés. Des gens qui auraient refusé de partager leur pain partageaient leur insanité. Cette perte collective de toute raison avait quelque chose d'insondable : si un nombre suffisant de regards éprouvaient la même hallucination, elle devenait vérité ; si ceux qui riaient de la même misère étaient assez nombreux, elle se changeait en petite blague amusante.

« Oh, cesse de te ronger les ongles ! dit brusquement Peri. Combien de fois il faut te le répéter ? »

Lentement, très lentement, Deniz retira ses écouteurs et les plaça autour de son cou. « C'est *mes* ongles », riposta-t-elle, et but une gorgée de la tasse en carton posée entre elles.

Avant de prendre la route, elles avaient fait escale dans un Star Börek – une chaîne de café turc régulièrement traînée en justice par Starbucks pour avoir plagié leur logo, leur menu et déformé leur nom, mais toujours en activité grâce à des failles juridiques – où elles avaient commandé deux boissons : un latte écrémé pour Peri, un double frappuccino-crème aux pépites de chocolat pour sa fille. Peri avait fini le sien, mais Deniz prenait un temps infini, buvait à petites gorgées prudentes comme un oiseau blessé. Dehors le soleil se fondait dans l'horizon, les derniers rayons coloraient les toits des taudis, les dômes des mosquées et les fenêtres des gratte-ciel d'une morne teinte rouille uniforme.

« Et c'est *ma* voiture, marmotta Peri. Tu sèmes des pellicules de peau partout. »

À peine ces mots lui avaient-ils échappé qu'elle les regretta. *Ma voiture.* Quelle horreur, dire une chose pareille à son enfant – ou à quiconque, d'ailleurs. Serait-elle devenue une de ces idiotes matérialistes dont l'estime de soi et la position sociale se mesurent aux biens qu'elles possèdent ? Elle espérait que non.

Sa fille ne semblait pas surprise. Deniz se contenta de hausser ses maigres épaules, jeta un coup d'œil à l'extérieur et s'attaqua la mine rageuse à l'ongle suivant.

La voiture fit un bond en avant, puis s'arrêta dans un crissement de pneus. C'était une Range Rover, d'une teinte baptisée bleu Monte Carlo dans le catalogue du concessionnaire. Il y avait d'autres couleurs en option sur la brochure : blanc Davos, rouge Dragon oriental, rose Désert saoudien, bleu métallique Police du Ghana ou vert mat Armée indonésienne. Peri imaginait les spécialistes frivoles du marketing, lèvres arrondies et hochements de tête, qui inventaient ces noms. Les conducteurs autour d'elle avaient-ils conscience que les véhicules chics et chers dans lesquels ils se pavanaient étaient associés à la police, à la force militaire, ou aux tempêtes de sable de la péninsule arabe ?

Quelle que soit leur couleur, les voitures de luxe regorgeaient à Istanbul, dont beaucoup semblaient aussi déplacées que des chiens de race à noble pedigree qui, bien que destinés à une vie de confort et d'aisance, auraient perdu leur route et seraient réduits à errer dans un lieu sauvage. Il y avait des cabriolets de course, qui rugissaient de frustration faute d'espace où prendre de la vitesse, des tout-terrain que même le plus habile manœuvrier aurait du mal à loger dans une étroite place de parking – si par miracle il en trouvait une de libre – des berlines coûteuses destinées aux larges routes qui n'existaient que dans les pays lointains et les publicités télévisées.

« J'ai lu quelque part que c'était la pire au classement mondial, dit Peri.

— Quoi ?

— La circulation. Nous sommes numéro un. Pire que Le Caire, tu te rends compte ? Même pire que Delhi. »

En fait elle n'avait jamais mis les pieds au Caire ni à Delhi. Mais comme nombre de Stambouliotes, Peri était persuadée que sa ville était plus civilisée que ces lieux lointains, rudes, encombrés – même si « lointain » n'était qu'un concept relatif, et si les adjectifs « rude » et « encombré » s'appliquaient tous deux fréquemment à Istanbul. N'empêche, cette ville était au bord de l'Europe. Une telle proximité devait bien signifier quelque chose. Si douloureusement proche que la Turquie avait glissé un pied dans l'embrasure du seuil européen et tentait de toutes ses forces de pousser son avantage – tout cela pour découvrir que l'ouverture était si étroite que le reste du corps avait beau se contorsionner et frétiller, il ne parvenait pas à s'y faufiler. Et ça ne l'aidait pas beaucoup qu'entre-temps l'Europe s'évertue à refermer la porte.

« Cool ! dit Deniz.

— Cool ? Peri lui fit écho, incrédule.

— Ouais. Pour une fois on est les premiers en quelque chose. »

C'était le problème avec sa fille : depuis quelque temps, Peri pouvait exprimer n'importe quelle opinion sur n'importe quel sujet, Deniz soutenait le point de vue opposé. Chaque remarque de Peri, si appropriée ou logique soit-elle, rencontrait chez sa fille une hostilité voisine de la haine. Peri avait bien conscience que Deniz, parvenue à l'âge sensible de douze ans et demi, devait s'émanciper de l'influence parentale – en particulier celle de la *mater familias*. Cela, elle le comprenait. Ce qu'elle avait du mal à accepter, c'est la somme de violence impliquée dans le processus. Sa fille bouillait d'une rage folle que Peri n'avait jamais éprouvée à aucune étape de sa vie, pas même au cours de l'adolescence. Elle avait traversé la puberté dans une confusion innocente qui confinait à la naïveté. Jeune fille, elle ne ressemblait en rien à ce qu'était aujourd'hui

Deniz, alors que sa propre mère n'avait pas eu la moitié des égards et de la compréhension dont elle-même faisait preuve à présent. Par un raisonnement tortueux, plus Peri souffrait des crises imprévues de sa fille, plus elle s'en voulait rétrospectivement de ne pas s'être mise assez en colère contre sa propre mère.

« Quand tu auras mon âge, il ne te restera plus assez de patience pour supporter cette ville, murmura Peri.

— *Quand tu auras mon âge*, singea amèrement Deniz. Tu ne parlais pas comme ça, d'habitude.

— C'est parce que les choses empirent !

— Non, maman, c'est parce que tu te vieillis ! C'est ta façon de parler. Et regarde comment tu t'habilles.

— Qu'est-ce que tu lui reproches, à ma robe ? »

Silence.

Peri jeta un coup d'œil à sa robe de soie violette et à sa veste en mousseline brodée ornée de perles. Elle avait acheté l'ensemble dans une des boutiques d'un centre commercial flambant neuf, niché dans un autre centre commercial encore plus vaste comme si l'un avait engendré l'autre. Quand elle avait fait une remarque sur le prix, le vendeur s'était contenté d'un petit sourire en coin pour toute réponse. *Si vous ne pouvez pas vous l'offrir, ma bonne dame, qu'est-ce que vous faites ici* ? disait clairement le sourire. Condescendance qui avait vexé Peri. « Je la prends », s'entendit-elle dire. Maintenant elle sentait la raideur du tissu sur sa peau, elle voyait que la teinte ne lui allait pas. Ce violet qui semblait si audacieux et assuré sous l'éclairage fluorescent de la boutique paraissait criard et prétentieux à la lumière du jour.

Des pensées oiseuses, puisqu'elle n'avait pas le temps de rentrer à la maison se changer. Elles étaient déjà en retard pour le dîner qui les attendait dans le manoir balnéaire d'un homme d'affaires qui avait amassé une fortune colossale au cours des dernières années – rien d'insolite à cela. Istanbul regorgeait de pauvres confirmés et de nouveaux riches, ainsi que d'une foule de gens qui rêvaient de sauter d'un seul bond rapide de l'une à l'autre catégorie.

Peri avait horreur de ces dîners, qui se prolongeaient tard dans la nuit et lui causaient souvent une migraine le lendemain. Elle aurait préféré rester chez elle, passer les heures profondes de la nuit plongée dans un bon roman – la lecture lui servait de lien avec l'univers. Mais la solitude était un privilège rare à Istanbul. Il y avait toujours un événement important auquel on se devait d'assister ou une urgente responsabilité sociale à remplir comme si la culture, tel un enfant redoutant la solitude, s'assurait que tout le monde était à tout moment en compagnie des autres. Tellement de rires et de nourriture. De politique et de cigares. De chaussures et de robes, mais surtout de sacs à main griffés. Les femmes affichaient leur sac à main comme un trophée conquis lors d'une bataille en territoire étranger. Qui pouvait savoir lesquels étaient des originaux, lesquels des copies ? Les dames stambouliotes de classe moyenne ou haute, ne voulant pas qu'on les soupçonne d'acheter des contrefaçons, au lieu de se rendre dans les commerces douteux du Grand Bazar et de ses environs, convoquaient les propriétaires de boutiques à leur domicile. Des camionnettes emplies de modèles Chanel, Louis Vuitton et Bottega Veneta, aux vitres fumées et plaques minéralogiques noires de boue (alors que le reste du véhicule était briqué comme un sou neuf), faisaient la navette entre les beaux quartiers et se glissaient dans les garages privés des villas par le portail arrière, comme dans un roman noir ou un film d'espionnage. Les paiements se faisaient en liquide, pas de reçus, pas de questions. À la réunion mondaine suivante, les mêmes dames inspectaient furtivement leurs sacs respectifs, non seulement pour en identifier la marque mais pour en juger l'authenticité – ou la qualité du plagiat. Ça demandait beaucoup d'effort. D'effort optique.

Les femmes gardaient l'œil en alerte. Elles se passaient au crible, scrutaient, cherchaient, en quête de failles, manifestes ou camouflées, chez les autres femmes. Manucures en retard, prises de poids récentes, ventres mous, lèvres botoxées, varices, résidus de cellulite après liposuccion, racines apparentes, ride ou bouton dissimulé sous un excès de poudre… Rien que leur regard pénétrant ne sache détecter et déchiffrer. Si insouciantes soient-elles avant d'arriver à la soirée, trop d'invitées devenaient sans tarder à la fois victimes et prédateurs. Plus Peri pensait à la soirée qui l'attendait, plus elle la redoutait.

« Besoin de me dégourdir les jambes », dit Deniz en bondissant hors de la voiture.

Aussitôt, Peri alluma une cigarette. Elle avait cessé de fumer depuis plus de dix ans. Mais récemment elle s'était mise à emporter partout un paquet de cigarettes et à en griller une à l'occasion ; il lui suffisait de quelques bouffées, elle ne les fumait jamais jusqu'au bout. Chaque fois elle jetait le mégot avec un sentiment de culpabilité mêlé de dégoût. Elle mâchait ensuite du chewing-gum à la menthe pour masquer l'odeur, bien qu'elle en déteste le goût. Elle se disait toujours que si les arômes de chewing-gum étaient des régimes politiques, le pippermint équivaudrait au fascisme – totalitaire, stérile, sévère.

« Maman, ça m'empêche de respirer, se plaignit Deniz qui venait de remonter dans la voiture. Tu ne sais pas que ça va te tuer ? »

Deniz était à l'âge où les enfants traitent les fumeurs comme des vampires déchaînés. À l'école, elle avait fait un exposé sur les effets pernicieux du tabac, avec une affiche où des flèches fluos sorties d'un paquet ouvert fonçaient droit vers une tombe fraîchement creusée.

« D'accord, d'accord, dit Peri en balayant le sujet d'un geste de la main.

— Si j'étais le Président, j'enfermerais tous les parents qui fument devant leurs enfants. Sans hésiter !

— Eh bien, je suis soulagée que tu ne te présentes pas à l'élection », dit Peri, tout en appuyant sur la commande d'ouverture de sa fenêtre.

La fumée qu'elle soufflait dehors monta en vrille puis entra lentement, sans prévenir, par la vitre ouverte de la voiture voisine. C'était bien la seule chose dont on ne pouvait se libérer dans cette ville : la promiscuité. Tout était toujours contigu à autre chose. Les piétons arpentaient les rues comme s'ils constituaient un seul organisme ; les voyageurs s'entassaient dans les ferries, se tenaient debout épaule contre épaule dans les bus et les métros ; les corps entraient parfois en collision, se cognaient ou coexistaient en apesanteur, s'effleurant doucement comme des spores de pissenlit dans la brise.

Il y avait deux hommes dans la voiture d'à côté. Tous deux lui adressèrent un large sourire. Peri blêmit en se rappelant que d'après le *Guide de la patriarchie pour étudiants avancés*, le fait de souffler de la fumée au visage d'un homme inconnu était une invite sexuelle manifeste. Même s'il était facile de l'oublier, la ville était un océan orageux gonflé d'icebergs de masculinité à la dérive, et mieux valait y manœuvrer avec précaution et habileté pour se mettre à distance, car on ne savait jamais quel danger se cachait sous la surface.

Au volant ou à pied, une femme avait intérêt à garder le regard vague ou tourné vers l'intérieur, comme absorbé par des souvenirs lointains. Chaque fois qu'elle le pouvait, elle devait baisser la tête pour faire passer un message de modestie sans ambiguïté, ce qui n'était pas simple, car les périls de la vie urbaine, sans parler des sollicitations masculines intempestives ou du harcèlement sexuel, exigeaient une vigilance constante. Qu'on puisse demander à des femmes de garder la tête basse, et en même temps de garder l'œil ouvert dans toutes les directions, voilà qui défiait le bon sens. Peri jeta sa cigarette et referma la vitre, espérant que les deux étrangers se désintéresseraient vite d'elle. Le feu passa du rouge au vert mais c'était sans importance. Rien ne bougeait.

C'est alors qu'elle remarqua un vagabond qui marchait au milieu de la route. Grand et dégingandé, le visage anguleux, maigre comme un sifflet, le front bien trop ridé pour son âge, il avait la peau du menton couverte de rougeurs, et aux mains des plaies suintantes d'eczéma. Un réfugié syrien parmi des millions qui avaient fui la seule vie qu'ils connaissaient, pensa-t-elle d'abord – pourtant il aurait pu tout aussi bien être un Turc du coin, un Kurde ou un Gitan, ou un mélange de tout cela. Combien de gens dans ce pays de migrations et transformations perpétuelles pouvaient affirmer être de race pure, à moins de se mentir, ou de mentir à leurs enfants ? Mais encore une fois, Istanbul amassait les mensonges à la pelle.

L'homme avait les pieds couverts de boue séchée et portait un manteau dépenaillé au col redressé, tellement crasseux qu'il en paraissait noir. Ayant trouvé sa cigarette enduite de rouge à lèvres, il l'avait ramassée et la fumait avec nonchalance. Peri laissa courir son regard de la bouche aux yeux de l'individu, surprise de voir qu'il l'observait d'un air amusé. Il y avait une sorte de gloriole dans son attitude, un défi presque. Plutôt qu'un vagabond, on aurait dit un acteur qui jouait le rôle d'un vagabond et, satisfait de sa performance, attendait les applaudissements.

Ayant désormais trois hommes à éviter, les deux de la voiture plus le vagabond, Peri se détourna brusquement, oubliant la tasse de café à côté d'elle. Le frappuccino chavira, lui répandant son contenu mousseux sur les genoux.

« Oh non ! » hurla Peri, horrifiée de voir une tache sombre s'étendre sur sa robe coûteuse.

Sa fille émit un sifflement, à l'évidence ravie du désastre. « Tu diras que c'est un modèle dessiné par un nouveau créateur fou. »

Peri ignora la remarque, se maudit de sa maladresse et tâtonna à la recherche de son sac à main – un Birkin en autruche couleur lavande, parfait en tout point à part l'accent mal placé sur le nom « Hermès », car les contrefacteurs de la ville étaient capables de tout copier sauf l'orthographe exacte – qu'elle avait coincé entre ses jambes. Elle en sortit un paquet de mouchoirs en papier, tout en sachant, du moins une part d'elle-même le savait, que frotter la tache ne ferait qu'aggraver les choses. Dans son désarroi, elle commit une faute qu'aucun conducteur chevronné d'Istanbul ne commettrait jamais : elle jeta son sac sur le siège arrière – les portes étaient déverrouillées.

Elle voyait quelque chose flotter à la lisière de son regard. Une fillette, pas plus de douze ans, s'approchait d'elles en mendiant des piécettes. Enroulée dans des vêtements qui fouettaient sa silhouette maigre, paume tendue, elle avançait sans que son torse bouge, comme si elle fendait l'eau. Elle s'arrêtait une dizaine de secondes près de chaque voiture, puis passait à la suivante. Peut-être avait-elle calculé, pensa Peri, que si on ne pouvait pas inspirer de la pitié dans ce bref laps de temps on n'y arriverait jamais. La compassion n'arrivait pas après coup : elle était soit spontanée, soit entièrement absente.

Quand la fillette atteignit la Range Rover, Peri et Deniz détournèrent le regard par un même réflexe, faisant semblant de ne pas la voir. Mais les mendiants d'Istanbul sont habitués à être invisibles, et ils arrivaient bien préparés. Exactement dans la direction où mère et fille avaient tourné la tête, se tenait un autre enfant du même âge qui attendait, main tendue.

Au grand soulagement de Peri, le feu passa au vert et la circulation fit un bond en avant comme l'eau qui jaillit d'un tuyau d'arrosage. Elle allait mettre le pied sur l'accélérateur quand elle entendit la porte arrière s'ouvrir et se refermer, rapide comme une lame de couteau à cran d'arrêt. Dans le rétroviseur, elle vit son sac sortir de la voiture.

« Au voleur ! » La voix rendue rauque par l'effort, Peri s'écria : « À l'aide ! Ils ont volé mon sac. Au voleur ! »

Les conducteurs derrière klaxonnaient furieusement, indifférents à ce qui venait de se passer, pressés d'avancer. De toute évidence, personne ne viendrait l'aider. D'un coup de volant expert, elle gara la voiture sur le bas-côté et alluma ses feux de détresse.

« Maman, qu'est-ce que tu fais ? »

Peri ne répondit pas. Pas le temps. Elle avait vu de quel côté les enfants s'étaient enfuis, il fallait qu'elle les suive sur-le-champ ; une voix en elle, peut-être un instinct animal, allez savoir, lui affirmait que si elle arrivait à les retrouver, elle récupérerait ce qui était sa possession légitime.

« Maman, laisse tomber. C'est rien qu'un sac – et un faux !

— Il y a de l'argent et des cartes de crédit à l'intérieur. Et mon téléphone ! »

Mais sa fille était inquiète, gênée, même. Deniz n'aimait pas attirer l'attention, elle n'aspirait qu'à se fondre dans le décor, une goutte grise dans un océan de gris. Toute sa force rebelle semblait réservée à sa mère.

« Reste ici, verrouille les portes, attends-moi. Pour une fois, fais ce que je dis. S'il te plaît.

— Mais, maman... »

Sans réfléchir, sans penser à rien, Peri sauta hors de la voiture, oubliant un instant qu'elle portait des talons hauts. Elle retira ses chaussures, sentit ses pieds nus heurter lourdement l'asphalte. À l'intérieur du véhicule, sa fille la regardait bouche bée, les yeux écarquillés de stupeur et de honte.

Peri courut. Dans sa robe violette, alourdie par le poids des ans, les joues en feu, l'épouse-maîtresse-de-maison-mère-de-trois-enfants observée par des dizaines de paires d'yeux avait douloureusement conscience que ses seins se balançaient sans frein et qu'elle n'y pouvait rien. Même ainsi, avec un étrange goût de liberté sur la langue, franchissant une frontière interdite qu'elle n'aurait su nommer, elle courait sur la route vers les rues adjacentes, tandis que les conducteurs riaient et que les mouettes tourbillonnaient au-dessus de sa tête. Si elle hésitait, si elle ralentissait ne serait-ce qu'une seconde, elle serait sûrement horrifiée de sa conduite. Et terrorisée par le risque de marcher sur un clou rouillé, des tessons de bouteilles de bière ou de la pisse de rat. Au lieu de quoi elle fonçait de l'avant. Ses jambes, comme mues par une force indépendante, une mémoire propre, filaient de plus en plus vite, se rappelant l'époque lointaine à Oxford où elle courait cinq à six kilomètres chaque jour, qu'il pleuve ou qu'il vente.

Jadis, Peri adorait courir. Comme d'autres joies de sa vie, celle-là aussi avait disparu.

Le poète muet

Istanbul, années 1980

Quand Peri était enfant, la famille Nalbantoğlu habitait rue du Poète-Muet, dans un quartier populaire sur la rive asiatique d'Istanbul. Dans le pourrissement des jours, un mélange de senteurs – aubergine frite, café moulu, galettes sorties du four, gousses d'ail bouillies – émanait des fenêtres ouvertes, tellement fort qu'il imprégnait tout, se faufilait dans les caniveaux et sous les plaques d'égout ; si aigu que le vent matinal changeait aussitôt de direction. Mais les gens du coin ne s'en plaignaient pas. Ils ne remarquaient pas l'odeur. C'étaient les étrangers qui la sentaient – même si très peu d'étrangers avaient des raisons de s'aventurer par là. Les maisons étaient plantées de travers comme des pierres tombales dans un cimetière mal entretenu. Un nuage d'ennui flottait sur le voisinage, et ne s'éclipsait que fugitivement quand des cris d'enfants perçaient l'air à la suite de quelque tricherie au jeu.

De nombreuses théories avaient cours sur l'origine du nom insolite de la rue. Certains croyaient qu'un poète ottoman réputé qui vivait là jadis, mécontent du maigre bakchich qu'on lui avait accordé après l'envoi d'un poème au palais, avait juré de ne plus ouvrir la bouche jusqu'à ce que le Sultan le récompense correctement.

« Assurément le Maître des empires de César et d'Alexandre le Grand, le Commandeur de Trois Continents et Cinq Océans, l'Ombre de Dieu sur terre, répandra sa générosité sans borne sur son humble sujet. Mais s'il s'en abstient, j'y verrai le signe que mes poèmes sont médiocres et je resterai muet jusqu'au jour de ma mort, car mieux vaut un poète mort qu'un poète manqué. » Telles furent ses dernières paroles avant son repli dans un silence aussi profond que la neige à minuit. Ce n'était pas de la prétention ; il vouait vénération, crainte et obéissance à ce que dans son imagination devait être un gouvernant. Pourtant, l'artiste qu'il était ne pouvait s'empêcher de désirer plus d'attention, plus d'éloges, plus d'amour – et quelque argent supplémentaire aurait été bienvenu aussi.

Quand l'incident parvint à ses oreilles, le Sultan, amusé par une telle impudence, promit de lui faire réparation. Comme à tous les despotes, les artistes lui inspiraient des sentiments mitigés : tout en désapprouvant leur caractère imprévisible et leurs désordres, il appréciait aussi leur présence, à condition qu'ils connaissent leurs limites. Les artistes avaient une façon insolite de regarder les choses, ce qui pouvait être divertissant, sauf quand ça ne l'était pas. Il aimait en garder quelques-uns auprès de lui à la cour, sous stricte surveillance. Ils étaient libres de dire ce qu'ils voulaient du moment qu'ils ne critiquaient pas l'État et ses lois, la religion et le Tout-Puissant, et par-dessus tout, le souverain.

Par un hasard du destin, cette semaine-là, à l'issue d'un complot du sérail pour renverser le Sultan et mettre son fils aîné sur le trône, le souverain fut assassiné – étranglé avec une cordelette de soie pour éviter l'effusion de son noble sang. Dans la mort comme dans la vie, les Ottomans aimaient maintenir chacun à sa place, chaque chose méticuleusement réglée, sans ambiguïté. Il convenait d'étrangler les membres de la royauté, pendre les voleurs, décapiter les rebelles, empaler les bandits de grand chemin, écraser dans un mortier les dignitaires locaux, jeter les concubines à la mer dans un sac lesté. Chaque semaine on disposait de nouvelles têtes tranchées sur les gibets en face du palais, la bouche emplie de coton s'il s'agissait de hauts fonctionnaires, de paille pour le tout-venant. C'était exactement ce que ressentait le poète. Lié par son serment, il garda le silence jusqu'à son dernier souffle.

Cependant, il circulait une version différente de l'histoire. Quand le poète exigea une récompense généreuse, le Sultan exaspéré de son effronterie ordonna de lui couper la langue, de la hacher menu, de la frire, et de la donner en pâture aux chats des sept quartiers avoisinants. Mais après s'être répandue en paroles acerbes pendant tant d'années, la langue avait un goût aigre, même une fois sautée dans de la graisse de queue de mouton et des oignons frais. Les chats firent tous demi-tour. L'épouse du poète, qui observait la scène derrière le treillis d'une fenêtre, ramassa secrètement les morceaux pour les recoudre. À peine avait-elle placé son ouvrage sur le lit et franchi le seuil en quête d'un chirurgien qui replacerait la langue dans la bouche de son mari qu'une mouette fonça par la fenêtre ouverte et s'en empara. Rien de surprenant à cela, les mouettes d'Istanbul sont connues pour être des charognards qui se nourrissent de tout ce qu'elles trouvent, peu importe le goût. Un oiseau capable de percer et d'engloutir les yeux d'animaux deux fois plus gros que lui peut dévorer n'importe quoi. Ainsi le poète resta aussi muet qu'une lampe de pêcheur. À sa place, un volatile blanc tourbillonnant au-dessus de sa tête croassa les poèmes qu'il ne pouvait plus réciter à la ville entière.

Quelle que soit la véritable origine de son nom, la rue où vivaient les Nalbantoğlu était une allée pittoresque, somnolente, où les vertus les plus appréciées se modelaient sur les trois états de la matière : obéir à Allah – et aux imams – avec une entière soumission, un abandon total et une stabilité constante (solide) ; accepter le Fleuve Divin de la Vie sans s'arrêter à la quantité de boue et de déchets qu'il pouvait charrier (liquide) ; et renoncer à toute ambition car les biens matériels et les trophées finiraient par se dissoudre dans l'atmosphère (gazeux). Par ici, on considérait chaque destinée comme prédéterminée, chaque souffrance inévitable, y compris celles que les résidents de la rue s'infligeaient mutuellement, comme les bagarres après un match de foot, les querelles politiques, et les raclées infligées à leur femme.

Les Nalbantoğlu vivaient dans une maison à deux étages, couleur de cerise aigre. Au fil des ans, elle avait reçu des couches de différentes teintes, vert prune salée, brun brou de noix, violet betterave confite. Ils louaient le rez-de-chaussée ; leur propriétaire habitait l'étage au-dessus. Même s'ils n'étaient pas riches – toute richesse est relative, fonction du lieu et de l'époque – Peri avait grandi sans aucun sentiment de privation. Cela viendrait plus tard, et comme tout sentiment différé, il se manifesterait avec une force inouïe, comme s'il voulait rattraper le temps perdu. Elle prendrait conscience de tous les défauts d'une maisonnée dont elle était jadis l'enfant si chérie et protégée.

Elle était la dernière-née des Nalbantoğlu, conçue comme par surprise, car ses parents, avec deux fils déjà adolescents, passaient pour être trop âgés. Câlinée, gâtée, chaque désir non seulement satisfait mais devancé, Peri menait une vie d'aisance acquise pendant ses jeunes années. Malgré tout, elle sentait autour d'elle une tension impalpable, qui prenait des proportions d'orage gigantesque chaque fois que ses parents se retrouvaient dans la même pièce.

Ils étaient aussi incompatibles que la taverne et la mosquée. Les plis qui leur creusaient le front, la raideur audible dans leur voix les désignaient non comme un couple d'amoureux mais comme des adversaires lors d'une partie d'échecs. Sur l'échiquier usé de leur mariage, ils avançaient chacun leurs pions, méditaient la stratégie des prochains coups, s'emparaient de châteaux, d'éléphants, de vizirs, cherchant à infliger l'ultime défaite. Chacun voyait en l'autre le tyran de la famille, l'être odieux, et rêvait de dire un jour : « Échec et mat, *shah manad*, le souverain est impuissant. » Leur couple était si profondément tissé de ressentiment mutuel qu'ils n'avaient même plus besoin d'une raison pour se sentir offensés et frustrés. Même toute petite, Peri devinait que ce n'était pas, que ça n'avait sans doute jamais été l'amour qui les unissait.

Chaque soir elle voyait son père affalé à table devant des assiettes de mezzés réparties autour d'une bouteille de raki : feuilles de vigne farcies, purée de pois chiches, poivrons rouges grillés, artichauts à l'huile d'olive et son plat préféré, salade de cervelle d'agneau. Il mangeait lentement, goûtait chaque plat en connaisseur difficile, même si la nourriture lui servait uniquement à ne pas boire l'estomac vide. « Je ne suis pas un joueur, ni un voleur, je n'accepte pas de pots-de-vin, je ne fume pas et je ne cours pas après les femmes ; sûrement Allah voudra bien pardonner ce petit travers à Sa vieille créature », aimait à dire Mensur. D'ordinaire, il conviait un ami ou deux à partager ces repas prolongés. Ils discutaient politique et politiciens en déplorant l'état actuel des choses. Comme la majorité des gens de ce pays, ils parlaient le plus de ce qu'ils aimaient le moins.

« Faites le tour du monde, vous verrez, chacun boit différemment », disait Mensur. Il avait pas mal bourlingué dans sa jeunesse comme mécanicien de marine. « Dans une démocratie, quand un homme est soûl, il crie : "Qu'est devenue ma chère et tendre ?" Si ce n'est pas une démocratie, il crie : "Qu'est devenu mon cher pays ?" »

Bientôt les mots tournaient en mélodies, et tous se mettaient à chanter – d'abord des airs allègres des Balkans, puis des chants révolutionnaires de la mer Noire, et peu à peu, inévitables, des ballades anatoliennes de cœurs brisés et d'amours sans espoir. Les refrains turcs, kurdes, grecs, arméniens, judéo-espagnols se confondaient dans l'air comme des anneaux de fumée.

Assise seule dans un coin, Peri les observait le cœur lourd. Souvent elle se demandait ce qui rendait son père si triste. Elle imaginait le chagrin collé à lui comme une fine couche de goudron noir sous ses semelles. Elle ne pouvait ni trouver un moyen de lui remonter le moral ni renoncer à essayer, car elle était bien (chaque membre de la famille pouvait le confirmer) la fille de son père.

Du haut de son cadre ouvragé sur le mur, Atatürk – le père des Turcs – les observait de ses yeux bleu acier mouchetés d'or. Les portraits du héros national étaient partout ; Atatürk en uniforme militaire dans la cuisine, Atatürk en redingote dans le salon, Atatürk en caftan et bonnet tartare dans la chambre à coucher, Atatürk en gants de soie et cape flottante dans l'entrée. Les jours de fête nationale et de commémoration, Mensur accrochait un drapeau turc avec l'image du grand homme à une fenêtre où chacun pouvait le voir.

« Rappelle-toi, sans lui, on serait comme l'Iran, disait souvent Mensur à sa fille. Je serais obligé de me faire pousser une barbe ronde et d'acheter mon alcool en contrebande. Ils me pinceraient et me feraient fouetter en place publique. Et toi, ma petite âme, tu porterais un tchador, même à ton âge. »

Les amis de Mensur – enseignants, cadres de banque, ingénieurs – étaient comme lui des fervents d'Atatürk et de ses principes. Ils lisaient, déclamaient et, quand l'inspiration s'emparait d'eux, écrivaient des poèmes patriotiques – souvent si proches par le rythme et si répétitifs quant au contenu qu'au lieu de se distinguer les uns des autres ils semblaient tous autant d'échos d'un même appel. Malgré tout, Peri aimait s'attarder au salon, écouter leur bavardage amical, le timbre et la cadence de leurs voix qui montaient et descendaient avec chaque verre rempli à ras bord. Ils ne s'offusquaient pas de sa présence. Au contraire, l'intérêt qu'elle prenait à leurs conversations semblait les requinquer, les emplir d'espoir pour la jeunesse. Alors Peri s'incrustait, sirotait du jus d'orange dans le gobelet favori de son père, orné sur un côté par la signature d'Atatürk, sur l'autre d'une citation du leader national : *Le monde civilisé est devant nous ; nous n'avons d'autre choix que de le rattraper.* Elle adorait cette tasse en porcelaine, la douceur lisse contre sa paume, avec un léger regret une fois qu'elle était vide, comme si l'espoir de rattraper le monde civilisé avait fui lui aussi.

Peri bondissait de son siège comme un yo-yo, pour remplir les seaux à glace, vider les cendriers, faire griller les toasts ; il y avait toujours une tâche à accomplir – surtout depuis que sa mère s'absentait de ces soirées.

Dès qu'elle avait disposé la nourriture sur la table, tout en soupirant, Selma se retirait dans sa chambre et n'en ressortait plus jusqu'au lendemain matin. Parfois elle ne reparaissait qu'à midi ou même plus tard. Le mot dépression n'avait pas cours dans leur maison. *Maux de tête*, expliquait-elle. Elle souffrait souvent d'affreuses migraines qui l'obligeaient à s'aliter, les yeux presque clos, comme pour se protéger d'un soleil perpétuel. Quand le corps faiblit, l'esprit devient plus pur, affirmait-elle – si pur qu'elle voyait des présages partout : un pigeon roucoulant devant sa fenêtre, une ampoule qui grillait brusquement, une feuille de thé à la surface de sa tasse. Cloîtrée dans sa chambre, elle restait étendue, prostrée, l'oreille attentive au moindre son. C'était impossible de ne pas entendre : les cloisons étaient aussi minces que des couches de pâte feuilletée. Mais un autre mur séparait Selma et

Mensur, dressé depuis des décennies, prenant chaque année plus de hauteur.

Depuis quelque temps, Selma faisait partie d'un cercle religieux conduit par un prédicateur réputé pour l'éloquence de ses sermons et la rigueur de ses opinions. On l'appelait Üzümbaz Efendi, car il déclarait que partout où il verrait des signes d'idolâtrie et d'hérésie, il les écraserait sous ses pieds comme on foule le raisin. Ça ne le gênait pas du tout que son sobriquet évoque la fabrication du vin – péché non moins grave que de le boire. Ni les grappes juteuses ni le liquide en bouteille n'excitaient autant son intérêt que le geste d'écraser.

Sous l'influence du prédicateur, Selma changeait à vue d'œil. Non contente de refuser de serrer la main à tout individu de sexe opposé, elle refusait de s'asseoir sur un siège qui venait d'être occupé par un homme – même s'il s'était levé pour le lui céder. Elle ne portait pas le niqab comme certaines de ses amies proches, mais se couvrait complètement la tête. Elle ne supportait plus la musique pop, qu'elle jugeait corrompue et corruptrice. Elle bannissait de la maison toute espèce de produits sucrés ou salés, crèmes glacées, chips, biscuits au chocolat – même des aliments étiquetés halal – parce que aux dires d'Üzümbaz Efendi, ils pouvaient contenir de la gélatine, laquelle pouvait contenir du collagène, qui pouvait contenir du porc. L'idée du moindre contact avec de l'extrait de porc lui faisait tellement horreur qu'au lieu de shampoing elle utilisait du savon de ménage à l'huile d'olive ; au lieu de dentifrice, un bâton de bois d'arak ; et en guise de chandelle, un morceau de beurre muni d'une mèche. Soupçonnant qu'on utilisait peut-être de la colle à base d'os de porc dans la fabrication des chaussures, elle refusait de porter des marques étrangères et conseillait à tout le monde de faire de même. Des sandales, c'était le moins risqué. Pendant des années, en vertu des consignes de sa mère, Peri porterait des sandales en cuir de chameau et des chaussettes en poil de chèvre pour aller à l'école, provoquant les moqueries de ses camarades de classe.

Avec un groupe animé du même esprit, Selma organisait des excursions vers les plages d'Istanbul et des alentours, où elle s'efforçait de convaincre les femmes qui bronzaient en bikini de se repentir avant qu'il ne soit trop tard pour sauver leur âme. « Chaque pouce de peau que vous montrez aujourd'hui grillera en enfer demain. » Le groupe distribuait des prospectus bourrés de fautes de grammaire et d'orthographe, lardés de points d'exclamation, pauvres en virgules : tous ressassaient qu'Allah ne voulait à aucun prix voir des petites-filles d'Ève s'exhiber à demi nues en public. Plus tard dans la soirée, une fois les plages désertes, ces prospectus flottaient au vent, déchirés et salis, les mots « débauche », « sacrilège », « damnation éternelle » éparpillés sur le sable comme des brins d'algue desséchés.

Selma, qui était déjà très animée autrefois, devenait de plus en plus bavarde et ergoteuse dans cette nouvelle phase de sa vie, pressée par l'urgence de ramener les autres, son mari en tête, sur le droit chemin. Comme Mensur n'avait aucune intention de s'amender, la famille Nalbantoğlu était partagée en deux zones – *Dar al-Islam* et *Dar al-harp* – le royaume de l'obéissance et le royaume de la guerre.

La religion s'était abattue sur la maisonnée aussi brutalement qu'un météore, et avait creusé un gouffre, divisant ses membres en deux camps ennemis. Le fils cadet, Hakan, incurablement religieux et excessivement nationaliste, prit le parti de sa mère ; l'aîné, Umut, voulant désamorcer le conflit, resta neutre un certain temps, mais il était clair à ses propos, faits et gestes qu'il inclinait vers la gauche. Quand il finit par s'afficher résolument comme un gauchiste, il avait tout l'équipement d'un marxiste averti.

Tout cela mettait Peri, la plus jeune des trois, dans une position malcommode, tiraillée entre deux parents qui voulaient chacun la conquérir ; son existence même devenait un terrain d'affrontement entre deux visions du monde rivales. L'idée de devoir choisir, une fois pour toutes, entre la piété militante de sa mère et le matérialisme militant de son père la paralysait presque. Car Peri faisait partie de ces gens qui, autant que possible, s'appliquent à n'offenser personne. Entourée de guerriers dressés les uns contre les autres dans des combats permanents, elle adopta une complaisance obligatoire, se contraignit à la docilité. Sans que personne le sache, elle éteignit le feu qui l'habitait, le réduisit en cendres.

Le gouffre entre les parents de Peri n'était nulle part plus évident que dans un coin particulier du salon. Il y avait deux étagères au-dessus du poste de télévision, la première réservée aux livres paternels – *Atatürk : La Renaissance d'une nation* de Lord Kinross, le *Discours du Ghazi Mustafa Kemal*, par le grand homme en personne, *Il neige dans la nuit* de Nâzim Hikmet, *Crime et châtiment* de Dostoïevski, *Le Docteur Jivago* de Pasternak, une série complète de mémoires (par des généraux ou de simples soldats) sur la Première Guerre mondiale, et une édition ancienne des *Rubáiyát* d'Omar Khayyam fatiguée par d'innombrables lectures.

La deuxième étagère représentait un tout autre monde. Occupée pendant des années par des petits chevaux en porcelaine de toutes les tailles et couleurs – poneys, étalons et juments aux crinières dorées et queues arc-en-ciel, qui dansaient, galopaient, broutaient. Puis des livres firent leur apparition : *Hadiths* rassemblés par al-Bukhari ; *Discipliner l'âme*, d'al-Ghazali ; *Guide graduel de prières et de supplications en Islam* ; *Histoires des Prophètes* ; *Le Manuel de la bonne musulmane* ; *Les Vertus de patience et de gratitude* ; *L'Interprétation islamique des rêves*. Le coin de droite était réservé aux deux ouvrages d'Üzümbaz Efendi : *L'Importance de la pureté dans un monde immoral* et *Shaitan murmure à ton oreille*. À mesure que de nouveaux titres arrivaient, les chevaux étaient relégués peu à peu au bout de l'étagère où ils étaient perchés périlleusement comme au bord d'une falaise.

Le déluge de mots et d'émotions qui parcourait les couloirs de la maison était une énigme pour l'esprit innocent de Peri. Elle savait, d'après tout ce qu'elle avait appris, qu'Allah était le seul et l'unique. Pourtant, il lui était impossible de croire que les enseignements religieux, sacrés selon sa mère et constamment raillés par son père, pouvaient émaner du même Dieu. Assurément, ce n'était pas le cas. Et sinon, comment Dieu pouvait-il inspirer des vues aussi radicalement opposées à deux personnes unies par le même anneau nuptial, à défaut du même lit ?

Vive et accommodante, Peri, témoin des vendettas, voyait ses êtres chers se déchirer sans merci. Très tôt, elle apprit qu'il n'y avait pas de conflit plus douloureux qu'un conflit familial, et pire encore, un conflit sur la nature de Dieu.

Le couteau

Istanbul, 2016

Bientôt, Peri aperçut les petits mendiants qui s'étaient emparés de son sac. Ils avaient beau courir aussi vite que leurs pieds pouvaient les porter, elle était plus rapide qu'eux. Elle n'osait croire à sa chance – si chance il y avait. Elle les poursuivit dans une allée pavée aux parois de pierre sorties de l'ombre, sa poitrine la brûlant à chaque souffle.

Les enfants se tenaient debout de chaque côté d'un homme – le vagabond qui avait fini sa cigarette. Péri fit un pas vers lui sans pouvoir émettre un son. Elle avait agi sans réfléchir, et maintenant qu'elle y pensait, elle se sentait désorientée.

Le vagabond souriait, la mine sereine, comme s'il l'attendait. Vu de près, il semblait différent, les traits émaciés de ses joues parfaitement symétriques, une lueur juvénile au fond de ses yeux noirs comme l'encre. N'était sa mise dépenaillée, il faisait un peu dandy. Sur les genoux, il tenait pieusement son sac à main, le caressant comme une amoureuse retrouvée après une longue absence.

« C'est à moi », dit Peri d'une voix tendue, en avalant le nœud qui lui serrait la gorge.

À ces mots, il ouvrit le fermoir du sac et le tint en l'air avant de le renverser. Le contenu se répandit : clés de la maison, rouge à lèvres, eye-liner, un stylo, un petit flacon de parfum, un téléphone, un paquet de mouchoirs, des lunettes de soleil, une brosse à cheveux, un tampon hygiénique… et un portefeuille en cuir, qu'il ramassa avec précaution. Il en sortit une liasse de billets, des cartes de crédit, une carte d'identité rose, conformément à son sexe, un permis de conduire, des photos de famille rassemblant ses souvenirs favoris. Tout en sifflotant, il empocha l'argent et le téléphone, sans s'arrêter aux autres objets. La mélodie, joyeuse et insouciante, semblait sortir d'une vieille boîte à musique. Il allait jeter le portefeuille quand un détail lui accrocha l'œil. Une photo polaroïd avait glissé hors du compartiment où elle était soigneusement rangée, à l'abri des regards. Une relique d'un temps révolu.

Sourcil levé, le vagabond scruta le polaroïd. On y voyait quatre visages : un homme et trois jeunes femmes. Un professeur et ses étudiantes. En manteaux, chapeaux et écharpes ils se tenaient devant la Bibliothèque bodléienne d'Oxford, serrés les uns contre les autres pour se réchauffer, ou par habitude, prisonniers à jamais d'une des journées les plus froides de cet hiver-là.

Le vagabond releva la tête et fit un large sourire comme s'il reconnaissait Oxford d'après un film ou une coupure de journal. Ou peut-être avait-il remarqué que la femme devant lui était l'une des jeunes filles sur la photo. Elle avait pris du poids et des rides, ses cheveux étaient plus courts et plus raides mais ses yeux n'avaient pas changé, hormis un soupçon de tristesse. Il jeta la photo.

Pendant quelques secondes – pas plus – Peri regarda la photo voler en l'air puis retomber en virevoltant vers le sol. Elle eut une crispation, comme si le bout de papier était vivant et risquait de se blesser dans sa chute.

Prise de panique, elle hurla que des gens étaient en route pour lui venir en aide : la police, la gendarmerie, son mari. Elle agita la main pour montrer son alliance, douloureusement consciente que la jeune fille qu'elle était jadis se serait moquée d'elle en la voyant brandir ce symbole de son statut marital comme si c'était une amulette. Mais d'autres raisons empêchaient sans doute l'individu de la croire, à commencer par le tremblement de sa voix. L'allée était déserte, la lumière du ciel déclinait. À quelle distance se trouvait-elle de la route principale ? Elle entendait encore la circulation, mais d'un bruit assourdi, comme s'il traversait une paroi en verre. Soudain elle eut peur.

Le vagabond resta immobile pendant un moment inquiétant. L'air était si calme que Peri eut l'impression d'entendre une souris se faufiler dans le tas d'ordures voisin, courir, fureter tandis que son cœur pas plus gros qu'une pistache palpitait dans son minuscule poitrail. L'allée semblait une enclave extérieure au royaume des chats d'Istanbul, hors des limites de la ville et, à cet instant, hors de ce monde.

Calmement, l'homme fouilla dans sa poche de manteau et en sortit quelque chose : un sac en plastique contenant un tube de solvant. Il prit le tube dont il pressa le contenu entier dans le sac. Puis il souffla dans le sac jusqu'à en faire un petit ballon. Il sourit de son ouvrage, un globe de neige idyllique où chaque flocon jamais tombé du ciel était soit une perle soit un diamant. Il le plaça sur son nez et sa bouche, inspira fortement ; une fois, deux fois, puis une troisième bouffée plus longue. Quand il redressa de nouveau la tête, son expression avait changé, il était là et ailleurs. Un accro à la colle, comprit Peri. C'est seulement alors qu'elle remarqua les petits vaisseaux éclatés de ses orbites, comme des fentes sur une terre brûlée. Une voix intérieure lui dit de retourner auprès de sa fille et de sa voiture, mais elle resta sur place comme si la colle avait été répandue sous ses semelles, la figeant sur place.

Le vagabond tendit le sachet de plastique à la fillette qui, tout excitée, le lui arracha presque des mains. Elle renifla bruyamment tandis que l'autre enfant attendait son tour, impatient et irrité d'être le dernier. La colle, le plaisir favori des gamins des rues et des prostituées mineures ; le tapis volant qui les emportait, légers comme des plumes, par-dessus les toits et les coupoles et les gratte-ciel dans un royaume lointain où il n'y avait ni crainte ni raison de craindre : pas de souffrance, ni de prison, ni de proxénètes. Ils restaient dans cet Eden le plus longtemps possible, à sucer des grappes dorées sur leur cep, à grignoter des pêches juteuses. À l'abri de la faim et du froid, ils donnaient la chasse aux ogres, raillaient les géants, et enfournaient les génies dans les flacons d'où ils s'étaient évadés.

Comme tous les doux rêves, celui-ci avait un prix. La colle faisait fondre les membranes de leurs cellules cérébrales, attaquait leur système nerveux, détruisait foie et reins, les dévorant petit à petit de l'intérieur.

« J'appelle la police », glapit Peri, plus fort qu'il n'était nécessaire. *Pas vraiment la chose à dire*, pensa-t-elle, et ajouta encore plus fort : « Ma fille a déjà appelé. Ils seront là d'une minute à l'autre. »

Comme s'il s'attendait à sa réplique, le vagabond se mit debout. Ses mouvements étaient lents et délibérés, peut-être pour lui donner le temps de changer d'attitude, ou pour bien lui faire entendre qu'il n'était pas responsable de ce qui allait se produire.

Les deux enfants avaient disparu. Quand et où ils avaient filé, Peri n'en avait pas la moindre idée. Ils obéissaient aux ordres du vagabond. Sultan des rues dérobées, empereur des ordures accumulées et des cloaques à ciel ouvert, de tout ce qui était rejeté ou abandonné, collecteur magnanime de tout le rebut. Plus que ses traits, c'est son allure concentrée qui rappela quelqu'un à Peri – quelqu'un qu'elle croyait enfermé dans le passé, quelqu'un qu'elle avait aimé comme elle n'avait jamais aimé personne.

Se forçant à détourner le regard de lui pendant une ou deux secondes, Peri jeta un coup d'œil au polaroïd sur le sol. C'était l'une des rares photos qu'elle avait conservées de son passage à Oxford au fil des ans – et l'unique photo du professeur Azur. Elle ne pouvait pas supporter de la perdre.

Quand elle se retourna, elle fut saisie de voir que le vagabond saignait du nez. De grosses gouttes de sang éclaboussaient sa poitrine d'une teinte écarlate si vive qu'on aurait dit de la peinture. Alors qu'il s'approchait d'un pas traînant, il ne semblait pas en avoir conscience. Peri entendit un halètement – le son étrange de sa propre voix – quand elle aperçut l'éclat d'une lame.

Le jouet

Istanbul, années 1980

Ils étaient arrivés tard un vendredi. Comme des hiboux, ils attendaient que la nuit jette un manteau noir sur la ville avant de chercher leur proie. La mère de Peri était allée se coucher à minuit passé, après avoir cuisiné une de ses spécialités – de l'agneau de sept heures aux feuilles de menthe. Elle fut la dernière à entendre qu'on frappait à la porte d'entrée. Le temps que Selma se réveille et se lève, la police était déjà dans la maison et retournait de fond en comble la chambre que partageaient ses fils. Après cette descente, comme incapable de se pardonner, Selma ne connaîtrait plus jamais une vraie nuit de sommeil, et deviendrait à son tour une créature nocturne.

Même si les policiers examinaient tout en détail, leur conduite indiquait clairement qu'ils étaient là pour le fils aîné, Umut. Ils l'obligèrent à se tenir tout seul dans un coin, lui interdirent d'échanger ne serait-ce qu'un regard avec sa famille. À le voir dans cet état, Peri qui n'avait que sept ans éprouva une tristesse si forte qu'elle confinait au désespoir. Elle ne l'avait jamais dit tout haut, mais Umut était son frère préféré. De grands yeux noisette dont les coins se plissaient à chaque sourire, un large front qui lui donnait un air de sagesse en avance sur son âge. Comme elle, il rougissait facilement. Contrairement à elle, il débordait d'entrain, comme il convenait à son nom – espoir. Malgré leur écart d'âge, Umut avait toujours été proche de Peri, acceptant de partager ses jeux idiots sans autre raison que l'amour qu'il lui portait, d'être un prince kidnappé par un bateau pirate ou un rusé sorcier sur la montagne du Kâf – selon le rôle que lui réservait l'histoire du jour.

À l'université – il était étudiant en ingénierie chimique – Umut devint plus réservé. Il cultiva une luxuriante moustache de morse et accrocha sur son mur des photos de gens que Peri n'avait jamais vus avant : un grand-père à la barbe chenue ; un homme aux lunettes rondes métalliques sur un visage ouvert ; un autre avec des cheveux en bataille et un béret. Il y avait aussi une femme qui portait ses cheveux relevés et un chapeau blanc. Quand Peri lui demanda qui étaient ces gens, son frère lui expliqua : « Ça, c'est Marx, l'autre c'est Gramsci. Celui-là avec le béret c'est le Che.

— Oh, fit Peri, sans rien comprendre de ce qu'il lui racontait, mais touchée par l'ardeur de sa voix. Et elle ?

— Rosa.

— J'aimerais bien m'appeler Rosa. »

Umut avait souri. « Ton nom à toi est bien plus beau, tu peux me croire. Mais si ça te fait plaisir, je t'appellerai Rosa-Peri. Peut-être que tu deviendras une révolutionnaire.

— C'est quoi, une révolutionnaire ? »

Umut chercha une réponse appropriée. « Quelqu'un qui veut que tous les enfants aient des jouets, mais qu'aucun enfant n'ait trop de jouets.

— D'ac-cord, répondit Peri avec réserve – elle n'appréciait que la moitié de ce qu'elle venait d'entendre, l'autre moitié lui déplaisait. Trop, c'est combien ? »

Umut lui ébouriffa les cheveux en riant. Sa question s'attarda dans un creux entre eux et resta sans réponse.

Et maintenant, voilà que la police arrachait ces mêmes affiches. Quand il n'y eut plus rien à déchirer, ils vérifièrent les livres, qui appartenaient tous à Umut, car Hakan n'était pas un grand lecteur. Le *Manifeste du Parti communiste* de Karl Marx, *La Situation de la classe laborieuse en Angleterre* de Friedrich Engels, *La Révolution permanente* de Léon Trotsky, *Des souris et des hommes* de John Steinbeck, *L'Utopie* de Thomas More, *Hommage à la Catalogne* de George Orwell... Ils feuilletaient les pages avec un air de frustration excédé, sans doute à la recherche de lettres et de notes personnelles. Ils n'en trouvèrent pas, mais confisquèrent quand même les livres.

« Pourquoi tu lis cette merde ? » Le policier en chef s'était emparé d'un volume – *Le Baiser de la femme araignée* – qu'il jeta à la tête d'Umut. « Tu es un Turc musulman. Ton père est un Turc musulman, ta mère une Turque musulmane. Sept générations, tous pareils. À quoi ça t'avance, hein, toutes ces saloperies étrangères ? »

Umut contempla ses pieds nus – les orteils serrés les uns contre les autres comme pour se rassurer.

« S'ils ont un problème, ces foutus Occidentaux, c'est leur problème, poursuivit l'inspecteur. Chez nous, tout le monde est heureux. On n'est pas divisés en classes, ici. On ne sait même pas ce que ça veut dire. Tu as déjà entendu quelqu'un demander : “Hé, c'est quoi votre classe ?” Bien sûr que non. Nous sommes tous musulmans et nous sommes tous Turcs. Point final. Même religion, même nationalité, même tout. Qu'est-ce que tu ne comprends pas là-dedans ? »

Il se rapprocha d'Umut, s'inclina en avant comme pour le flairer. « Il a fallu trois coups d'État dans ce pays pour mettre fin à ces conneries. Et maintenant ça recommence. Tu crois qu'on va laisser faire ? Tes livres sont pleins de mensonges. Ils sont imprégnés de venin. Peut-être qu'ils t'ont empoisonné, hein ? »

Umut ne dit rien.

« Je te pose une question, imbécile, glapit le policier, les narines frémissantes. Je t'ai demandé si tu avais été empoisonné !

— Non, répondit Umut, d'une voix aussi basse qu'un murmure.

— Hmmm, je crois que si, fit l'homme, hochant la tête pour marquer son accord avec sa propre opinion. Tu en as bien la mine. »

Les matelas, l'armoire, les tiroirs, même l'intérieur du poêle à bois... Pas une niche, pas un recoin n'avait été oublié. Ce qu'ils cherchaient, ils semblaient incapables de le trouver, et ils n'en étaient que plus irrités.

« Ils le cachent quelque part. Fouillez le reste de la maison », ordonna le chef. Il enchaînait les cigarettes, jetant les cendres sur le sol.

« Excusez-moi... cacher quoi, au juste ? » se risqua Mensur – pantoufles aux pieds, la chevelure clairsemée en bataille, le pyjama à rayures froissé – depuis l'angle opposé de la pièce où le reste de la famille avait été sommé d'attendre.

« Je te l'enfoncerai dans le cul quand on l'aura trouvé, riposta le chef. Comme si tu ne savais pas. »

Heurtée par la rudesse des mots, Peri tenait la main de son père. Mais elle gardait les yeux fixés sur son frère. Elle se faisait du souci pour lui, le voyant devenu aussi blême que la lune sur son déclin.

Les policiers retournèrent les autres chambres, la salle de bains, les toilettes, le garde-manger où on conservait les okras séchés et les concombres marinés. On les entendait ouvrir les tiroirs de la cuisine, fouiller les boîtes, chambouler les couverts. Les étagères si bien rangées, derrière leur bordure de dentelle, étaient maintenant sens dessus dessous. Une heure passa, peut-être davantage. Dehors un timide rai de lumière perçait le ciel de plomb, comme une dent de lait à travers la chair à vif.

« Et la fille ? » interrogea le chef. Il jeta son mégot sur le tapis et l'écrasa de son talon. « Vous avez vérifié ses jouets ? »

Selma, le regard fixé sur le tapis qu'elle avait nettoyé le matin même, s'interposa. « Il y a sûrement un malentendu, *Efendim* [1]. Nous sommes une famille honnête. Tous soumis à la volonté de Dieu. »

Ignorant la remarque, l'homme se tourna vers Peri. « Où sont tes affaires, petite ? Montre-nous. »

Peri écarquilla les yeux. Pourquoi tout le monde s'intéressait tant à ses jouets ? – elle n'en avait pas tant que ça – les révolutionnaires, la police ? « Je vous dirai pas. »

Mensur, qui lui tenait toujours la main, la tira en arrière en murmurant : « Chut. Laisse-les regarder, on n'a aucune raison de s'inquiéter. » Puis sans s'adresser à personne en particulier il dit : « Elle les range dans un coffre sous son lit. »

Au bout de quelques minutes, quand le policier en chef reparut, ce fut l'expression de son visage plus que l'objet qu'il avait en main qui alarma Peri.

« Tiens, tiens, qu'est-ce qu'on a là ? »

Peri n'avait encore jamais vu de pistolet. Comparé à ceux de la télévision, celui-ci paraissait si petit et élégant qu'elle se demanda un instant s'il était en chocolat.

« Caché dans un berceau. Sous une poupée ! Tellement commode !

— Je le jure sur le Saint Coran, nous n'en savions rien, dit Selma d'une voix tendue.

— Toi, bien sûr que non, pauvre femme, mais ton fils est au courant.

— Il n'est pas à moi, dit Umut, les joues cramoisies. Ils m'ont demandé de le leur garder quelques jours. J'allais le rendre demain.

— C'est qui, ils ? » interrogea le chef. Il avait l'air ravi.

1. *Efendim* : monsieur.

Umut inspira laborieusement, et sombra dans le silence.

Au-dehors, l'incantation du muezzin s'éleva d'une mosquée voisine. « Il n'y a point d'autre Dieu que Dieu. La prière vaut mieux que le sommeil. »

« Bien, allons-y, ordonna le chef. Emmenez-le. »

Mensur, dont le visage s'était figé à la vue du pistolet, s'écria : « S'il vous plaît, il doit y avoir une explication. Mon fils est un brave garçon. Il ne ferait de mal à personne. »

Le policier, qui avait fait quelques pas en direction de la porte, pivota sur ses talons. « Toujours les mêmes conneries. Vous ne surveillez pas vos enfants ; ils fréquentent des vauriens, des mécréants communistes, et ils se mettent dans des coups foireux. Quand c'est trop tard, vous venez pleurnicher et supplier, ouh, ouh. Pourquoi vous faites des mômes si vous êtes pas foutus de les élever, putains d'abrutis ? Même pas capables de contrôler vos bites ? »

D'un geste vif, le policier tira sur le pyjama de Mensur et le fit tomber sur ses genoux, révélant un caleçon d'un blanc impeccable, quoiqu'un peu usé. Deux de ses hommes ricanèrent. Les autres feignirent l'indifférence.

Peri sentit l'énergie refluer de la main de son père ; ses doigts se firent inertes et exsangues, la main d'un cadavre attendant d'être disséqué. Le silence de son père, la honte de son père, ce père qu'elle adorait, vénérait, chérissait et idéalisait depuis ses tout premiers mots. Le temps que Mensur rattrape son pyjama en tremblant, les policiers avaient franchi la porte en embarquant Umut avec eux.

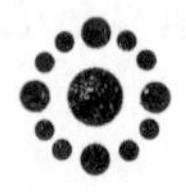

La famille ne revit Umut qu'au bout de sept semaines, pendant lesquelles il fut gardé en isolement. Accusé d'appartenir à une organisation communiste illicite, il avait avoué être propriétaire de l'arme – après avoir été déshabillé, attaché à un sommier métallique avec un bandeau sur les yeux, et soumis à des décharges électriques. Quand on fixa les électrodes sur ses testicules, et qu'on doubla la puissance, il admit être à la tête d'une cellule qui complotait une série d'assassinats contre des membres du gouvernement. L'odeur âcre de chair brûlée, l'odeur cuivrée du sang, l'odeur rance de l'urine se mêlaient au parfum de cannelle du chewing-gum de son principal tortionnaire – un agent nommé Hassan « le Tuyau » à cause des techniques innovantes de torture qu'il pratiquait avec un tuyau d'arrosage.

Chaque fois qu'Umut perdait conscience, on le ranimait à coups d'eau froide, et on le faisait mariner dans de l'eau salée pour augmenter la conductivité. Chaque matin, les mêmes policiers appliquaient des pommades sur ses blessures afin de poursuivre les tortures l'après-midi. Tout en frottant l'onguent sur les plaies d'Umut, Hassan le Tuyau se plaignait de son bas salaire et de ses longues heures de travail, de sa fille qui s'était enfuie avec un homme plus âgé, déjà époux d'une autre femme et père d'un petit garçon. Les tourtereaux étaient revenus six mois plus tard, sans un sou, et terrifiés. Il aurait pu les tuer sur-le-champ, mais voilà, il les avait épargnés. Comme tant de tortionnaires professionnels, il était gentil avec ses proches, respectueux envers ses supérieurs, et cruel pour tous les autres.

Entre deux séances, Umut devait écouter les hurlements des autres prisonniers, tout comme on les avait forcés à écouter les siens. À intervalles rapprochés, des haut-parleurs diffusaient à pleins décibels l'hymne national. Une fois, au cours d'une décharge électrique, ils omirent de lui mettre une serviette dans la bouche, simple oubli, et il se mordit si fort la langue qu'il la coupa presque en deux. Pendant très, très longtemps, manger fut pour lui un supplice ; il ne sentait le goût de la nourriture qu'au moment de l'avaler.

La torture, abondamment pratiquée dans les prisons, les centres de détention et les maisons de correction pour jeunes ouverts dans tout le pays après le coup d'État de 1980, passait pour moins courante, mais elle continuait comme auparavant. Les vieilles habitudes ont la vie dure. Ce qui ne veut pas dire que rien ne changeait. La *falaka*, des coups de bâton sur la plante des pieds, reculait partout et l'on privilégiait la suspension par les bras pendant des heures – méthode plus propre qui laissait moins de marques. Les brûlures de cigarettes, l'arrachage d'ongles et de dents étaient aussi démodés. Les coups étaient rapides, efficaces, et ne laissaient pratiquement aucune trace. Tout comme de forcer les prisonniers à manger leurs excréments, boire l'urine des autres, et passer des heures dans des fosses septiques. Aucun signe visible de maltraitance. Rien à détecter pour les journalistes fouinards et les activistes droit-de-l'hommistes occidentaux, au cas où ils se pointeraient sans crier gare.

Pour finir, Umut fut condamné à huit ans et quatre mois de prison sans possibilité de libération conditionnelle.

Après l'annonce du verdict, les Nalbantoğlu firent des visites régulières à la prison située dans les faubourgs d'Istanbul. Ils arrivaient en formation variable suivant les jours – Mensur avec son fils cadet, Selma avec sa fille, mais jamais Mensur et Selma ensemble. Parmi des dizaines d'autres visiteurs, ils s'asseyaient à une grande table en plastique dont la surface portait la trace d'innombrables rencontres angoissées et douloureuses. Leurs mains devaient rester visibles, conformément aux instructions, afin de prévenir tout échange d'objet. Dans cette posture, ils essayaient de réparer le creux de silence avec des sourires qui n'atteignaient pas leurs yeux et des mots qui se brisaient et glissaient hors de portée.

Lors d'une de ces visites, alors qu'Umut se levait pour partir, Mensur aperçut une tache de sang au bas du dos de son uniforme de prisonnier. Une tache qui avait la taille et la forme d'une feuille de saule. Elle avait un nom, la méthode de torture qui l'avait causée – « Coca sanglant ». Après les avoir frappés et déshabillés, on obligeait les détenus à s'asseoir sur une bouteille de Coca-Cola. On disait que c'était un « cocktail » réservé à une élite : prisonniers politiques, et tous ceux qu'on avait arrêtés dans les rues parce que suspects d'être homos ou transsexuels.

Mensur fixait la tache, sidéré. Il émit un cri étouffé, suffoqua, en dépit de ses efforts pour rester calme. Heureusement Umut, déjà de retour dans son quartier, ne l'avait pas entendu. Contrairement à Peri, dont c'était le tour ce jour-là d'accompagner son père. Elle vit toute la scène, même si curieusement il ne s'agissait que d'images – comme dans un film muet – qui ne la quitteraient plus jamais. Après cette journée, Mensur lui interdit de revenir à la prison. Mieux valait qu'elle reste assise chez eux à écrire des lettres à son frère. À lui raconter des histoires réconfortantes, touchantes, des petits détails joyeux pour lui redonner foi dans l'esprit humain. Peri le fit aussi longtemps qu'elle le put. Elle mettait dans ces lettres un plaisir qu'elle n'éprouvait pas, à propos de gens qu'elle connaissait à peine et d'incidents qui ne s'étaient pas déroulés tout à fait comme elle les décrivait. Umut, comme s'il décelait la tromperie, ne répondait jamais.

Mais il apparaissait souvent dans ses rêves, dont elle s'éveillait en hurlant au milieu de la nuit. Parfois elle réussissait à se rendormir. D'autres fois elle sortait du lit, entrait dans l'armoire et refermait la porte de l'intérieur, en essayant d'imaginer la sensation d'être dans une prison. Tandis qu'elle écoutait son cœur battre dans cet espace sombre et étroit, craignant de manquer d'oxygène, elle faisait semblant d'avoir son frère auprès d'elle qui respirait, respirait.

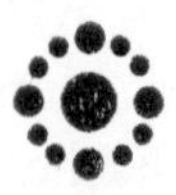

La souffrance causée par l'arrestation d'Umut, au lieu d'unir les Nalbantoğlu, les éloigna au point d'en faire des ennemis. Mensur rejetait la faute sur sa femme. Il était au travail toute la journée, raisonnait-il ; c'est Selma qui était censée garder un œil sur leur fils. Si elle avait passé moins de temps avec des prêcheurs fanatiques qui lui promettaient le parfum du paradis, si elle avait été plus attentive à ce qui se passait sous son nez, elle aurait pu prévenir la calamité qui les accablait. Quant à Selma, réticente, maussade, rancunière, elle tenait son mari pour responsable. C'est Mensur qui avait semé les germes de l'impiété dans l'esprit de leur fils. Tous ses monologues sur le matérialisme et la liberté d'opinion avaient abouti à ce désastre.

Au fil des ans, le mariage de Mensur et Selma s'était durci jusqu'à n'être plus qu'une coquille vide. Maintenant que la coquille se fendait largement, ils se retrouvaient chacun de part et d'autre de la faille. L'air de la maisonnée s'alourdit, comme s'il absorbait le chagrin de ses occupants. La jeune Peri avait l'impression qu'à peine entrées par les fenêtres ouvertes, les abeilles et les phalènes se ruaient dehors, paniquées. Même les insatiables moustiques ne venaient plus sucer le sang des Nalbantoğlu, de peur d'ingérer leur malheur. Dans les dessins animés et les films que regardait Peri, des mortels ordinaires se faisaient mordre par des araignées, piquer par des frelons, après quoi ils devenaient des superhéros et menaient des vies super-excitantes. Chez les Nalbantoğlu, c'était le contraire. Les puces et les punaises qui venaient à leur contact adoptaient les manières des humains, écrasées par le poids d'émotions dont elles n'avaient que faire.

C'est au cours de cette période que Peri commença à recadrer ses relations avec Allah. Elle cessa de prier avant de s'endormir, contrairement à ce que sa mère lui avait appris, mais elle refusa aussi de se montrer indifférente envers le Tout-Puissant, contrairement aux avis de son père. De l'angoisse et la douleur qu'elle n'osait pas exprimer à portée d'oreilles de ses parents, elle fit un boulet de canon qu'elle projeta le plus fort possible contre les cieux.

Elle entama une querelle avec Dieu.

Peri Lui faisait remontrance de tout, Le bombardait de questions auxquelles il n'y avait pas de réponse simple, elle le savait mais les posait quand même, à voix basse afin que personne ne l'entende. Comment pouvait-Il être irresponsable au point de laisser des horreurs s'abattre sur ceux qui ne l'avaient pas mérité ? Dieu pouvait-Il voir et entendre à travers les murs de prison et les barreaux de cellule ? S'il ne pouvait pas, Il n'était pas tout-puissant. S'Il pouvait, et ne faisait rien pour aider les gens dans le besoin, Il n'était pas miséricordieux. D'une façon ou d'une autre, Il n'était pas ce qu'Il prétendait être. C'était un imposteur.

La colère que Peri ne pouvait diriger contre Selma ou son mentor Üzümbaz Efendi, la frustration qu'elle ne pouvait contenir à l'égard de Mensur et de ses beuveries, le chagrin qu'elle ne pouvait exprimer à son frère aîné, la lassitude que lui inspirait son autre frère, elle les mélangeait en une sorte de pâte gluante qu'elle déversait dans ses pensées concernant Dieu. La pâte cuisait dans la fournaise de son esprit et montait lentement, craquelée au milieu, brûlée sur les bords. Alors que ses amies semblaient aussi simples et légères que leurs cerfs-volants, jouant dans la rue, plaisantant à l'école et prenant chaque jour comme il venait, Nazperi Nalbantoğlu, enfant véhémente et introvertie comme on l'est rarement à son âge, était en quête acharnée de Dieu.

Dieu, un mot simple au sens obscur, Dieu, assez proche pour savoir tout ce que vous faites – ou même comptez faire – et pourtant impossible à atteindre. Mais Peri était résolue à trouver un chemin. Car une logique bancale toute personnelle la portait à croire que si elle parvenait à rapprocher le Créateur de sa mère du Créateur de son père, elle arriverait peut-être à rétablir l'harmonie entre ses parents. Grâce à une forme d'accord sur ce que Dieu est ou n'est pas, la tension redescendrait au sein de la famille Nalbantoğlu, peut-être même dans le monde entier.

Dieu était un labyrinthe sans carte d'état-major, un cercle dépourvu de centre ; les morceaux d'un puzzle qui semblaient ne jamais s'emboîter. Si seulement elle pouvait résoudre ce mystère, elle apporterait du sens à l'insensé, de la raison à la folie, de l'ordre au chaos, et peut-être, aussi, qu'elle apprendrait à être heureuse.

Le carnet

Istanbul, années 1980

« Viens t'asseoir près de moi, ma chérie », dit Mensur par une des rares soirées où il était seul à la table du dîner.

Peri s'empressa de lui obéir. Il lui avait affreusement manqué. Quoique habitant la même maison, il lui avait paru distant, absorbé dans ses propres pensées, réduit à la coquille de l'homme qu'il était avant l'arrestation d'Umut.

« Je vais te raconter une histoire, dit Mensur. Autrefois vivait à Istanbul un joueur de flûtiau. Il était soufi, mais du genre électron libre. S'il voyait une bouteille de vin ou de raki, il sermonnait ceux qui étaient autour de lui. "Vous ne savez donc pas qu'une seule goutte de cet alcool est un péché ?" Puis il débouchait la bouteille, trempait un doigt dedans, attendait quelques secondes puis ressortait son doigt mouillé. "J'ai retiré cette goutte peccamineuse, disait-il. Maintenant nous pouvons boire en paix." »

Mensur rit de sa propre facétie – un rire faible, triste.

Peri scruta le visage de son père, sentant chez lui une rébellion solitaire, mais contre qui ou quoi ? Pour sonder le terrain, elle demanda : « Baba, je peux goûter ?

— Quoi ? Tu veux boire du raki ? »

Peri acquiesça. Elle n'y avait jamais pensé avant, mais maintenant qu'elle avait dit oui, elle le voulait réellement. C'était une façon de créer un lien avec son père.

Mensur fit non de la tête. « Tu n'as que sept ans. Pas question !

— Huit, rectifia-t-elle. J'aurai huit ans ce mois-ci.

— Eh bien, j'ai toujours dit qu'il valait mieux prendre sa première gorgée d'alcool chez soi avec ses parents qu'en cachette à l'extérieur. Tu ne devrais vraiment pas boire avant d'avoir dix-huit ans, réfléchit Mensur. D'ici là, allez savoir si ça sera encore permis, grâce à ces religieux fanatiques. Peut-être qu'ils montreront une ou deux bouteilles comme spécimens. L'Exposition des Objets Dégénérés ! Exactement comme les nazis et l'art moderne, hein ? Oui, peut-être que tu devrais en boire une goutte avant qu'il soit trop tard. »

Sur ces mots, Mensur emplit un verre d'eau auquel il ajouta une bonne giclée de raki. Tandis que Peri regardait l'alcool se diluer dans l'eau, son père l'observait avec une expression pleine de tendresse.

« Tu vois ces gouttelettes ? Ça, c'est moi et mes potes. Nous nous dissolvons dans un océan d'ignorance. » Il leva son verre et dit « *Sherefe !* ». En ton honneur.

Ravie d'être traitée en adulte, Peri sourit. « *Sherefe !*

— Si ta mère nous voit, elle va m'écorcher vif. »

Peri se hâta d'avaler une gorgée. Et fit aussitôt une grimace de dégoût. C'était infect. Pire que tout ce qu'elle avait jamais bu. La morsure de l'anis, encore plus âcre que son odeur, lui brûla la langue, lui chatouilla le nez, lui fit monter les larmes aux yeux. Comment son père pouvait-il se régaler tous les soirs de ce truc immonde ?

« Promets-moi, dit Mensur, sans s'arrêter à la réaction de sa fille, que tu ne te fieras jamais aux contes de bonne femme, si tu vois ce que je veux dire.

— Oui, oui », fit Peri après avoir descendu d'un trait un grand verre d'eau et englouti une tranche de pain pour chasser le goût du raki. « Comme quand on dit, ne saute pas par-dessus un enfant, ça l'empêcherait de grandir. Quand tu fais craquer tes articulations, tu casses les ailes d'un ange. Siffle dans le noir, tu vas faire venir Shaitan. Ce genre de choses.

— C'est bien ça, toutes ces âneries. Écoute, il y a une règle que j'ai appris à respecter, et je te conseille d'en faire autant. Ne crois rien que tu n'aies vu de tes yeux, entendu de tes oreilles, touché de tes mains et saisi grâce à ton esprit. C'est promis ? »

Toute au désir de lui plaire, Peri gazouilla : « Promis, Baba. »

Satisfait, Mensur souligna ses paroles à grands gestes de l'index. « L'éducation, voilà le salut ! C'est la seule façon d'avancer. Il faudra que tu ailles étudier dans la meilleure université du monde. » Il fit une pause, réfléchissant à l'université qui conviendrait. « Tu es la seule de mes enfants qui en soit capable. Travaille dur. Garde-toi de l'ignorance, promesse XL ?

— Promesse XL.

— Mais il reste un problème. Les hommes n'ont pas envie d'une femme trop intelligente ou trop instruite. Je ne voudrais pas que tu meures vieille fille.

— Pas de problème, je ne me marierai jamais. Je resterai avec toi. »

Mensur éclata de rire. « Fais-moi confiance, tu changeras d'avis. Mais ne donne pas ton cœur à quelqu'un qui méprise la science... le savoir. Promesse XXL ?

— Promesse XXL. » Peri s'enfonça dans son siège quand une nouvelle pensée lui vint. « Et Dieu, alors ? On ne peut pas Le voir, ni L'entendre, ni Le toucher... mais on doit quand même croire en Lui ? »

Mensur eut l'air peiné. « Je vais te confier un secret. Dès qu'on parle du Tout-Puissant, les adultes sont aussi déboussolés que les enfants.

— Mais est-ce que Dieu existe vraiment ? insista Peri.

— Ça vaudrait mieux pour Lui. Quand je Le rencontrerai dans l'autre monde, avant qu'Il ne s'en prenne à moi, je Lui demanderai où Il était caché pendant tout ce temps. Il nous a abandonnés à nos propres œuvres bien trop longtemps. » Mensur se jeta une tranche de fromage dans la bouche et la mâcha vigoureusement.

« Baba, pourquoi Allah n'a pas aidé Umut ? Pourquoi Il a permis que tout ça arrive ?

— Je ne sais pas, mon âme », dit Mensur, dont la pomme d'Adam faisait des bonds de haut en bas.

Ils restèrent silencieux. Peri recroquevilla ses orteils et enfonça ses pantoufles dans le tapis, consciente qu'il serait plus sage de changer de sujet. L'allusion à son frère aîné avait assombri une atmosphère déjà morose, comme un nuage flottant sur la pâleur de la lune. « Mais alors, c'est quoi, l'enfer et le paradis ? » Les épreuves et tourments de l'enfer avaient servi de refrain tout au long de son éducation. Elle était terrifiée à l'idée que son père puisse finir dans le cercle des damnés, avec ses chaudrons bouillants, ses flammes pénitentielles et ses anges noirs, les *zabanis*.

« Ah, je ne suis pas vraiment du gibier de paradis, hein ? Il y a deux possibilités : si Dieu n'a aucun sens de l'humour, je suis fichu. Train express vers l'enfer. Mais s'Il en a un peu, ça laisse de l'espoir, je te rejoindrai peut-être au paradis. On dit que le meilleur vin y coule par fleuves entiers ! »

Une onde d'angoisse submergea Peri. « Mais si Allah est aussi sévère que maman dit toujours qu'Il est ? chuchota-t-elle.

— Ne t'inquiète pas, on va prévoir un plan B, dit Mensur. Pense à mettre une pioche dans ma tombe. Je creuserai un tunnel depuis l'endroit où je finirai ! »

Les yeux de Peri s'écarquillèrent. « L'enfer est tellement profond que si tu jettes un caillou il met soixante-dix ans à arriver en bas. C'est maman qui me l'a dit.

— Ça, je n'en doute pas. » Un soupir retenu. « Regarde le bon côté des choses : une année sur terre, ça ne fait qu'une minute dans l'au-delà. D'une manière ou d'une autre, je viendrai te retrouver. » Son visage s'éclaira. « Oh, j'ai failli oublier. J'ai quelque chose pour toi. »

De son sac en cuir, Mensur sortit un paquet emballé – une boîte couleur argent entourée d'un ruban doré.

« Pour moi ? »

Peri examina le paquet.

« Tu ne vas pas l'ouvrir ? »

À l'intérieur, il y avait un carnet. Un ravissant carnet turquoise cousu main, orné de paillettes et d'un miroir en mosaïque sur la couverture.

« Je sais que tu es curieuse de découvrir qui est Dieu, dit Mensur, la mine pensive. Je ne peux pas répondre à toutes tes questions. À dire vrai, personne ne peut, y compris ta mère et son prêcheur de pacotille. » Il engloutit le reste de son raki d'une seule gorgée. « Je n'ai pas de sympathie pour la religion, ni pour les religieux, mais tu sais pourquoi j'aime encore Dieu ? »

Peri fit non de la tête.

« Parce qu'Il est tout seul, Pericim, comme moi… comme toi. Tout seul là-haut quelque part, personne à qui parler – oui, bon, peut-être quelques anges, mais si tu crois qu'on rigole beaucoup avec des chérubins ! Il y a des milliards de gens qui Le prient : “Oh donne-moi la victoire, donne-moi de l'argent, donne-moi une Ferrari, fais-ci, fais-ça…” Les mêmes mots encore et toujours, mais pratiquement personne ne se donne la peine de chercher à le connaître. »

Mensur remplit son verre, une lueur de tristesse au fond des yeux. « Tu sais comment les gens réagissent quand ils voient un accident sur la route ? Tout de suite ils disent : “Oh, que le ciel m'épargne !” Tu te rends compte ? Leur première réaction c'est de penser à eux, pas aux victimes. Toutes ces prières qui sont juste des copies calquées les unes sur les autres. Protège-*moi*, aime-*moi*, soutiens-*moi*, il s'agit toujours de *moi*… Et ils appellent cela de la piété ; moi j'appelle ça de l'égoïsme déguisé. »

À ces mots, Peri inclina la tête de côté, voulant le consoler sans savoir du tout comment faire. La maison plongea dans un calme si délicat qu'un souffle d'air l'aurait fait chavirer. Peri se demanda si derrière ces murs, sa mère écoutait leur conversation du fond de son lit et, si c'était le cas, ce qui pouvait bien lui traverser l'esprit.

« À partir de maintenant, quand une pensée te viendra à propos de Dieu – ou de toi – écris-la dans ton carnet.

— Comme un journal intime ?

— Oui, mais un très spécial, dit Mensur, ragaillardi. Un journal de toute la vie !

— Mais il n'y aura pas assez de pages.

— Exactement, la seule solution, ce sera d'effacer les écrits précédents. Tu comprends ? Écris et efface, mon âme. Je ne peux pas t'apprendre à éviter les idées noires. Moi-même je n'y suis jamais arrivé. » Mensur fit une pause. « Mais j'espérais que tu pourrais au moins frotter dessus pour les effacer.

— Comme ça, je pourrai avoir de nouvelles idées noires ?

— Eh bien oui… des idées noires neuves, c'est mieux que des vieilles. »

Cette nuit-là, assise dans son lit, Peri ouvrit son journal et écrivit sa première note : *Je pense que Dieu est fait d'une quantité de couleurs et de morceaux différents. Je peux construire un Dieu pacifique qui est tout amour. Ou je peux construire un Dieu en colère qui punit. Ou peut-être que je ne construirai rien. Dieu est un jeu de Lego.*

Bâtir et détruire. Écrire et gommer. Croire et douter. Était-ce bien cela que voulait dire son père ? Au bout du compte, peu importait, car c'est cela que Peri, en se rappelant cette soirée des années plus tard, décida qu'elle avait entendu.

L'enseignement de son père cristalliserait une chose qu'elle soupçonnait déjà en elle-même : que si certains sont des croyants passionnés, d'autres des incroyants passionnés, elle resterait toujours coincée entre les deux.

Le polaroïd

Istanbul, 2016

Le vagabond se rua sur Peri, maniant son couteau avec tant d'adresse et d'audace qu'elle parvint à l'éviter par miracle. La lame manqua sa hanche de quelques centimètres mais lui ouvrit la paume de la main. Elle poussa un cri perçant, la voix cassée de douleur. Un flot de sang se répandit sur la robe de soie violette.

Le cœur cognant contre ses côtes, le front ruisselant de sueur, elle repoussa l'homme de toutes ses forces. Comme il ne s'attendait pas à ce qu'elle résiste, il perdit l'équilibre, bascula un instant – répit que Peri mit à profit pour faire tomber le couteau d'un coup de poing. Furieux, il la frappa si violemment en pleine poitrine que pendant un moment affreux, elle en perdit la respiration. Elle pensa à sa fille, qui l'attendait dans la voiture. Elle pensa à ses deux petits garçons, qui regardaient leur programme TV préféré à la maison. Une image de son mari lui traversa l'esprit : au dîner, parmi les autres invités, vérifiant sa montre toutes les trois minutes, malade d'inquiétude. La pensée qu'elle ne reverrait plus jamais ses êtres chers lui mit les larmes aux yeux. C'était tellement idiot de mourir comme ça. Certains affrontaient la mort en défendant leur pays ou leur drapeau ou leur honneur ; elle en défendant un faux sac Hermès avec une faute d'accent. Mais peut-être que tout était également dénué de sens.

Le vagabond la frappa de nouveau, cette fois à l'estomac. Jetée à terre, Peri toussa, vidée de presque toutes ses forces.

Elle rassembla ses dernières ressources de volonté. « Arrêtez ! je vous dis, arrêtez tout de suite ! » glapit-elle comme pour réprimander un enfant désobéissant. Elle tremblait ; son corps semblait refuser d'entendre l'ordre émis par son cerveau de ne pas céder à la panique. « Écoutez, murmura-t-elle, la voix rauque, si vous me faites du mal vous aurez de graves ennuis. Ils vous jetteront en prison. Ils vous briseront… » Elle voulait dire, « l'esprit », mais à la place dit « les os ». « Croyez-moi, c'est ça qu'ils vont vous faire. »

Le vagabond claqua la langue. « Sale pute, fit-il. Tu te prends pour qui ? »

Personne n'avait jamais traité Peri de pute auparavant, et le mot la transperça comme une écharde de glace. Elle fit une autre tentative, optant pour l'apaisement. « Gardez le sac, d'accord ? Suivez votre chemin et moi le mien.

— Sale pute », répéta-t-il, enlisé dans son juron.

Sa mine s'assombrit encore ; ses yeux se plissèrent jusqu'à n'être plus que des fissures. Il retint son souffle, alerté par ses propres pensées. Derrière l'allée, une voiture approchait de la brèche, dessinant brièvement un couloir de fuite avec ses phares. Peri voulut appeler au secours mais c'était déjà trop tard, la voiture avait disparu. Ils replongèrent dans l'obscurité. Elle fit un pas en arrière.

Saisissant Peri par le cou, le vagabond la jeta à terre. Elle sentit ses cheveux se dénouer, l'épingle qui retenait son chignon ricocha sur le sol. Un minuscule bruit métallique. Quand elle tomba à la renverse, sa tête heurta l'asphalte.

Bizarrement, ça ne faisait pas mal. Vu d'en bas, le ciel paraissait impossiblement éloigné et ressemblait à une feuille de bronze, rigide, épais, froid. Elle tenta de se relever, sa main laissant des empreintes sanglantes. En un éclair, il était sur elle et lui arrachait sa robe, exhalant une haleine âcre – mélange de faim, cigarettes et produits chimiques. La puanteur du pourrissement. Peri fut prise de nausées. La chair qui tentait de pénétrer sa chair était celle d'un cadavre.

Cela se produisait tout le temps dans cette cité qui embrassait sept collines, deux continents, trois mers et quinze millions de bouches affamées. Cela se produisait derrière des portes closes et dans des cours à ciel ouvert, des chambres d'hôtel miteuses ou des suites de luxe à cinq étoiles ; au milieu de la nuit ou en plein jour. Les bordels de la ville pourraient raconter une foule d'histoires si seulement ils trouvaient des oreilles prêtes à les entendre. Call-girls, garçons à louer, vieilles prostituées, battus, insultés et menacés par des clients qui cherchaient la moindre excuse pour se déchaîner. Transsexuels qui n'allaient jamais porter plainte à la police parce qu'ils savaient qu'ils risquaient une deuxième agression. Enfants terrorisés par certains membres de leur famille, jeunes mariées par leur beau-père ou beaux-frères ; infirmières, enseignantes, secrétaires harcelées par des amoureux abusifs à qui elles avaient refusé un rendez-vous ; épouses qui ne diraient jamais un mot parce qu'il n'en existait pas dans cette culture pour désigner le viol conjugal. Cela se produisait tout le temps. Étalée sous un dais de secret et de silence qui faisait honte aux victimes et protégeait leurs assaillants, Istanbul n'était pas pauvre en abus sexuels. Dans cette ville où chacun redoutait les étrangers, la plupart des agressions étaient commises par des êtres trop proches, trop bien connus.

Au cours des minutes qui suivirent dans l'allée silencieuse, comme si au sortir d'un rêve elle était prise dans le cauchemar de quelqu'un d'autre, Peri sentit sa perception des faits se scinder en couches distinctes. Elle lutta. Elle était forte. Lui aussi, malgré sa silhouette squelettique. Il l'assomma d'un coup de tête qui lui fit perdre conscience quelques secondes. Elle aurait pu abandonner, tant la douleur était aiguë, et irrésistible l'envie de céder au désespoir.

C'est alors que du coin de l'œil elle aperçut une silhouette. Douce et soyeuse, trop angélique pour être humaine. Elle la reconnut – c'était *lui*. Le bébé dans la brume. Joues roses, bras potelés, jambes grassouillettes, costaudes ; mousse de cheveux dorés pas encore foncés. Une tache lie-de-vin lui couvrait la joue. Un adorable bambin, sauf que ce n'était rien de tel. *Jinni*. Esprit. Hallucination. Fragment de son imagination surchauffée, craintive – bien que ce ne soit pas leur première rencontre.

Inconscient de l'apparition derrière lui, le vagabond jurait à mi-voix en se battant avec son pantalon. Il tirait avec impatience sur la ficelle qui lui servait de ceinture. Il avait dû la serrer trop fort, et n'arrivait pas à la dénouer d'une main tout en maintenant Peri à terre de l'autre.

Le bébé dans la brume gargouillait de joie. À travers son regard innocent, Peri mesura toute l'absurdité, la misère risible de la situation où elle était prise au piège. Elle se mit à rire. Haut et fort. Sa réaction surprit son agresseur, qui resta un instant figé.

« Laissez-moi vous aider », dit Peri, avec un geste en direction de la ficelle.

Il eut une étincelle dans le regard – mi-perplexe, mi-méfiant. Une étincelle de condescendance. Il avait réussi à la terroriser et il savait d'expérience que la peur pouvait vous mettre à genoux n'importe quel individu haut placé. Il s'écarta – de quelques centimètres à peine.

Peri se jeta contre lui de tout son poids. Pris par surprise, il bascula en arrière et tomba sur le dos. Vive et agile, elle lui lança un coup de pied entre les cuisses. Il gémit comme un animal blessé. Peri n'éprouvait rien, ni pitié ni rage. On apprend toujours des autres. Certains vous enseignent la beauté, d'autres la cruauté. Elle n'aurait su dire si la drogue qu'il avait reniflée tout à l'heure cheminait à travers son corps et l'affaiblissait ou si c'était elle qu'une énergie sauvage inconnue fortifiait, mais elle se sentit puissante. Désaxée. Dangereuse.

Elle lui enfonça le pied sur le visage, toute son énergie concentrée sur ce seul geste. Un bruit affreux retentit – le craquement d'un nez qui se brise. La vue de son sang, qui coulait cette fois en abondance, au lieu de l'horrifier l'incita à le cogner plus fort. Avant même de s'en rendre compte, elle le martelait de coups de toutes parts.

« Foutu salaud », marmonna-t-elle entre ses dents. Pendant toutes ces années, elle n'avait jamais juré à haute voix, pas depuis Oxford, et cela lui fit le même effet – agréable, facile – que la dernière fois.

Le bébé dans la brume glissa devant ses yeux. Évanescent comme un murmure ; image cousue de soies et de gazes les plus fines. Il ne souriait plus ; ses traits sculptés dans une cire de teinte miel étaient immobiles. Il ne semblait pas non plus porter de jugement sur ce qui venait de se produire. Il était au-delà de toutes ces choses, extérieur à cette sphère. Très vite, après avoir aidé Peri une fois de plus, il disparut. La vapeur se dilua sans laisser de traces dans la nuit tombante.

Aussitôt, Peri arrêta ses coups. Une brise lui souleva les cheveux, une mouette criarde – peut-être une descendante de celle qui avait avalé la langue d'un poète jadis – lui tournait au-dessus de la tête, furieuse contre quelqu'un ou quelque chose dans cette ville envahie par les foules et le béton.

L'homme haletait, chaque souffle comme un sanglot. Il avait le visage couvert de sang et la lèvre fendue.

Je suis désolée, pensa Peri, et elle faillit le dire tout haut, les mots bloqués dans la gorge. À cet instant, comme conditionnée, elle se rappela une voix aimante et grondante à la fois.

Vous vous excusez encore auprès de tout le monde, ma chère enfant ?

Si le professeur Azur était téléporté à Istanbul, voilà ce qu'il lui dirait maintenant, à coup sûr. C'était si bizarre d'entendre le passé revenir à flot à l'instant même où le désordre assaillait les rives du présent. Souvenirs aléatoires, angoisses réprimées, secrets gardés, et culpabilité, beaucoup de culpabilité. Tous ses sens au ralenti, le monde lui parut une toile de fond floue. Submergée par une sorte de sérénité, presque d'engourdissement, qui l'isolait de tout le reste, y compris d'une douleur corporelle qu'elle ne pouvait localiser, Peri se rappela quelques faits de sa vie qu'elle croyait avoir laissés derrière elle une fois pour toutes.

Le vagabond se mit à pleurer. Fini, l'Empereur des rues, le mendiant, l'accro, le voleur, le violeur... dénudé de tous ses rôles, il n'était plus qu'un gamin dans le noir quêtant de ses larmes un geste de réconfort qui ne viendrait jamais. Maintenant que l'effet de la colle disparaissait, la douleur physique se substituait aux visions.

Peri s'approcha de lui, son propre sang lui martelant les oreilles, horrifiée de ce qu'elle avait fait. Elle lui aurait offert de l'aide si sa fille n'était pas arrivée à ce moment précis.

« Maman, qu'est-ce qui se passe ? »

Rapide comme une flèche, Peri fit demi-tour. Elle reprit son calme, s'efforça de rassembler ses esprits. « Ma chérie, pourquoi tu n'as pas attendu dans la voiture ?

— Il fallait que j'attende jusqu'à quand ? riposta Deniz, mais la réprimande qu'elle avait au bord des lèvres s'évanouit. Oh mon Dieu, tu saignes. Qu'est-ce qui s'est passé ? Tu vas bien ?

— Oui, ça va. On a eu une petite bagarre. »

Le vagabond, calmé pour de bon, se remit péniblement sur pied et alla se réfugier dans un coin sans plus s'intéresser à elles. Mère et fille ramassèrent le sac et tout ce qu'elles purent retrouver de son contenu éparpillé.

« Pourquoi je ne peux pas avoir une mère normale comme tout le monde ? » marmonna Deniz en rassemblant les cartes de crédit dispersées sur le sol.

À cette question, Peri ne pouvait répondre, et n'essaya même pas.

« Allons-y, dit Deniz.

— Juste une seconde. Peri chercha autour d'elle le polaroïd, en vain.

— Viens, glapit Deniz. Mais qu'est-ce que tu fabriques encore ? »

Elles se hâtèrent de regagner la voiture. Par miracle, le Range Rover bleu Monte-Carlo les attendait, personne ne l'avait volé.

Le reste du trajet se fit en silence, la fille occupée à se ronger les ongles, la mère à surveiller la route. Bien plus tard, Peri s'avisa qu'elle n'avait pas retrouvé son téléphone. Peut-être que le vagabond l'avait toujours en poche ; peut-être était-il tombé pendant leur lutte, et peut-être s'allumait-il et sonnait-il quelque part dans cette allée – encore un cri qu'Istanbul n'entendrait pas.

Le jardin

Istanbul, années 1980

La première fois que Peri vit « le bébé dans la brume », elle avait huit ans. Cette rencontre la changerait à jamais, se nouant à sa vie comme la vigne à un jeune arbre. Ce serait aussi le début d'une série d'expériences qui deviendraient familières à force de se répéter au fil des ans mais n'en resteraient pas moins terrifiantes.

À la différence de nombreuses maisons du voisinage, celle des Nalbantoğlu était entourée sur quatre côtés d'un jardin luxuriant. C'est à l'arrière qu'ils passaient la majeure partie de leur temps dehors. C'est là qu'ils mettaient à sécher au soleil sur des cordes leurs aubergines, piments rouges et okras, qu'ils préparaient d'innombrables pots de sauce tomate épicée, et faisaient bouillir des têtes de mouton dans des marmites le jour de l'Aïd el-Kébir. Peri essayait de ne pas regarder les yeux du mouton, grands ouverts et fixes. Sa gorge se nouait à l'idée que celui qui mangerait ces yeux avalerait aussi l'horreur qu'ils avaient vue quelques secondes avant d'être exécutés. L'idée la perturbait doublement, car elle savait que c'était son père qui consommerait ce mets délicat le soir même à sa table de raki.

C'était là aussi qu'ils entassaient la laine vierge, l'aéraient, la lavaient, la battaient avant de l'enfourner dans des matelas. Parfois un flocon s'échappait de la masse et venait se poser doucement sur une épaule comme la plume d'un pigeon abattu.

Quand Peri confia à son père que la laine vierge lui rappelait des oiseaux mourants, et que les yeux des moutons la fixaient d'un air accusateur, il sourit et lui posa un petit baiser sur la joue : « Ne sois pas si sensible, *canimin içi* [1], ne prends pas la vie trop à cœur », comme si lui-même ne le faisait pas.

Une barrière de bois brut – aux piquets si écartés qu'on aurait dit une bouche où il manquait la moitié des dents – séparait leur propriété du monde extérieur. Parmi toutes les activités du jardin, celle que préférait Peri, après les jeux partagés avec d'autres enfants, c'était le jour communal de lavage des tapis. Elle attendait avec impatience cet événement qui se produisait plusieurs fois par an. Il fallait que le temps soit clément – ni trop sec ni trop humide – que les tapis soient assez sales, et que tout le monde soit d'humeur à s'y mettre.

Un de ces jours-là, tous les tapis et les carpettes avaient été roulés, traînés dehors, puis étendus côte à côte sur le gazon. Noués à la main, tissés ou fabriqués en usine, ils étaient environ une dizaine à attendre qu'on les lave. Les enfants de la rue du Poète-Muet, projetés dans cet univers de nœuds symétriques, de médaillons centraux et de symboles cachés, sautaient de toutes parts avec des cris joyeux, traversaient les océans et arrivaient à bon port sur leur tapis volant.

Pendant ce temps, dans un coin isolé, un chaudron de fer forgé bouillait sans couvercle sur un feu de bois. On en tirait des bols d'eau qu'on répandait sur les tapis pour en assouplir la texture. Ensuite ces tapis seraient savonnés, brossés, frottés et rincés. Plusieurs fois chacun. Les femmes ne prenaient pas

1. *Canimin içi* : cœur de mon âme.

toutes part à la corvée. La mère de Peri, par exemple, restait à l'écart, trouvant la tâche trop pénible et sale pour son goût. D'autres, les courageuses et les diligentes, avaient déjà retroussé jupes et *shalwars*, le visage empourpré par l'importance de leur mission, la chevelure s'échappant de leur foulard, les pieds nus foulant la profonde épaisseur des tapis comme si elles piétinaient un champ d'orge nouvelle.

Au cours des heures suivantes, les enfants érigèrent des châteaux de boue ; capturèrent des mouches dans des boîtes d'allumettes enduites de confiture ; mangèrent des abricots (dont ils écrasèrent les noyaux) et des pastèques (dont ils firent sécher les graines) ; firent des guirlandes de pommes de pin ; et poursuivirent une chatte fauve qui était soit obèse soit très enceinte. Quand ils eurent épuisé leurs réserves de choses à faire, il restait encore deux tiers des tapis à nettoyer. Un par un, les amis de Peri repartirent chez eux, pour revenir plus tard dans la journée. Comme c'était son jardin, sa maison, elle resta sur place.

C'était une belle journée, chaude et ensoleillée. Aspersions, éclaboussures – l'air était saturé de bruits d'eau. Les femmes cancanaient, riaient, chantaient. L'une d'elles faisait des plaisanteries salaces, que Peri ne comprenait pas mais dont elle devinait l'inconvenance au froncement de sourcils de sa mère.

Pendant l'après-midi, les laveuses firent une pause pour se restaurer. Elles sortirent la nourriture qu'elles avaient préparée – feuilles de chou farcies, *börek* à la féta, concombres marinés, salade de boulgour concassé, boulettes de viande grillées, roulés aux pommes… On disposa les mets sur un large plateau, entourés de piles de galettes plates et de verres d'*ayran*, un yaourt liquide blanc et mousseux comme des lampées de nuages versées par un dieu généreux.

Affamée, Peri saisit un *börek* sur le plat. À peine avait-elle mordu dedans qu'un cri déchirant perça l'air. Sa mère, pressée et distraite, s'était cognée au chaudron bouillant, heureusement sans le faire tomber ni déverser sur elle, mais elle avait le bras gauche brûlé depuis le coude jusqu'au bout des doigts. Lâchant tout ce qu'elles avaient en main, les autres femmes se précipitèrent pour lui venir en aide.

« Versez-lui de l'eau froide sur le bras, dit l'une.

— Du dentifrice ! Il faut l'étaler sur la brûlure.

— Du vinaigre, c'est comme ça qu'on a guéri ma tante. Ses brûlures étaient encore pires », fit une autre.

Tandis que toutes s'agitaient à l'intérieur pour secourir Selma, Peri resta seule dans le jardin. Un rayon de soleil lui courut sur le visage ; un insecte poussait tout près d'elle une mélodie somnolente. Sous un figuier de l'autre côté de la route elle aperçut la chatte fauve, ses yeux de jade réduits à deux fentes. Elle se dit qu'elle allait lui offrir de la nourriture. Emportant une boulette de viande, elle enjamba la barrière. En un clin d'œil, elle était dehors.

« Comment t'appelles-tu, fillette ? »

Peri se retourna et vit un jeune homme vêtu d'une chemise à carreaux rouges et blancs et d'un jean bleu qui semblaient n'avoir jamais été lavés. Son béret semblait prêt à lui glisser de la tête. Au début elle ne réagit pas, car elle savait qu'on ne doit pas parler à des étrangers. Mais elle ne s'éloigna pas non plus. Le béret l'intriguait, il lui rappelait l'affiche dans la chambre d'Umut. Peut-être que cet étranger était un révolutionnaire. Peut-être qu'il avait entendu parler de son frère, qu'il était même au courant de son sort. Elle décida que si elle ne lui disait pas la vérité ce ne serait pas comme de livrer des informations. « Je m'appelle Rosa.

— Ah, je ne connaissais pas encore de Rosa, dit-il, le visage levé vers le soleil. Et bien jolie, avec ça. Tu vas en briser, des cœurs, quand tu seras grande. »

Peri ne dit rien, mais sentit poindre un léger frisson, un petit élan de sensualité pas encore tout à fait éveillé, mi-charmée mi-outrée par le compliment.

« Tu aimes les chats, à ce que je vois. »

Il avait une voix grêle. Par la suite, mais pas maintenant, Peri la comparerait au grain de haricot qu'elle gardait enveloppé dans du coton humide sur le bord de sa fenêtre. Tout comme le haricot, la voix de l'étranger se cachait, changeait, germait.

« J'ai vu une boule de fourrure au coin de la rue, dit-il. Elle a mis bas cinq chatons, apparemment. Tellement mignons, minuscules comme des souris ! Ils ont les yeux roses. »

Feignant l'indifférence, Peri offrit à la chatte la dernière bouchée de viande.

L'homme s'approcha d'un pas : il sentait le tabac, la sueur, la terre humide. Il s'accroupit et lui sourit. Leurs yeux étaient maintenant au même niveau. « Quel dommage que la mère aille les noyer. »

Peri retint son souffle. Au bout du champ, là où les chiens errants traînaient et où venaient paître quelques chèvres, il y avait un réservoir que personne n'utilisait parce que dès qu'il pleuvait un peu, il était pollué par les eaux usées. Elle jeta un coup d'œil dans cette direction, s'attendant presque à voir des corps de félins flotter à la surface.

« C'est comme ça que font les chattes », dit l'homme avec un soupir.

Peri ne put se retenir de demander : « Mais pourquoi ?

— Parce qu'elles n'aiment pas les yeux roses. » Ses yeux à lui étaient couleur noisette, cernés de peau maigre, et très rapprochés sur son visage anguleux. « Elles ont peur d'avoir mis au monde des créatures étranges, comme des renardeaux. Alors elles les tuent. »

Peri se demanda si les renardeaux avaient les yeux roses, et dans ce cas, ce qu'en pensaient leurs propres mères. Dans sa famille, elle était la seule qui ait les yeux verts, et elle se dit qu'elle avait de la chance car personne jusqu'ici n'y avait vu de problème.

L'homme, remarquant sa perplexité, caressa la tête de la chatte avant de se redresser. « Je ferais mieux d'aller voir comment vont les chatons. Ils ont besoin qu'on s'occupe d'eux. Tu veux venir avec moi ?

— Qui ? Moi ? » dit-elle, faute de savoir comment réagir.

Il fit la moue, prit son temps pour répondre, comme si c'était elle qui proposait de l'accompagner. « Tu peux venir, si tu veux. Mais ils sont très petits. Tu promets de faire attention à ne pas leur faire de mal ?

— Promis », dit-elle d'un air dégagé.

Une fenêtre s'ouvrit quelque part ; une femme cria à la cantonade, menaçant son fils de lui briser les deux jambes s'il ne rentrait pas déjeuner sur-le-champ. L'homme, soudain nerveux, jeta un coup d'œil de part et d'autre. Son visage se pinça : « Il ne faut pas qu'on nous voie ensemble. Je marche devant, toi reste derrière moi.

— Ils sont où, les chatons ?

— Pas très loin, mais il vaut mieux qu'on prenne ma voiture. Elle est garée là au coin de la rue. » Il fit un geste vague tout en allongeant le pas.

Peri suivit l'homme, qui boitait lourdement. Si une part d'elle tremblait un peu à l'idée de ce qu'elle était en train de faire, c'était la première fois qu'elle décidait quelque chose sans ses parents, et qu'elle éprouvait un tel sentiment de liberté.

Bientôt, avec un regard furtif par-dessus son épaule, il arriva à sa voiture, s'assit à la place du conducteur et l'attendit.

Peri s'arrêta, alertée par un sens moins intuitif que physique. Elle frémit comme si un vent glacial effleurait sa peau nue. Mais ce qui la fit sursauter ce fut surtout une brume descendue de nulle part. Un rideau de brouillard, couche sur couche de gris, comme des rouleaux de tissu déployés sur le comptoir d'un drapier. Le brouillard la désorienta un instant, elle ne savait plus où elle allait ni pourquoi. Elle discernait la silhouette laiteuse d'un arbre voisin mais le reste du monde était devenu invisible – y compris l'homme qui était assis à quelques pas.

Au sein du nuage gris, Peri vit une chose surprenante : un bébé, le visage rond, ouvert, confiant. Une tache lie-de-vin s'étalait sur une de ses joues jusqu'à la mâchoire. Un peu de liquide gouttait au coin de sa bouche, comme s'il venait d'avoir un petit rejet.

« Peri, où es-tu ? » La voix de sa mère, chargée de panique, lui parvint depuis la maison couleur cerise aigre.

Elle ne put répondre. Son cœur battait au creux de sa gorge tandis qu'elle observait avec stupeur ce bébé dans la brume. *Ça doit être un* jinni, *un esprit*, pensa-t-elle. Elle en avait entendu parler – des créatures faites de feu sans fumée. Ils étaient là bien avant qu'Adam et Ève ne se fassent chasser du Jardin d'Éden ; historiquement, donc, la terre leur appartenait. Les humains n'étaient que les derniers arrivés, des envahisseurs. Les djinns vivaient dans des contrées lointaines – montagnes enneigées, cavernes sombres, déserts arides – mais ils parvenaient souvent à se faufiler dans la ville où ils occupaient des toilettes puantes, des caves crasseuses, des voûtes moisies. Comme ils erraient librement, il fallait avancer avec prudence ; si on marchait dessus par accident, ça se terminait toujours mal, souvent par une paralysie. Peut-être était-ce cela qui lui arrivait. Elle pouvait à peine bouger.

« Peri ! Réponds-moi ! », cria Selma.

Le bébé dans la brume se recroquevilla comme s'il reconnaissait cette voix. La grisaille commença à se dissiper. Le bébé aussi, morceau par morceau, comme une vapeur matinale sous les rayons du soleil levant.

« Voilà, maman ! » Peri fit demi-tour et courut à toutes jambes vers leur jardin.

Par la suite elle demanderait si quelqu'un dans le voisinage avait entendu parler de chatons aux yeux roses. Personne n'était au courant.

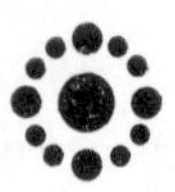

Bien plus tard, devenue adulte, Peri comprit qu'elle était passée à deux doigts d'occuper une manchette de journal. Sans nom, rien que ses initiales imprimées, N. N. ; sa photo, un bandeau noir sur les yeux. Elle aurait pu se retrouver là à côtoyer sur la page une agression mortelle contre un patron de la mafia d'Istanbul ; le conflit entre l'armée turque et les séparatistes kurdes dans une ville proche de la frontière sud-est, et la décision de justice d'interdire le livre de Henry Miller, *Tropique du Capricorne.* Le pays tout entier aurait lu les détails de son enlèvement, touché du bois, agité la tête, claqué de la langue, remercié Dieu que ce soit l'enfant d'un autre et pas le leur.

Elle baptisa son sauveur « le bébé dans la brume » et ne poussa pas plus loin la réflexion, n'ayant ni l'envie ni la capacité de découvrir d'où il avait surgi. Cependant, la vision ne cessait de revenir, pas seulement quand elle courait un danger, mais aussi pendant ses activités ordinaires. Dedans ou dehors, soir ou matin, le brouillard pouvait s'abattre n'importe où n'importe quand, la bordant de toutes parts, comme s'il voulait lui faire admettre une bonne fois à quel point elle était seule en réalité.

Des années plus tard, âgée de dix-neuf ans, c'est ce secret qu'elle emporterait dans sa valise quand elle se rendrait pour la première fois à l'université d'Oxford. Il était interdit d'introduire en Angleterre de la viande ou des produits laitiers en provenance de pays hors de la zone européenne, mais il n'était dit nulle part qu'on n'avait pas le droit d'apporter les terreurs et traumatismes de l'enfance.

Le *hodja*

Istanbul, années 1980

Une semaine plus tard, Peri s'arma de courage et révéla son secret à son père.

« Tu vois des choses, dis-tu ? interrogea Mensur, qui faisait les mots croisés du journal plié sur ses genoux.

— Pas des choses, Baba. Une seule. Un bébé.

— Et il est où ce bébé, exactement ? »

Peri rougit. « En l'air, il flotte. »

Pendant un moment, il ne laissa rien voir de ses pensées. Puis il dit d'un ton définitif : « Tu es ma fille, une jeune personne intelligente. Tu veux devenir comme ta mère ? Si c'est ça, vas-y, remplis-toi la tête d'inepties. Venant de toi, je m'attendais à mieux. »

Elle sentit son cœur plonger. Résolue à ne jamais le décevoir, elle se rendit à ses arguments. Ce n'était pas si difficile. Après tout, elle n'avait pas touché l'apparition, et même si elle l'avait vue, que par la suite elle l'entendrait même parler, elle ne pouvait se fier à ses sens, vu l'étrangeté de l'expérience. Selon l'avis au jugé de son père, le bébé dans la brume n'existait pas. Tout cela se passait dans sa tête, conclut-elle, mais comment c'était arrivé là, elle ne trouvait aucune explication plausible.

« Le monde civilisé ne s'est pas construit sur des croyances sans fondement, Pericim. Il s'est construit sur la science, la raison et la technologie. Toi et moi c'est à ce monde-là que nous appartenons.

— Je sais, Baba.

— Bien. Laisse tomber cette histoire. Et n'en parle jamais à ta mère. »

C'était inévitable, pourtant. Si la physique paternelle obéissait à des lois universelles, la psychologie humaine aussi. Dès qu'on vous dit de ne pas franchir la quarantième porte, de ne pas fouiller dans un coffre, cette porte va forcément être déverrouillée, ce coffre forcé. À dire vrai, Peri tint sa promesse aussi longtemps qu'elle le put, mais quand le bébé refit une apparition elle courut appeler sa mère au secours.

« Pourquoi tu ne m'as rien dit avant ? » protesta Selma, le front plissé d'inquiétude.

Peri déglutit laborieusement. « Je l'ai dit à papa.

— Ton père ? Qu'est-ce qu'il y connaît ? Écoute, ça ressemble au comportement d'un *jinni*. Certains se conduisent bien, d'autres s'ingénient à faire le mal. Le Coran nous met en garde contre le danger. Ils feraient n'importe quoi pour s'emparer d'un être humain – surtout une fille. Les femmes sont particulièrement vulnérables à leurs attaques. Il faut que nous soyons très prudentes. »

Selma s'inclina et rangea une mèche de cheveux de sa fille derrière l'oreille. Ce geste, simple et affectueux, déclencha un flot de tendresse chez Peri. « Qu'est-ce que je dois faire ? demanda-t-elle.

— Deux choses. D'abord, toujours me dire la vérité. Allah voit clair dans tous les mensonges. Et les parents sont les yeux d'Allah sur terre. Deuxièmement, il faut qu'on trouve un exorciste. »

Le lendemain matin, elles se rendirent chez un *hodja* réputé pour son talent à chasser les esprits démoniaques. Un homme corpulent doté d'une petite moustache noire et d'une voix flûtée. Il avait à la main un chapelet en onyx, dont il faisait lentement glisser les grains entre ses doigts. Sa grosse tête était sans proportion avec le reste du corps, comme si on l'avait plantée là en hâte, sous l'impulsion d'une idée tardive ; et sa chemise était boutonnée jusqu'en haut, si serrée qu'elle avait avalé son cou.

Tout en scrutant le visage de Peri, il l'interrogea sur ses habitudes alimentaires, ses jeux, ses études, son sommeil et ses fonctions naturelles. Cet examen mit l'enfant mal à l'aise, mais elle resta bien sage sur sa chaise et fit de son mieux pour lui répondre sincèrement. Il lui demanda si elle avait récemment tué une araignée ou une chenille ou un lézard ou un cafard ou une sauterelle ou une libellule ou une guêpe ou une fourmi. Cette dernière question la fit hésiter ; qui sait, peut-être avait-elle marché sur une fourmi – ou même pire, une fourmilière. Le *hodja* confirma que les djinns, furtifs comme ils sont, peuvent prendre l'aspect d'un insecte, et si on les écrase sans prononcer le nom d'Allah, ils peuvent s'emparer de vous sur-le-champ.

Ce disant, le *hodja* se tourna vers Selma. « Si l'enfant avait appris à ne jamais sortir de la maison sans réciter la Fatiha [1], il ne lui serait rien arrivé. J'ai cinq enfants, aucun d'eux n'a jamais été inquiété par les djinns. Pourquoi ? C'est simple, parce qu'ils savent comment se protéger. Vous ne lui avez donc rien appris, ma sœur ? »

Le regard de Selma courut de l'homme à sa fille, puis l'inverse. « J'essaie, mais elle n'écoute pas. Son père a une mauvaise influence sur elle.

1. Le premier chapitre du Coran.

— Ça n'a rien à voir avec lui… », protesta Peri. Puis, calmement : « Qu'est-ce qu'on fait, maintenant ? »

En guise de réponse, l'exorciste prit la fillette par les épaules ; se pencha tout près de son visage pendant ce qui lui parut une éternité et siffla : « Quel que soit ton nom je le découvrirai. Alors tu deviendras mon esclave. Je sais que tu fais partie des impies. Espèce d'infect malveillant. Abandonne cette fille innocente, je t'avertis ! »

Peri ferma étroitement les yeux. Les doigts de l'homme relâchèrent leur prise. Il lui aspergea la tête d'eau de rose en récitant des prières pour chasser le démon. Il lui fit avaler des petits papiers couverts de caractères arabes dont l'encre lui teignit la langue d'un bleu si vif que la couleur persista plusieurs jours. Rien ne se produisit. Cette nuit-là, suivant les instructions du *hodja* et les recommandations de sa mère, Peri passa une heure seule dans le jardin, frémissant au moindre son, petite silhouette craintive dans la faible lueur d'un réverbère. Le lendemain matin, ils l'envoyèrent à la poursuite d'une meute de chiens errants. Ce furent les chiens qui la poursuivirent.

« Oh, *jinni*, je te donne une dernière chance », dit le *hodja* quand elles lui rendirent une seconde visite. Il tenait une longue baguette taillée dans une branche morte de saule. « Soit tu sors de ton plein gré, soit je vais t'infliger une terrible raclée. »

Avant que Peri comprenne ce qu'elle venait d'entendre, il lui donna un coup violent sur le dos. L'enfant hurla.

Selma blêmit. « Est-ce nécessaire, *Efendim* ?

— C'est le seul remède. Il faut faire peur au *jinni*. Plus longtemps il séjourne dans son corps, plus il prend des forces.

— Oui, mais… je ne peux pas tolérer cela, dit Selma, les lèvres serrées. Nous devons partir.

— C'est à vous de choisir, dit le *hodja* d'un ton catégorique. Mais je vous préviens, ma sœur. Cette enfant est attirée vers l'ombre. Même si vous vous débarrassez de ce *jinni* aujourd'hui, un autre peut s'emparer d'elle, facile comme bonjour. Tenez-la bien à l'œil. »

La mère et la fille, plus effrayées par l'exorciste que par tout *jinni* imaginable, se hâtèrent de quitter les lieux – mais pas avant que Selma ne l'ait grassement payé.

« Ne t'inquiète pas, j'irai très bien », dit Peri quand elles arrivèrent à l'arrêt du bus. Elle tenait la main de sa mère, inondée de culpabilité. « Maman, qu'est-ce que ça veut dire, je suis attirée par l'ombre ? »

Selma parut troublée, moins par la question de sa fille que par sa propre incapacité à y répondre. « Il y a des gens qui sont comme ça, de naissance. Ça explique, j'imagine, les choses que tu faisais quand tu étais petite. » Elle s'interrompit, les yeux humides.

Sans savoir ce que voulait dire sa mère, Peri craignit d'avoir fait quelque chose de très très mal. « Je serai sage, je te promets. »

Encore une promesse qu'elle s'efforcerait de tenir le mieux possible dorénavant. Obéissante, elle accepterait tout ce qu'on attendait d'elle, ferait marche arrière jusqu'au point où elle avait dévié de la routine, prenant grand soin de ne pas causer de surprises, d'incidents choquants. Elle serait aussi incolore et inoffensive qu'elle le pourrait.

Selma lui posa un baiser sur le front. « *Canim* [1], espérons que cette affaire est terminée, mais prends garde. Il pourrait revenir. Et s'il revient, tu dois me le dire. Les djinns sont très vindicatifs. »

Il revint, mais Peri avait appris durement sa leçon. Elle n'en parla à personne. Sa mère était trop superstitieuse et son père trop rationnel pour lui être d'une aide quelconque dans cette

1. *Canim* : ma vie.

affaire surréelle. Le moindre incident étrange, même s'il sortait à peine de l'ordinaire, Selma l'imputerait à une cause religieuse et Mensur à la folie pure. Peri quant à elle préférait ne pas s'engager dans l'une ou l'autre hypothèse.

Plus elle s'interrogeait sur la conduite à tenir, plus elle se persuadait qu'il valait mieux garder ses visions pour elle seule. Si perturbantes soient-elles, elle les accepta comme une particularité de la vie, comme les mouches dans les yeux, une chose qui ne passait pas mais qui la gênait seulement quand elle y pensait, ne lui laissant d'autre choix que d'apprendre à vivre avec. Ainsi le bébé dans la brume, qu'il s'agisse d'un *jinni* ou n'importe quoi d'autre, fut rangé dans les replis de son esprit, une énigme non résolue.

Par la suite, peu avant son départ pour Oxford, elle écrirait dans son journal de Dieu : *N'y a-t-il vraiment pas d'autre voie, pas d'autre espace pour les choses qui ne relèvent ni de la croyance ni de l'incrédulité – ni pure religion ni pure raison ? Un troisième chemin pour les gens comme moi ? Pour ceux d'entre nous qui trouvent les dualités trop rigides et ne souhaitent pas s'y conformer ? Parce qu'il en existe sûrement qui partagent mes sentiments. Comme si je cherchais une langue nouvelle. Une langue fugace qui n'est parlée par personne d'autre que moi…*

L'aquarium

Istanbul, 2016

Il était près de 21 heures quand la mère et la fille parvinrent au *konak* en bordure de mer. Balcons en fer forgé, escalier de marbre blanc, fontaines en mosaïque, caméras haute surveillance, portails électriques, haies de fils barbelés. Le domaine ressemblait à une île plus qu'à une maison, une citadelle palatiale qui s'était claquemurée hors de la cité, si ce n'était pas l'inverse. Toutes les mesures de sécurité avaient été prises pour faire en sorte qu'aucun colporteur, mendiant ou criminel, aucun style de vie répréhensible n'en franchisse le seuil.

Peri tenait sa main blessée contre sa poitrine, maniant le volant de la main gauche. En route, elles s'étaient arrêtées dans une pharmacie, et le pharmacien, un homme d'âge mûr à moustache grisonnante, avait pansé la plaie. Quand il lui demanda comment elle s'était blessée, Peri répondit avec entrain : « En coupant des légumes. Voilà ce qui arrive quand on cuisine trop vite. »

Il avait ri. Les pharmaciens d'Istanbul sont une race pleine de sagesse. Ils ne risquent pas de se laisser prendre à un mensonge, ni de pourchasser une vérité déplaisante. Prostituées maltraitées par des clients ou des proxénètes, ou automutilées ; femmes battues par leur mari ; chauffeurs tabassés par d'autres chauffeurs ; tous pouvaient entrer dans leur officine et déballer leurs mensonges, avec la certitude que même si on ne les croyait pas, au moins on ne leur poserait pas de questions.

Peri vérifia son pansement, fit la grimace en voyant qu'une tache cramoisie s'insinuait à travers la gaze. Elle aurait préféré l'enlever avant de rejoindre les invités pour éviter les questions indiscrètes, mais la douleur, le sang, et le risque d'infection la firent changer d'avis.

Dès qu'elles firent halte devant le portail, un agent de sécurité, grand gaillard en costume sombre et nuage d'after-shave apparut. Pendant qu'il garait la voiture, Peri et Deniz traversèrent le jardin manucuré aux treilles couvertes de vigne. Une brise douce agitait le feuillage des platanes.

« Ma chérie, je n'aurais pas dû poursuivre cet homme. Quelle idée ! » dit Peri, brisant le silence. De sa main indemne, elle lui effleura l'épaule, comme si sa fille était fragile, sa colère un objet en verre. Dire qu'elles étaient si proches autrefois, avec leurs propres codes. Elle avait peine à croire que c'était bien la même fille qui naguère se tordait de rire à ses blagues idiotes et lui tenait la main quand un personnage de Disney versait des larmes. L'enfant charmante avait disparu, remplacée par cette étrangère. La transformation – car Peri ne trouvait pas d'autre mot – lui était tombée dessus sans crier gare, alors qu'elle avait lu quantité d'articles prédisant une puberté de plus en plus précoce, surtout chez les filles. Elle s'était toujours promis qu'elle établirait de bien meilleures relations avec sa fille qu'elle n'en avait eu avec sa propre mère. Au bout du compte, n'était-ce pas la seule aspiration qui mérite de s'accomplir dans la vie : faire un plus beau travail que ses parents, afin que nos enfants deviennent meilleurs parents que nous ne l'avons été ? Au lieu de quoi on s'aperçoit souvent qu'on répète sans le vouloir les mêmes erreurs que la génération précédente. Peri savait aussi que la colère masquait souvent de la peur. Elle dit doucement : « Je regrette de t'avoir inquiétée.

— Maman, un peu que tu m'as inquiétée ! Tu aurais pu te faire tuer. »

Deniz avait raison. Elle aurait pu perdre la vie dans cette allée aux mains du vagabond. Mais ce que sa fille ignorait c'est que le contraire était tout aussi vrai, sinon plus – elle aurait pu tuer le vagabond.

« Je ne referai jamais ça, dit-elle quand elles atteignirent le perron.

— Promis ?

— Promis, mon cœur. Surtout ne dis rien à ton père ; ça lui causerait du souci. »

Deniz fit une pause – un instant d'hésitation qui disparut aussi vite qu'il était venu. Elle fit non de la tête. « Il a le droit de savoir. »

Peri allait répondre quand la lourde porte en chêne sculptée de fleurs et de feuillages s'ouvrit de l'intérieur. Une soubrette en jupe noire et corsage de mousseline blanche se tenait dans l'entrée, souriante. Derrière elle, on percevait les sons et les arômes d'une soirée qui battait son plein.

« Bienvenue, entrez s'il vous plaît. »

Elle avait un accent frappant – sans doute était-elle moldave, ou géorgienne ou ukrainienne, une des nombreuses étrangères qui travaillaient pour des familles d'Istanbul tandis que dans leur pays leurs enfants étaient confiés à des parents ou des amis, et que leurs conjoints attendaient la paie mensuelle.

« Pourquoi tu m'as traînée ici ? siffla Deniz avec force.

— Je te l'ai dit, ton amie doit être là. Allez, viens, on va passer une bonne soirée. »

À peine entrée, Peri vit son mari se frayer un chemin vers elles, l'expression mêlée d'inquiétude et d'irritation. Veste brou de noix cintrée, chemise d'un blanc éclatant, cravate bleu et fauve, chaussures cirées comme des miroirs – Adnan avait soigné sa mise. Il avait grimpé à la force du poignet, après des débuts modestes, et accumulé une fortune grâce au développement de l'immobilier. Il déclarait souvent ne devoir sa réussite qu'au seul Allah le Tout-Puissant. Peri, avec tout le respect que lui inspiraient le dur labeur et le sens des affaires de son époux, se demandait pourquoi le Créateur l'aurait favorisé plus que d'autres. Adnan avait dix-sept ans de plus qu'elle, mais elle avait le sentiment que la différence d'âge se signalait surtout quand il était inquiet et que les rides de son front se creusaient – comme maintenant.

« Où étais-tu ? Je t'ai appelée cinquante fois !

— Désolée, chéri, j'ai perdu mon téléphone, dit Peri, de la voix la plus apaisante qu'elle puisse trouver. Une longue histoire, n'en parlons pas maintenant.

— Tu sais pourquoi on est en retard, papa ? dit Deniz, le regard s'illuminant à la vue de son père. Parce que maman a couru après des voleurs !

— Quoi ? »

Deniz repoussa une mèche qui lui tombait sur les yeux. Elle avait le nez de son père, long et légèrement bulbeux, et autant d'aplomb. « Demande-lui », lança-t-elle avant de se diriger vers une fille de son âge qui avait l'air de s'ennuyer ferme au milieu des invités plus âgés.

Mais les explications durent attendre. Le propriétaire du manoir avait interrompu sa conversation avec un journaliste réputé pour venir à leur rencontre. C'était un homme râblé aux larges épaules, crâne chauve et teint rougeaud d'un gros buveur. Pas une seule ride ne marquait son visage, dont chaque pouce de peau avait absorbé les traitements anti-âge les plus récents. Quand il souriait, ses traits restaient figés, hormis un léger frémissement au coin des lèvres.

« Tu y es arrivée ! » tonitrua l'homme d'affaires. Ses yeux bleus, pétillant d'espièglerie, l'inspectèrent. « Qu'est-ce que tu as fait à ta main ? On a essayé de te kidnapper ? C'est ta faute. Tu ne devrais pas être aussi belle ! »

Peri sourit, même si la plaisanterie la fit pâlir. Pourvu que ni lui ni personne ne commente l'état de sa robe, ourlet déchiré, éclaboussée de frappuccino. Heureusement les traces de sang s'étaient muées en taches brunes inégales. « On a eu un petit accident en route », dit-elle.

Le front d'Adnan se creusa un peu plus d'inquiétude. « Un accident ?

— Rien de grave, je t'assure », dit Peri en lui effleurant le coude – signal lui disant de ne pas insister. Affable, elle se tourna vers l'homme d'affaires : « Quelle maison magnifique !

— Merci, ma chère. Malheureusement, on dirait que nous sommes frappés par le mauvais œil. Une catastrophe après l'autre. D'abord les tuyaux qui explosent. Au rez-de-chaussée on avait de l'eau jusqu'aux chevilles. Puis la foudre, un arbre est tombé sur le toit, tu imagines ? Tout ça au cours des derniers mois.

— Tu devrais te procurer un *nazar boncugu* [1], suggéra Adnan.

— Eh bien, j'ai encore mieux qu'une amulette. Ce soir nous avons invité un médium.

— Oh, c'est vrai ? » interrogea Peri, non qu'elle s'intéresse au sujet, mais parce qu'elle savait qu'il fallait dire quelque chose. Elle avait l'impression que depuis quelque temps l'intérêt du public pour le paranormal et les astrologues montait en flèche. Peut-être n'était-ce pas une coïncidence, dans un pays où l'instabilité était la norme, si on y développait un tel

1. *Nazar boncugu* : amulette contre le mauvais œil.

engouement pour les prophéties et les prédictions – chez les femmes en priorité, mais partagé par les deux sexes. Dans cet état d'ambiguïté et d'opacité politiques chroniques, les devins à boule de cristal, honnêtes ou escrocs, remplissaient une fonction sociale en faisant glisser l'incertitude vers un semblant de certitude.

« Tout le monde dit qu'il est génial. Ce type ne se contente pas de parler aux djinns. Il leur donne des ordres. Quand il leur commande de faire quelque chose, apparemment ils obéissent. Il a des épouses djinns – tout un harem ! » Sur ce dernier mot, il eut un rire de dérision, mais s'avisant que Peri ne faisait pas chorus, il la fixa des yeux. « Qu'est-ce qui ne va pas ? On dirait que tu as vu une apparition. »

Peri eut un réflexe de recul. Parfois elle se demandait si les gens lisaient sur son visage et savaient qu'elle avait des visions, des choses qu'eux-mêmes ne pouvaient voir. Heureusement, leur hôte n'avait envie d'entendre rien d'autre que sa propre voix. « Je connais des courtiers qui consultent ce type avant d'acheter des actions. Dingue, non ? Les médiums et les marchés boursiers. » Il rit. « Une idée de ma femme. Peux pas lui en vouloir. La pauvre, elle a un peu perdu le nord après cette collision. »

La nouvelle avait fait la une des journaux. Il y a environ six mois, un navire à cargaison sèche, cent dix mètres de long, battant pavillon de la Sierra Leone, avait fait naufrage et s'était encastré dans leur résidence. Il avait détruit le mur du front de mer et le balcon sud ouvragé, qui datait du dernier siècle de l'Empire ottoman.

C'est sur ce balcon que le Kaiser Guillaume II avait pris le thé avec un pacha connu pour ses hautes ambitions, grand admirateur de la culture et des exploits militaires allemands. Ce même pacha avait ensuite fait circuler la rumeur que le Kaiser était musulman, car à sa naissance on lui avait murmuré à l'oreille les premiers versets du Coran, avant même de le poser sur le sein de sa mère : de son vrai nom il s'appelait Hajji Wilhelm, ami à vie et gardien farouche de l'islam – une étiquette commode quand vint le jour pour les Ottomans d'entrer en guerre aux côtés de l'Allemagne.

C'est aussi sur ce balcon historique qu'un héritier turc se tira une balle dans la tête. Follement épris d'une Russe blanche danseuse de ballet réfugiée à Istanbul après la révolution bolchevique, il n'avait pas su convaincre sa famille d'accepter sa bien-aimée. La balle, après lui avoir traversé le cerveau et brisé le crâne, était ressortie derrière l'oreille gauche et nichée dans le mur voisin, où elle resterait cachée pendant trois décennies.

Au cours de son histoire orageuse, le manoir avait vu des héros surgir et choir, des empires croître et s'effondrer, des continents s'étendre et rétrécir, des rêves se changer en fine poussière. Mais jamais jusqu'ici il n'avait été éperonné par un navire. La proue du vaisseau trancha le mur, démolit un tableau de Fahrelnissa Zeid et freina miraculeusement devant le lustre en verre de Murano. Désormais, en mémoire de ce jour, un bateau miniature était suspendu au lustre, offrant aux maîtres de maison l'occasion de raconter cette histoire encore et encore.

« Ah, te voilà ! On croyait que tu n'arriverais jamais », s'écria une voix derrière eux.

C'était l'épouse de l'homme d'affaires. Elle avait repéré Peri en sortant de la cuisine où elle venait de répandre une pluie de consignes sur le cuisinier. Elle portait une robe de cocktail de couturier vert émeraude cintrée à la taille, dos nu sous un haut col. À son doigt étincelait une pierre de la même teinte, aussi grosse qu'un œuf d'hirondelle. Ses lèvres étaient rouge cramoisi, et ses cheveux remontés en chignon si serré qu'il rappelait à Peri une peau de chèvre tendue sur une darbouka.

« La circulation… », murmura Peri en l'embrassant sur les deux joues.

C'était la seule excuse pardonnable quel que soit votre retard. Une fois le mot prononcé, toute autre explication était superflue. Peri étudia le visage de ses hôtes et vit avec soulagement que ça marchait. Ils paraissaient convaincus, même si son mari ne l'était visiblement pas – mais elle devrait régler cela avec lui plus tard.

« Ne t'inquiète pas, ma belle, on sait ce que c'est », dit l'hôtesse tout en observant la robe de Peri, remarquant chacune des taches et déchirures.

« Je n'ai pas eu le temps de me changer », dit Peri. Certes, elle se sentait nue sous le regard scrutateur, mais tirait aussi une satisfaction secrète – dans cette assemblée riche en sacs haute couture et robes aux prix extravagants – de choquer tout le monde si peu que ce soit.

« Détends-toi, on est entre amis, dit l'hôtesse. Tu veux que je te prête une de mes robes ? »

Peri se dit qu'avec son bilan de la journée jusqu'ici, elle avait toutes les chances de renverser de la sauce tomate sur la robe empruntée. « Non, fit-elle, ça ira très bien ; c'est gentil de le proposer.

— Alors viens manger quelque chose, tu dois être affamée, dit l'hôtesse.

— Qu'est-ce que tu veux boire ? interrogea l'homme d'affaires. Du blanc, du rouge ?

— Merci, mais il faut d'abord que je passe aux toilettes. »

Peri suivit une autre soubrette dans les profondeurs du manoir, tout en sentant le regard de son mari lui vriller le dos.

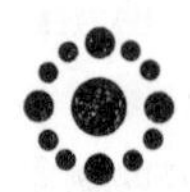

Une fois dans la salle de bains, Peri verrouilla la porte, baissa l'abattant du siège et s'assit dessus. Aspirant une grande bouffée d'air, elle se massa la tempe du bout des doigts, submergée par l'épuisement. Elle n'avait ni l'énergie ni la volonté de ressortir affronter tous ces gens, pourtant elle savait que dans un petit moment il faudrait le faire. Si seulement elle pouvait s'évader par la fenêtre des toilettes.

Elle défit son bandage avec précaution. La lame avait entaillé la paume de part en part mais la coupure était peu profonde, il n'y avait pas eu besoin de points de suture. Malgré tout, au moindre mouvement, elle lui faisait atrocement mal et se remettait à saigner. Maintenant que la blessure la lançait à chaque battement de cœur, elle ne pouvait s'empêcher de trembler. Et mesurait enfin la gravité de ce qui s'était produit. Elle avait la bouche sèche comme de la poussière.

Quand Peri se releva pour se laver le visage, ses yeux s'écarquillèrent de stupeur. En face d'elle, un gigantesque aquarium marin servait de socle au lavabo. À l'intérieur du réservoir de verre nageaient des dizaines de poissons exotiques, tous de teintes jaune et rouge, les couleurs de l'équipe de football dont l'homme d'affaires était fervent supporter. Tout le monde savait que c'était un fan passionné, qu'il avait une loge privée au stade de l'équipe et qu'il adorait se faire photographier en toute occasion avec les joueurs. Il comptait bien un jour prochain devenir président du club et manœuvrait activement en coulisse dans l'intention d'atteindre ce but.

Peri observa les poissons dans leur univers artificiel, immaculé et protégé. De part et d'autre du lavabo, comme dans un hammam, des coupes d'argent en métal repoussé offraient des piles de petites serviettes impeccablement roulées, impeccablement amidonnées. Tout autour sur le sol étaient disposés des chandeliers dont les bougies lançaient de hautes flammes vacillantes. Un mélange d'arômes lui monta au nez, doux et sucré. Sous les parfums, elle détecta une forte odeur synthétique de détergents – pénible rappel de la colle de son agresseur.

Un violent désir de commettre un acte inattendu et audacieux s'empara d'elle. Elle avait envie de briser l'aquarium, le faire voler en éclats dans toute la pièce et envoyer les poissons glisser sur le sol de marbre. Ils fileraient, la queue frétillante, haletants, le corps tout agité par l'excitation de la fuite ; ils patineraient le long du couloir, se faufileraient entre les pieds des invités, leurs écailles réfléchissant les lueurs du lustre ; ils sortiraient par la porte de derrière, feraient une longue glissade d'un bout à l'autre de la terrasse, et au moment où la mort serait imminente, plongeraient dans la mer profonde où ils retrouveraient de vieux amis et parents proches qui étaient restés à s'ennuyer dans leurs eaux et leur routine habituelles.

Les nouveaux arrivants raconteraient aux autres poissons ce que c'était de vivre dans ce grand manoir au-dessus de la mer, de renoncer à l'immensité du bleu pour une existence tranquille sans s'inquiéter du prochain repas. Bientôt les poissons fugitifs seraient dévorés par les grands prédateurs, car après le confort douillet de l'aquarium d'un riche propriétaire, comment pourraient-ils survivre en eaux périlleuses ? N'empêche, ils n'échangeraient pas une seule minute de liberté contre toutes ces années de captivité.

Si seulement elle pouvait trouver un marteau… Parfois ses propres pensées la terrifiaient.

La table du petit déjeuner

Istanbul, années 1990

L'emprisonnement d'Umut, comme une torche qui éclaire les recoins sombres, révéla au grand jour les faiblesses et les failles que les Nalbantoğlu dissimulaient autant à eux-mêmes qu'aux autres. Quiconque les observait aurait remarqué le trou creusé au sein de leur vie par l'absence d'Umut, mais ils préféraient faire semblant de ne pas le voir, ce creux affamé. Ce n'était qu'une coïncidence si Mensur se mit à boire davantage ; coïncidence aussi, que les joues de Selma prennent une teinte anémique jaunâtre, par manque de sommeil après des nuits de prière et manque de nourriture convenable après des jours de jeûne.

Les rêves de Peri devenaient de plus en plus troublants, ses cris de plus en plus forts. Elle dormait la lumière allumée, un collier d'ambre à côté de son lit car elle avait lu quelque part que l'ambre fait fuir les démons. Sans résultat. Dans ses rêves, elle voyait des écoles qui avaient l'allure de prisons, et des gardiens qui ressemblaient étrangement à ses père et mère. Elle se retrouvait couverte de vers et d'excréments, les cheveux tondus, arrêtée et emprisonnée pour un crime qu'elle ignorait avoir commis. De ces cauchemars, elle s'éveillait toujours le cœur battant la chamade, et mettait plusieurs secondes à rejoindre le monde réel.

Mensur avait changé. Disparu, l'homme qui éclusait quelques godets avec ses amis dans la chaleur de vieilles ballades et de débats politiques animés. Il préférait maintenant boire seul, avec le silence pour compagnon fidèle. Longtemps, son corps solide et sain ne montra aucun signe de détérioration – mis à part les demi-cercles sous ses yeux, croissants noirs sur fond de ciel pâle.

Puis arriva l'inévitable. Chaque matin, Mensur s'éveillait trempé de sueur et perclus de douleur, l'air épuisé, comme s'il avait cassé des cailloux pendant son sommeil. Il était souvent égaré, nauséeux. Appliqué à dissimuler le tremblement qui gagnait tout son corps, il se montrait distant, enfoui dans le silence, ou parlait trop, incapable de se maîtriser. L'entreprise qui l'employait décida de lui offrir une retraite anticipée quand on s'aperçut qu'il était hors d'état de travailler. Libéré de son labeur quotidien, il passa plus de temps à la maison – changement que n'appréciaient ni sa femme ni son fils cadet. Craintif, fatigué, agité pour un rien, il avait l'air d'un empire trop vaste contraint à combattre sur deux fronts : la vieille frontière orientale, le conflit avec sa femme ; et la nouvelle frontière occidentale qui s'affirmait, le conflit avec Hakan. Il perdait sur les deux fronts.

Ils se querellaient constamment, cruellement, père contre fils, une mêlée de voix mâles, d'accusations blessantes lancées à la table du petit déjeuner, comme des carcasses de poissons morts flottant à la surface après une explosion de dynamite. En apparence, sur des points de détail – une remarque sur une chemise de mauvais goût ou des manières de table inélégantes –, mais en réalité la division était profonde.

Toujours, sans exception, Selma prenait le parti de son fils cadet. Elle avait plus de cran quand elle se battait pour sa progéniture que pour son propre compte. Farouche et vigoureuse, une fauconne défendant ses oiselets contre le rapace ennemi. Soit deux contre un. Équation qui forçait Peri à prendre parti et voler au secours de son père, au moins par souci d'équilibre. Pourtant, elle n'avait pas vraiment envie de gagner. Tout ce qu'elle voulait, c'était un genre de cessez-le-feu. Un suspens provisoire de la douleur.

Peu de temps après, Hakan, qui n'avait jamais apprécié les vertus d'une bonne éducation, annonça qu'il quittait l'université et n'avait aucune intention de jamais revenir dans cette *porcherie inutile*. Du jour au lendemain, au grand chagrin de ses parents, il mit fin à sa carrière étudiante, l'esprit refermé avant même de s'être ouvert. Ils pouvaient lire dans ses yeux à quel point il avait en abomination la vie qu'il menait et ceux qu'ils tenaient pour responsables de sa misère.

Plusieurs fois par mois, Hakan revenait à la maison, juste le temps de se remplir l'estomac, changer de vêtements et dormir un peu. Flottant sans but comme une baudruche, il s'essaya sans succès à divers emplois, jusqu'à ce qu'il épouse une cause sous l'influence d'un groupe d'amis qu'il appelait Frères. Des copains qui avaient des opinions arrêtées sur l'Amérique, Israël, la Russie, le Moyen-Orient et voyaient des théories du complot et des sociétés secrètes partout. Ils se saluaient par un entrechoc de tempes et un chapelet de mots ronflants – « honneur », « allégeance », « droiture ». En compagnie de ces gens, Hakan apprit vite. Leur cynisme et leur pessimisme lui convenaient. Avec l'appui des Frères, il obtint un poste dans un journal ultra nationaliste. Malgré un mépris éhonté pour la grammaire et l'orthographe, il avait un certain don pour les mots, un talent pour la rhétorique incendiaire. Sous un pseudonyme, il diffusait dans ses colonnes des messages de plus en plus stridents et brutaux. Chaque semaine, il dénonçait les traîtres à la nation – les pommes pourries qui, si on n'y prenait garde, contamineraient tout le panier : Juifs,

Arméniens, Grecs, Kurdes, Alévis… il n'existait pas un seul groupe ethnique auquel un Turc puisse se fier, à part les Turcs. Le nationalisme, comme un costume sur mesure, convenait à son humeur. Le nationalisme lui assurait qu'il était enfant d'une nation supérieure, d'une race plus noble, et destiné à faire de grandes choses, non pour lui-même mais pour son peuple. Revêtu de cette identité, il se sentait fort, armé de principes, invincible. À force d'observer la transformation de son frère, Peri finirait par comprendre que rien ne gonfle autant l'ego qu'une cause nourrie par l'illusion du pur altruisme.

« Tu crois qu'un seul de tes fils est en prison ? Dans cette maison, je suis prisonnier autant que lui, braillait Hakan à son père lors d'une énième querelle matinale. Umut a de la chance, il n'est pas obligé d'écouter les sermons que tu nous fais tous les jours.

— Tu dis que ton frère a de la chance, espèce de canaille ? » braillait Mensur, la voix tremblant plus fort que ses mains.

Peri écoutait, tête penchée, épaules raidies. Une querelle de famille, ça ressemblait à une promesse d'avalanche : un mot de travers, et elle menaçait de prendre de telles proportions qu'elle pouvait tous les abattre.

— Laisse-le dire. Il est jeune, murmura Selma à son mari.

— Un jeune irresponsable qui vit sur l'argent de son père, riposta Mensur.

— Ah, tu ne veux pas que je mange ta nourriture, c'est ça ? Parfait, à partir de maintenant je ne le ferai plus. Hakan lança le panier à pain vide contre le mur, sur lequel il rebondit, répandant des miettes à la ronde. D'ailleurs, qui voudrait du pain d'un alcoolique ? »

Le mot n'avait jamais été prononcé auparavant. Impensable. Irrattrapable. Irréparable, qualifier le maître de maison d'alcoolique, et pourtant c'était fait. Hakan, ne pouvant endosser le silence qui suivit, sortit en tornade.

Selma fondit en larmes. Entre deux sanglots, sa voix montait et retombait en une litanie de lamentations. « Nous sommes maudits. Toute la famille ! Oui… c'est une malédiction. »

Dans le malheur de son fils aîné, elle voyait un châtiment et un avertissement d'Allah, dit-elle. Comme ils n'avaient pas écouté le message divin, elle était certaine qu'une damnation pire encore les attendait.

« Ça, c'est bien l'ânerie la plus stupide que j'aie jamais entendue, protesta Mensur. Pourquoi Dieu voudrait-Il détruire les Nalbantoğlu ? Je suis sûr qu'Il a des choses plus intéressantes à faire.

— Allah nous travaille par toutes sortes de méthodes. Il veut nous enseigner… t'enseigner *à toi*… une leçon.

— Et c'est quoi, cette leçon ?

— Ouvre les yeux sur l'erreur de ta conduite. Tant que tu n'auras pas compris ça, aucun de nous ne connaîtra la paix. »

Mensur se carra dans son siège. « Si tu crois vraiment que ce qui est arrivé à Umut vient d'Allah, et qu'Allah a besoin de prisons et de tortionnaires pour transmettre ses enseignements, tu as la tête de travers, pauvre femme, ou alors, merde, c'est ton Dieu qui a la tête de travers.

— *Tövbe, tövbe* [1] », murmura Selma.

Pour compenser la colère d'Allah, Selma passait des jours, parfois des semaines, quasiment sans manger : juste du pain, des yaourts, des dattes et de l'eau. Des offrandes votives ; négociations viscérales avec le Tout-Puissant. La nuit, elle dormait peu, passant le plus clair de son temps aux deux seules tâches qui lui apaisaient l'esprit : la prière et le nettoyage. Depuis son lit, elle décelait une fine couche de poussière sur

1. *Tövbe, tövbe* : Repens-toi, repens-toi.

chaque meuble ; elle entendait les termites ronger les placards de bois – comment se faisait-il que les autres n'entendent rien ? Aspirine écrasée, vinaigre blanc, jus de citron, bicarbonate de soude. Elle frottait, rinçait, brossait, cirait et astiquait. Le matin, la famille était réveillée par l'odeur des détergents.

Selma se lavait les mains si souvent, et avec une telle vigueur, qu'elles sentaient en permanence l'antiseptique. La peau était fendillée, saignait par endroits, ce qui accentuait sa peur de la contagion et la poussait à les relaver encore plus fort. Pour cacher l'état de ses mains, elle se mit à porter des gants noirs sous son hijab, et un long manteau ample de couleur sombre qui la couvrait jusqu'aux chevilles. Un soir où elles rentraient toutes deux du bazar, Peri se retourna et, l'espace d'un instant, ne distingua plus sa mère tant elle s'était fondue dans la nuit.

Mensur, mortifié par l'apparence de sa femme, ne voulait plus se montrer nulle part en sa compagnie. Il faisait ses courses tout seul ; elle aussi. La tenue de Selma résumait tout ce qu'il avait toujours méprisé, haï et combattu au Moyen-Orient. L'ignorance têtue des religieux. Leur certitude que leur façon de faire était la meilleure – simplement parce qu'ils étaient nés dans cette culture et ingurgitaient sans poser de question tout ce qu'on leur enseignait. Comment pouvaient-ils être si sûrs de la supériorité de leurs vérités quand ils savaient si peu de chose, s'ils en savaient quoi que ce soit, de toute autre culture, philosophie, ou mode de pensée ?

Pour Selma, les manières de Mensur incarnaient tout ce qui l'horripilait : son regard condescendant, son ton péremptoire, la rectitude affichée par son menton. L'arrogance des modernistes laïcs. L'aisance pompeuse et prétentieuse avec laquelle ils se plaçaient en dehors et au-dessus de la société, regardant de haut des traditions séculaires. Comment pouvaient-ils se croire éclairés alors qu'ils savaient si peu de chose, s'ils en savaient quoi que ce soit, de leur propre culture, leur propre foi ?

Roidis par la crainte de devoir converser, mari et femme se croisaient sans se toucher. Ce qui leur manquait en amour, ils le compensaient par la rancune.

Quant à Peri, elle puisait son réconfort dans la littérature. Nouvelles, romans, poèmes, pièces de théâtre... elle dévorait tout ce qu'elle trouvait dans la maigre bibliothèque de l'école. Quand elle n'avait plus rien à se mettre sous la dent, elle lisait les encyclopédies. Avalant toutes les rubriques de *Aardvark* à *Zombie*, elle en vint à connaître des choses qui ne lui étaient d'aucune utilité dans sa vie actuelle mais pourraient servir un jour, espérait-elle. Et même si elles ne devaient jamais servir, elle continuerait à lire, mue par sa faim d'apprendre.

Les livres vous libéraient, ils débordaient de vie. Elle préférait habiter la terre des histoires que la terre maternelle. Refusant de quitter sa chambre pendant les week-ends, grignotant des pommes et des graines de tournesol, elle lisait à la file les romans empruntés. Elle découvrit que l'intelligence, tel un muscle, a besoin de s'entraîner à des niveaux d'intensité croissants si elle veut atteindre son potentiel maximal. Peu satisfaite de l'apprentissage par cœur qui se pratiquait à l'école, elle cultiva des méthodes visuelles et verbales aptes à stocker l'information – nom latin des plantes ; strophes de poèmes en anglais ; dates de guerres, de traités de paix et de nouvelles guerres, bien trop abondantes dans l'histoire ottomane. Elle était résolue à exceller dans toutes les matières, de la littérature aux mathématiques, de la physique à la chimie. Elle imaginait les différents sujets comme des oiseaux tropicaux côte à côte dans des cages séparées. Que se passerait-il si elle découpait des trous dans le treillis métallique et si les oiseaux entraient dans la cage voisine, puis la suivante ? Elle rêvait de voir les mathématiques tenir compagnie à la littérature, la physique à la philosophie. D'ailleurs, qui avait décrété qu'elles ne devaient pas se mélanger ?

Peri avait conscience que sa passion de l'étude l'isolait de ses camarades, qu'elle lui attirait leur jalousie et leur animosité. Cela lui convenait parfaitement. Comme tous les Nalbantoğlu, elle avait un penchant naturel pour la solitude. Peu importe si les autres enfants la traitaient de chouchou de la prof ; peu importe si les filles les plus populaires de la classe ne l'invitaient pas à leur anniversaire, ni les garçons les plus populaires à sortir pour voir un film. Cette vie parlait des lumières de l'esprit ou d'idéaux ou d'amour – tout ce qui avait du sens pour elle. Mais les divertissements – elle n'y tenait pas.

Comme tous les exclus, elle s'apercevrait bientôt qu'elle n'était pas seule. Dans une classe il y en a toujours quelques-uns qui, pour diverses raisons, sont en décalage avec la majorité. Ils se reconnaissent entre eux immédiatement. Il faut un intouchable pour en déceler un autre : un garçon kurde dont on raillait l'accent ; une fille qui avait du duvet sur le visage ; une autre dans une petite classe, incapable de contrôler sa vessie quand elle était angoissée par un examen ; un garçon dont la mère passait pour être une femme facile… Avec eux elle noua des liens d'amitié. Mais ses véritables compagnons restaient les livres. L'imagination était sa demeure, son pays, son refuge, son exil.

Ainsi elle lisait et étudiait, et finissait chaque trimestre première de sa classe. Quand elle avait besoin d'être rassurée, Peri courait voir son père. Et Mensur lui donnait toujours le même conseil : « L'éducation, mon âme. L'éducation nous sauvera tous. Tu es la fierté de notre famille sans joie, mais je veux que tu fasses des études à l'Ouest. Il y a beaucoup de bonnes écoles en Europe mais il faut que tu ailles à Oxford. Tu te rempliras la tête de connaissances et ensuite tu reviendras. Il n'y a que les jeunes comme toi qui peuvent changer le destin de ce vieux pays fatigué. »

Dans sa jeunesse, Mensur avait rencontré un étudiant d'Oxford, un randonneur, un hippie au teint pâle avec qui il s'était senti aussitôt en sympathie. Ce garçon projetait de visiter la Turquie seul à bicyclette. Il s'était vanté de conserver tout son argent dans sa chaussette pour feinter les pickpockets et les rats d'hôtel. Craignant qu'il n'arrive malheur à ce naïf étranger, Mensur avait insisté pour l'accompagner. Ensemble ils traversèrent la péninsule anatolienne, après quoi le blond Britannique était passé en Iran. Ce qu'il advint de lui, Mensur ne le sut jamais. Mais il n'avait pas oublié l'étonnement de découvrir son pays à travers les yeux d'un Occidental. Pour la première fois, il s'avisait que ce qui lui paraissait banal ne l'était pas forcément pour quelqu'un de l'extérieur. Pour la première fois, il apprenait l'existence d'un « monde ailleurs ». Maintenant il voulait que sa fille soit éduquée *là-bas*. C'était son vœu le plus fervent. Peri – et des centaines d'adolescents comme elle – deviendrait une diplômée instruite, idéaliste, projetée vers l'avenir, qui sauverait son pays de sa mentalité arriérée.

Peri comprenait et acceptait que certaines filles naissent avec une mission : accomplir les rêves de leur père. Ce faisant, elles rachèteraient aussi leur pays natal.

Le tango avec Azraël

Istanbul, années 1990

L'été où Peri eut onze ans, sa mère réalisa un souhait dont elle rêvait depuis longtemps, un pèlerinage en Arabie saoudite. Un frère aîné en prison, l'autre squattant on ne sait où, Peri et son père se retrouvèrent en charge de la maison. Ils préparaient leur propre nourriture (keftas et frites au déjeuner, keftas et spaghettis au dîner), faisaient la vaisselle (se contentaient de la rincer) et regardaient le programme télévisé qui leur faisait envie. C'était comme des vacances, mais en mieux.

Le jour du bazar local, Peri s'éveilla légèrement nauséeuse. Elle se frotta l'estomac avec le sentiment vague que toutes ces keftas et ces spaghettis étaient en train de se venger. Il faudrait qu'elle rappelle à son père de changer de menu. Mais une surprise l'attendait dans la salle de bains : des taches sur son linge. Trop sombres, et pourtant elle comprit aussitôt que c'était du sang. Sa mère l'avait prévenue que ça se produirait, et qu'à partir de ce moment-là, elle devrait se montrer encore plus prudente avec les garçons. *Ne les laisse pas te toucher.* Mais c'était trop tôt ! À l'école, elle avait entendu des filles plus âgées s'en plaindre : « Les Anglais ont débarqué », disaient-elles d'un air dégagé. « Tu vérifies mes arrières ? » se demandaient-elles les unes aux autres en hâtant le pas. Dans sa propre classe, une seule fille affirmait être réglée, mais tout le monde savait que c'était un mensonge. Ce qui faisait de Peri la première parmi ses semblables. Elle avait grandi trop vite cette année, même si elle faisait de son mieux pour le dissimuler. On lui disait souvent qu'elle était jolie, mais ça, c'est ce que les gens pensaient d'elle. Sa perception d'elle-même était radicalement différente. Elle aurait aimé avoir une chevelure noire comme la nuit, au lieu de ce châtain terne ; et au lieu de ces courbes qui s'affirmaient, une platitude assurée. Elle aurait aimé être le troisième fils des Nalbantoğlu. La vie ne serait-elle pas plus facile si elle était née garçon ?

Elle dénicha un vieux drap, le découpa en lanières. Si elle en usait avec parcimonie, elle n'aurait peut-être pas besoin de dire quoi que ce soit à sa mère. Elle pouvait les laver et sécher, et les réutiliser, comme faisaient nombre de femmes dans ce pays, elle le savait. Ainsi elle pourrait cacher la vérité jusqu'à ses quatorze ans, l'âge qui lui paraissait convenable pour ses premières règles. Dieu avait fait une erreur dans Ses divins calculs. Elle était résolue à la corriger.

Deux semaines plus tard, Selma revint, bronzée et amaigrie. Elle se laissa tomber sur le sofa et entreprit de raconter son voyage à La Mecque, ses mots se bousculant comme l'auraient fait jadis ses petits chevaux de porcelaine s'ils avaient eu un souffle de vie.

« L'année précédente, une panique dans un tunnel piéton de la Ville sainte a provoqué la mort de plus d'un millier de pèlerins. Maintenant les Saoudiens sont plus prudents, expliqua-t-elle. Mais ils ne peuvent pas prévenir les maladies. J'ai tellement vomi que j'ai cru que j'allais mourir. Là, d'un seul coup !

— Ah, je suis content que non, dit Mensur. Ravi de t'avoir de retour.

— Gloire à Allah, je suis rentrée, soupira Selma. Si je n'avais pas réussi, on m'aurait enterrée à Médine, près du Prophète, la paix soit sur lui.

— Les cimetières d'Istanbul ont une plus jolie vue, plaisanta Mensur. Et un bon air marin. Enterrée à Médine, tu n'aurais fait que du terreau pour des dattiers. À Istanbul, tu peux fertiliser des pistachiers, des tilleuls, des érables... Du jasmin, ça serait épatant. Tu baignerais dans le parfum tout au long de l'année. »

Selma se raidit sous les mots lancés par son mari comme si c'étaient des cendres chaudes crachées par un feu ronflant. Craignant de les voir ferrailler de nouveau, Peri intervint. « Qu'est-ce qu'il y a dans ta valise, maman ? Tu nous as rapporté quelque chose ? »

La réponse fusa.

« Je vous ai rapporté La Mecque tout entière ! »

Peri et Mensur se redressèrent, le visage radieux – deux gosses pleins d'espoir. Un par un on déballa les paquets : dattes, miel, *miswak*, eaux de toilette, tapis de prière, musc, chapelets, écharpes et eau de Zamzam en petits flacons.

« Comment sais-tu que c'est de l'eau miraculeuse – quelqu'un l'a authentifiée ? demanda Mensur en agitant un flacon. Ils auraient pu aussi bien te vendre de l'eau du robinet. »

Sur quoi Selma s'empara du flacon, l'ouvrit et le vida d'un trait. « C'est de la pure Zamzam mais tu as l'esprit sale.

— Très bien. » Mensur haussa les épaules.

Désignant une boîte, Peri demanda : « Qu'est-ce que c'est, maman ? »

C'était une pendule murale en bronze, en forme de mosquée – 50 x 45 cm – équipée d'un balancier et flanquée de deux minarets. Selma expliqua qu'on pouvait la programmer pour qu'elle indique les heures de prière dans un millier de villes autour du monde. Puis elle l'accrocha à un clou dans le salon, tournée en direction de la Qibla, face au portrait d'Atatürk.

« Je ne veux pas de mosquée sous mon toit, rugit Mensur.

— Ah vraiment ! Mais moi je suis bien obligée de vivre avec un infidèle sous le mien, riposta Selma.

— Eh bien, pour l'instant, la moitié de mes péchés te revient. Je n'aurais jamais blasphémé si tu n'avais pas acheté ce truc. Décroche-moi ça !

— Sûrement pas, hurla Selma. Je l'ai choisie, payée, transportée tout le trajet depuis la Terre sainte. J'ai été malade là-bas, failli mourir. Je suis une *hadji*, tu me dois le respect ! »

C'était la première fois que Peri entendait sa mère répondre sur ce ton à son père. De la part d'une femme dont la rébellion s'était limitée pendant des années à un silence stoïque et des phrases acerbes émises à voix basse, cela résonnait comme une explosion. La pendule murale resta suspendue dans le salon, mais frappée de mutisme – concession qui ne satisfaisait aucune des deux parties.

Mensur passa le reste de la journée enfermé dans une profonde bouderie. Le soir même il y eut une coupure de courant qui dura des heures. Mensur s'installa à la table de raki plus tôt que de coutume, entre Atatürk et l'horloge à prière, ses joues pâles ombrées par la lueur d'une bougie ; il dit qu'il ne se sentait pas bien. Portant la main à son cœur comme s'il saluait un être invisible, il inclina la tête sur le côté et s'effondra.

C'était une crise cardiaque.

Aussi longtemps qu'elle vivrait, Peri n'oublierait jamais comment la nuit s'était assombrie de minute en minute. Sous ses yeux horrifiés, son père glissa sur le sol comme un mannequin sans vie, son front cognant la table ; il fut relevé par des voisins accourus aux cris de Selma, qui le transportèrent jusqu'au sofa. Là, tandis qu'on l'étendait sur un brancard, l'enfournait dans une ambulance, le conduisait à vive allure aux urgences puis dans la salle d'opération, entouré d'appareils, elle n'avait qu'une pensée qui revenait sans répit : était-ce un châtiment de Dieu ? La question l'intimidait tant qu'elle ne pouvait la dire à voix haute, devait à tout prix la ravaler. Elle aurait aimé la poser à sa mère, qui pleurait à côté d'elle, mais redoutait la réponse que pourrait lui fournir Selma. Était-ce la façon de faire d'Allah ? D'abord Il vous autorisait à dire des obscénités et plaisanter sans retenue. Ensuite, Il vous en faisait payer le prix ? Presque comme s'Il attendait que vous commettiez un péché pour pouvoir vous frapper de Sa colère. C'était la méthode de Dieu, ce camouflage ? Une vulgaire ruse pour dissimuler une vengeance calculée ?

Une autre pensée la rongeait avec persistance. Tout au fond de son esprit, Peri était persuadée que l'infarctus de son père, par quelque mystérieux et tortueux enchaînement de cause à effet dans le système universel, était le résultat de ses menstrues. Pourquoi avait-elle saigné si tôt et en l'absence de sa mère ? Elle avait commis une faute en essayant de devenir la femme de la maison. Une faute aussi, d'après ses présents calculs, parce que plus vite elle grandissait, plus vite son père mourrait.

Dans la salle d'attente de l'hôpital, Peri et Selma étaient assises sur un sofa usé. Un rayon de lune traversait les fenêtres, vite absorbé par l'éclat brutal des lampes fluorescentes. La télévision était allumée, le son coupé. Sur l'écran, une femme en robe rouge à paillettes faisait tourner la roue de la fortune et fit la grimace quand le signet s'arrêta sur « banqueroute ». Le concierge de garde, un homme à forte carrure et moustache épaisse, qui était le seul à regarder le programme, rit bruyamment.

« Je vais aller prier, dit Selma.

— Je peux venir avec toi ? »

Selma dévisagea sa fille, attendant à moitié cette question. « Ce serait très bien, en fait. Allah écoute les prières des enfants. »

Peri acquiesça de la tête, comme le doit une fille obéissante. À part quelques invocations apprises par cœur à l'école, elle n'avait jamais pratiqué la Salah, vu sa décision de prendre le parti de son père pour tout ce qui touchait à la foi. Mensur, au contraire de sa femme, s'en tenait à des prières succinctes et dépourvues de cérémonie. Il prononçait rarement le nom « Allah », lui préférant « Tanri » qui sonnait plus séculier. Désormais, Peri était prête à se ranger au modèle de sa mère. Elle ferait n'importe quoi pour sauver la vie de son père, y compris le trahir.

Aux toilettes, elles firent leurs ablutions – se rincer la bouche, se laver le visage, les mains, les pieds. L'eau était glacée mais Peri ne se plaignit pas, considérant le rite comme le préambule d'une conversation avec Dieu. Il n'y avait pas de salle de prière dans cette aile de l'hôpital, aussi elles investirent un coin de la salle d'attente – la télévision toujours allumée, la femme en paillettes rouges toujours résolue à gagner.

À défaut de tapis de prière, elles étalèrent leur cardigan sur le sol. Chaque geste de sa mère, Peri l'imitait, tel un écho. Ainsi, quand Selma croisa les mains sur sa poitrine, Peri fit de même. Selma s'inclina, se redressa, puis se prosterna, le front touchant le sol ; Peri fit comme elle. Mais il y avait une différence cruciale. Les lèvres de sa mère bougeaient constamment, celles de Peri restaient immobiles. Il lui vint à l'esprit que cela risquait de déplaire à Dieu. Une prière silencieuse équivalait à une enveloppe sans rien à l'intérieur. Puisque personne, pas même le Créateur, n'aimerait recevoir une enveloppe vide, elle conclut qu'elle devait à tout prix dire quelque chose. Et voici, après un temps de réflexion, les mots que prononça la fillette :

Cher Allah

Maman dit que Tu me regardes tout le temps, c'est gentil à Toi, merci ; c'est un peu effrayant aussi, parce que des fois j'ai envie d'être seule. Maman dit que Tu entends tout – même quand je me parle à moi. Même les pensées dans ma tête. Tu surveilles aussi tout ce qui se passe. Est-ce que Tu vois le bébé dans la brume ? Personne ne le remarque sauf moi, mais je suis sûre que Toi aussi.

De toute façon, je me disais, nos yeux sont petits et ça nous prend une seconde pour cligner de l'œil. Mais Toi, Tes yeux sont immenses, il doit Te falloir au moins une heure pour fermer les paupières, et peut-être que pendant ce temps-là, Tu ne peux pas observer mon père.

Quand je suis furieuse contre quelqu'un, Papa me dit : « Tu n'es pas un petit enfant, tu peux pardonner. » Si Tu es en colère contre mon père, s'il Te plaît pardonne-lui et guéris-le. C'est un homme bon. À partir de maintenant, s'il Te plaît, peux-Tu cligner des yeux chaque fois que mon père commet un péché ?

Je Te promets que je recommencerai à prier. Je prierai chaque soir pour le restant de mes jours.

Amin

Peri, agenouillée sur son cardigan, vit sa mère tourner la tête de droite à gauche, se passer les mains sur le visage, terminant ainsi sa prière, tous gestes qu'elle imita, et scella sa lettre confidentielle.

Le lendemain matin, Mensur était assis dans son lit, adossé à des oreillers, taquinant ses visiteurs, et quelques jours plus tard il sortait de l'hôpital avec une grosse facture et un stimulateur cardiaque sous le ventricule. On lui conseillait de ne plus boire et d'éviter le stress – comme si le stress était un parent importun qu'il suffisait de ne plus inviter à dîner. De toute façon, Mensur ne voulait pas écouter. Après avoir dansé le tango avec Azraël, l'ange de la mort, il affirmait n'avoir plus rien à craindre de quiconque.

Elle envahirait aussi les rêves de Peri, cette vision fantomatique de son père dansant une gigue échevelée avec un squelette – puis découvrant que c'était le sien.

Le poème

Istanbul, 2016

Dans la salle de bains du manoir balnéaire, Peri se tenait immobile, contemplant son reflet dans le miroir paré d'ornements. Le semblant de maîtrise qu'elle avait déployé à l'intention de sa fille avait disparu, remplacé par un profond trouble. Les poissons solitaires dans leur réservoir lui rappelaient des personnages de bande dessinée perdus sur une île déserte, sans pourtant jamais envisager l'évasion. Et elle, oserait-elle partir à la nage ? Les habitudes quotidiennes pouvaient changer, le caractère se réformer, les allégeances faiblir et les amitiés se briser, et même les addictions se surmonter, mais la chose la plus dure à modifier dans cette vie c'était l'attachement à un lieu.

Une vague de rire monta derrière la porte close. L'homme d'affaires racontait une blague, sa voix dominant le vacarme ambiant. Peri n'entendit pas la chute de l'histoire, mais à en juger par les réactions, elle devait être crue et salace.

« Ah, vous les hommes ! » fit une voix féminine, mi-sermonneuse, mi-taquine.

Peri pinça les lèvres. Elle n'avait jamais fait partie de ces femmes capables de lancer à la cantonade, et sûrement pas sur ce ton de flirt, « Ah, vous les hommes ! »

C'étaient toujours les individus, hommes ou femmes, chargés d'un passé éprouvant, aux yeux hantés par l'incertitude, à l'âme marquée de blessures invisibles, qui l'intriguaient. Généreuse de son temps, d'une loyauté absolue, elle prenait ces rares individus en amitié avec un engagement et une affection sans faille. Mais avec tous les autres, c'est-à-dire une large majorité, son intérêt glissait rapidement vers l'ennui. Et quand elle s'ennuyait, elle n'avait qu'une idée, s'échapper – se délivrer de cette personne, cette conversation, ce moment. Elle sentait d'instinct que ce soir, l'ennui l'accompagnerait tout au long de ce dîner bourgeois, et en guise de compensation, elle se promit de trouver des petits jeux pour se distraire, des amusements destinés à ses yeux seuls.

Rapidement, elle s'aspergea le visage d'eau. Si son rouge à lèvres n'avait pas été écrabouillé et son étui d'ombres à paupières perdu dans l'allée, elle aurait aimé retoucher son maquillage. Elle se recoiffa avec les doigts, vérifia une dernière fois son image dans le miroir. Le reflet qu'il lui renvoya était pâle, agité – comme si un esprit perturbé l'avait traversée sans qu'elle le sache. Elle ouvrit la porte. À sa vive surprise, sa fille l'attendait.

« Papa se demandait où tu étais.

— J'avais besoin de faire un peu de toilette. » Peri fit une pause. « Qu'est-ce que tu lui as dit ? » Elle aperçut une étincelle affectueuse dans le regard de Deniz avant que l'indifférence ne reprenne le pas.

« Rien.

— Merci, mon trésor. Allons-y.

— Attends, tu oublies ça », dit Deniz, en lui tendant l'objet qu'elle avait à la main.

Peri n'eut pas besoin de le regarder pour savoir qu'il s'agissait du polaroïd. Elle l'avait cherché partout dans cette allée étouffante. Mais Deniz avait dû le voir la première et le glisser dans sa poche. Maintenant elle voulait savoir. « Comment ça se fait que je l'ai jamais vu avant ? »

Il y avait quatre personnes sur le cliché. Le professeur et ses étudiantes. Heureuses et pleines d'espoir et prêtes à changer le monde, inconscientes de ce que leur réservait le lendemain. Peri se rappelait le jour où la photo avait été prise. *Le pire hiver à Oxford depuis des décennies.* Elle se rappelait tout – les matinées glaciales, les tuyaux gelés, les talus couverts de neige, et l'élixir grisant de l'éveil à l'amour qui lui parcourait le corps. Elle ne s'était jamais sentie plus vivante.

« C'est qui, ces gens, maman ? »

S'appliquant à rester calme – trop calme – Peri répondit : « C'est une vieille photo.

— C'est pour ça que tu la gardes dans ton portefeuille ? Avec les photos de tes enfants ? interrogea Deniz, la voix lourde de soupçon et de curiosité. Alors, c'est qui ? »

Peri désigna l'une des filles. Elle portait un foulard rouge magenta noué en turban, et le khôl bordant ses yeux noisette lui retroussait les cils jusqu'aux paupières. « Ça, c'est Mona. Une étudiante américano-égyptienne. »

Concentrée et silencieuse, Deniz examina la jeune fille.

« Celle-ci, c'est Shirin. » Son regard se posa sur une silhouette saisissante, épaisse chevelure brune, maquillage appuyé, chaussée de bottes de cuir à talons hauts. « Sa famille venait d'Iran, mais ils avaient déménagé si souvent qu'elle avait l'impression de n'être de nulle part.

— Comment tu les as rencontrées ? »

Peri prit son temps avant de répondre. « Des amies d'université. On a partagé la même maison, on était dans le même collège d'étudiants. On suivait le même séminaire, mais pas toutes à la même période.

— Il parlait de quoi, le séminaire ? »

Peri eut un léger sourire, le souvenir gravé dans chaque ligne de son expression. « Il parlait de… Dieu.

— Ouahhh », fit Deniz, sa réaction habituelle à tout ce qui ne l'intéressait pas. Elle tapota de l'index la silhouette de l'homme debout au milieu. Ses cheveux châtain-blond étaient décoiffés, et assez longs pour boucler. Ses yeux semblaient briller sous la visière de sa casquette ; il avait le menton ferme et bien dessiné, la mine tranquille sans être vraiment paisible.

« Et lui ? »

Un frisson de gêne passa sur le visage de Peri, si faible qu'il était presque imperceptible. « C'était notre professeur.

— Vraiment ? Il a une tête d'étudiant rebelle.

— C'était un professeur rebelle.

— Ça existe ? demanda Deniz. Il s'appelait comment ?

— On l'appelait Azur.

— Bizarre, comme nom. C'était où, cet endroit ?

— En Angleterre… Oxford.

— Quoi ? Tu nous as jamais dit que tu étais allée à *Oxford.* » Deniz prononça le dernier mot en l'accentuant lourdement.

Peri hésita, se demandant comment elle allait répondre. Pourquoi elle n'avait jamais partagé ce souvenir avec quiconque, y compris ses enfants, elle s'en doutait un peu, mais ce n'était ni le lieu ni l'heure pour le révéler. « Juste quelque temps, dit-elle, sa voix faiblissant. Je n'ai pas terminé mon cursus.

— Comment tu as été admise ? »

Elle semblait impressionnée, mais Peri détectait aussi une pointe d'envie teintée de rancune dans sa remarque. Sa fille commençait déjà à s'inquiéter pour son examen d'entrée à l'université, alors qu'il n'aurait pas lieu avant plusieurs années. Le système éducatif, conçu pour rendre les jeunes esprits encore plus compétitifs, convenait peut-être bien aux étudiants du style de Peri, mais pour des esprits libres comme Deniz, c'était une torture.

« Tu ne le croiras peut-être pas, mais j'ai eu d'excellentes notes pendant toute ma scolarité. Mon père tenait absolument à ce que je reçoive la meilleure éducation… en Europe. Il m'a aidée à présenter ma candidature, et je remplissais les conditions.

— Grand-papa ? » demanda Deniz, qui avait du mal à concilier l'image du vieillard décrépit qu'elle gardait en mémoire avec ce maître agent du changement.

Peri sourit. « Oui, il était très fier de moi.

— Et pas grand-maman ? demanda Deniz, détectant un conflit.

— Elle avait peur que je me sente perdue dans un pays étranger. C'était la première fois que je quittais la maison. Pas facile pour une mère. » Peri retint son souffle, surprise de ce qu'elle venait de dire, surprise de cette soudaine empathie avec sa mère.

Deniz réfléchit un moment. « Et ça se passait quand ?

— Autour du 11 Septembre, si ça te dit quelque chose.

— Je sais ce que c'est, le 11 Septembre », dit Deniz. Son visage s'éclaira tandis qu'elle ajustait les pièces du puzzle. « Alors c'était avant que tu rencontres papa. Tu es partie d'Oxford, revenue à Istanbul, mariée, tu as renoncé à tes études, fait trois enfants à la file et tu es devenue femme au foyer. Très original, bravo.

— Je n'essayais pas d'être originale », dit Peri.

Ignorant la remarque, Deniz se mordillait la lèvre inférieure. « Pourquoi tu as abandonné ? »

C'était la seule question à laquelle Peri ne voulait pas répondre. La vérité lui faisait trop mal. « C'était trop dur pour moi : les cours, les examens… »

Sans dire mot, Deniz lui jeta un regard de côté, manifestement incrédule. Pour la première fois, il lui vint à l'esprit que la femme qui l'avait mise au monde, la femme qu'elle voyait tous les jours et sur qui elle comptait pour satisfaire chaque besoin et chaque caprice, était peut-être une personne différente avant la naissance de ses enfants. C'était une pensée inconfortable. Auparavant, sa mère était *terra cognita*, dont Deniz connaissait en détail les vallées heureuses, les lacs paisibles et les montagnes battues par le vent. Elle n'aimait pas l'idée qu'il puisse subsister des régions non cartographiées de ce continent.

« Je peux reprendre ma photo, maintenant ? demanda Peri.

— Attends une seconde. »

Ses cils captant la lumière diffusée par le plafonnier, Deniz approcha le polaroïd de son visage et plissa les yeux, louchant presque, comme si elle espérait y découvrir quelque code secret. Prise d'une intuition, elle retourna la photo et lut l'inscription au revers, rédigée d'une main qui s'était appliquée pour être lisible : *De Shirin à Peri en signe sororal / Rappelle-toi, Souriceau, « je ne peux plus me prétendre homme, femme, ange ou même pure âme. »*

« C'est qui, Souriceau ? dit Deniz en gloussant.

— C'est comme ça que Shirin m'appelait.

— C'est bien le dernier surnom que je t'aurais donné !

— Eh bien, il faut croire que j'ai changé. Viens, on nous attend. »

Deniz semblait perplexe. « Qu'est-ce que ça veut dire, "plus me prétendre homme, femme, ange" ? C'est n'importe quoi.

— C'est un poème... Redonne-moi cette photo, mon cœur. »

Du salon leur parvint une salve d'applaudissements et des bravos. Quelqu'un se laissait convaincre ou défier de faire quelque chose. Curieuse, après une courte hésitation, Deniz rendit la photo à sa mère et partit reprendre le fil de la soirée.

Seule dans le couloir, Peri serra le polaroïd contre elle, surprise de sentir la chaleur qu'il irradiait, comme s'il était vivant. C'était si étrange, quand on y pense, que certains moments se fanent, des cœurs se figent, des corps vieillissent, des promesses meurent, et même les convictions les plus fortes cèdent, mais qu'une photo, pauvre reflet à deux dimensions de la réalité, mensonge, reste inchangée, fidèle à jamais.

Elle rangea le polaroïd dans son portefeuille, en évitant de regarder les visages, résistant à l'œil du passé, au jugement que porterait une Peri plus jeune sur la femme qu'elle était devenue. Elle se redressa, prête à affronter les autres invités, dont beaucoup n'étaient à vrai dire guère plus que des étrangers, et retourna lentement vers le lieu de la fête.

Le Contrat

Istanbul, années 1990

Pendant ses années de lycée, Peri traversa des périodes de foi, des périodes de doute. À l'insu de son père, elle avait tenu la promesse faite à Dieu. Chaque soir avant de s'endormir, en termes choisis avec soin, passionnément, elle priait. Elle essayait de son mieux. Si elle sacrifiait son incroyance sur l'autel de l'amour et devenait aussi pieuse que ces prêcheurs qui faisaient du prosélytisme sous les cieux d'Istanbul, Allah serait peut-être mieux disposé envers sa famille et moins sévère avec son père, espérait-elle. Un contrat irrationnel, certes, mais pouvait-il en être autrement d'un contrat conclu avec le Tout-Puissant ?

Le problème avec la prière, malgré tout, c'est qu'elle doit être pure, monocorde. Une voix cohérente du début jusqu'à la fin. Mais quand Peri parlait à Dieu, son esprit se fragmentait en une pléthore d'orateurs, certains écoutant, d'autres faisant des commentaires spirituels, d'autres exprimant des objections. Pire encore, des images non sollicitées envahissaient son esprit – mort, obscurité, violence, génocide, mais surtout images de sexe. Elle fermait les yeux, rouvrait les yeux, luttait pour effacer les corps nus qui se tordaient dans son imagination. Vexée de son incapacité à brider son cerveau, craignant que ces pensées ne corrompent ses prières, elle reprenait au début chaque fois, s'empressant de finir avant que les idées impures ne reprennent le dessus. Se préparer pour la prière revenait à enfouir dans un placard tout le désordre et le bric-à-brac avant que Dieu ne vienne visiter la maison de son esprit. Si elle tenait à se présenter sous son meilleur jour, elle gardait une conscience aiguë de tout ce qu'elle dissimulait à Son regard.

Si, au lieu de prier seule chez elle, elle se joignait à une congrégation, peut-être parviendrait-elle à étouffer ces voix qui la consumaient. Avec quelques amies d'un état d'esprit proche du sien, elle prit l'habitude de se rendre dans les mosquées voisines. Elle chérissait la lumière qui tombait à flot des hautes fenêtres cintrées, les candélabres, la calligraphie, l'architecture de Sinan. Mais elle trouvait gênant que la section réservée aux femmes soit toujours reléguée à l'arrière ou à l'étage derrière des rideaux, toujours recluse, isolée, petite.

Un homme d'âge mûr entra derrière elles dans une mosquée du voisinage, puis les suivit dans la cour.

« Les filles devraient rester prier chez elle, dit-il, son regard épousant les courbes de leurs seins.

— Nous sommes dans la Maison d'Allah, elle est ouverte à tous », riposta Peri.

Il fit un pas vers elle, torse bombé. Son corps tenait lieu de rappel, d'avertissement, de frontière. « Cette mosquée n'est pas assez grande. Même les hommes débordent sur la rue. Il n'y a pas de place ici pour les collégiennes.

— Alors les mosquées appartiennent aux hommes ? » dit Peri.

Il rit, comme surpris qu'elle ait pu croire qu'il en allait autrement. Peri fut déçue que l'imam, qui avait entendu leur conversation en passant, ne dise rien pour les défendre.

Une autre fois, à Üsküdar, assise à l'étage dans la section des femmes, elle entrouvrit les rideaux pour leur permettre d'admirer la beauté de la mosquée tout en priant. Aussitôt, une femme plus âgée, vêtue de noir de la tête aux pieds, referma les rideaux, protestant à mi-voix d'un ton furieux. Les hommes n'étaient pas les seuls à vouloir garder les femmes hors de leur vue. Certaines femmes partageaient leur opinion.

Oui, elle avait essayé. Mais il y avait toujours une faille entre elle et les voies de la religion inscrite sur sa carte d'identité rose. Au fait, qui avait eu l'idée d'ajouter une case « religion » à cocher sur ces cartes ? Qui décidait si un nouveau-né était musulman ou chrétien ou juif ? Certainement pas le bébé en personne.

Si Peri avait pu cocher la case elle-même, elle aurait sans doute écrit « Indéterminée ». Ce serait plus sincère. Si sa mère devait finir au paradis et son père en enfer, sa demeure à elle devrait être le purgatoire, situé quelque part entre les deux.

Elle s'abstenait de discuter de ces questions avec les gens pieux, car dès qu'ils la voyaient vaciller entre le doute et la foi, ils s'évertuaient à l'attirer de leur côté. Les rares athées parmi ses connaissances n'étaient guère différents. Que ce soit au nom de Dieu ou de la science, il n'y a pas plus grande satisfaction pour l'ego que de convertir quelqu'un à vos vues. Mais Peri ne voulait surtout pas faire l'objet de leur prosélytisme. Quand donc ces gens comprendraient-ils qu'elle refusait de prendre une décision concernant leur code de croyance ? Tout ce qu'elle voulait c'était rester en mouvement. Si elle se rangeait d'un côté ou de l'autre, elle craignait de devenir quelqu'un d'autre et de se perdre.

Elle écrivit dans son journal de Dieu : *Je suis perpétuellement dans les limbes. Peut-être que je veux trop de choses à la fois mais aucune avec la passion nécessaire.*

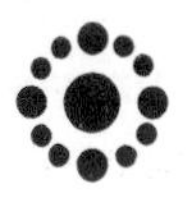

Le jour où Peri termina sa scolarité, en tête de sa promotion, son père et elle préparèrent ensemble le petit déjeuner. Après avoir coupé les tomates en dés, haché le persil, battu les œufs au fouet, ils cuisinèrent un *menemen* si épicé que chaque bouchée perçait un trou sur la langue. Ils travaillaient côte à côte, leurs gestes coordonnés, sans effort. Peri regarda son père trancher un oignon, notant avec soulagement que le tremblement de ses mains semblait s'être atténué. Mais il transpirait abondamment, une fine pellicule de sueur lui couvrait le front. Elle savait que s'il avait été seul dans la cuisine, il se serait déjà servi un verre.

Ensuite, Mensur la conduisit dans une agence qui aidait les étudiants turcs à présenter leur candidature dans des universités étrangères. Ils étaient venus plusieurs fois au cours des derniers mois dans ce petit bureau étouffant, mal éclairé, faisant la queue parmi des adolescents pleins d'espoir, sans pouvoir détourner les yeux de ces visages qui rayonnaient sur les brochures des universités occidentales. De leurs pages luisantes surgissait une diversité bariolée d'étudiants – un semblant de Nations Unies – arborant tous sans exception une mine heureuse.

En route, ils s'arrêtèrent à un feu rouge à côté d'une mosquée ottomane réputée car elle était construite sur la mer. Des mouettes étaient nichées sur le pourtour du dôme, comme un rang de perles.

« Baba, comment ça se fait que tu ne sois jamais devenu religieux ? demanda Peri en contemplant la mosquée.

— J'ai entendu trop de sermons bidon, rencontré trop de faux gourous.

— Et Dieu, alors ? Dis-moi, tu crois encore qu'Il existe ?

— Bien sûr que oui, répondit Mensur, avec une conviction mitigée. Ça ne veut pas dire que je comprends ce qu'Il fabrique. »

Un couple de touristes – des Européens, à leur allure – prenait des photos dans la cour de la mosquée. La femme s'était couvert la tête d'une des longues écharpes fournies à l'entrée. Quelqu'un, peut-être un passant, avait dû l'avertir que sa robe était trop courte ; elle s'était noué une autre écharpe autour de la taille pour cacher ses jambes jusqu'aux genoux. L'homme, lui, portait des sandales et un bermuda sans qu'apparemment cela gêne quiconque.

Montrant le couple du doigt, Mensur dit : « Si j'étais une femme, je serais deux fois plus critique envers la religion.

— Pourquoi ? demanda Peri, qui devinait la réponse.

— Parce que Dieu est un homme... C'est ce qu'ils nous ont fait croire, tous ces braves gens. »

Une voiture s'arrêta auprès de la leur, diffusant à plein tube une chanson de Santana.

« Tu vois, mon âme, poursuivit Mensur, j'aime les traditions des soufis bektachis ou mevlevis ou malâmatîs pour leur humanisme et leur humour. Les Rinds étaient un peuple libre de tout préjugé ou intolérance – combien de gens se souviennent encore d'eux aujourd'hui ? Cette philosophie ancienne a disparu de notre pays. Et pas seulement ici. Partout dans le monde musulman. Réprimés, censurés, effacés. Pourquoi ? Au nom de la religion, ils tuent Dieu. Au nom de la discipline et de l'autorité, ils oublient l'amour. »

Le feu passa au vert. Quelques secondes avant – pas après – les voitures derrière eux s'étaient mises à klaxonner. Mensur enfonça l'accélérateur et murmura entre ses dents : « On se demande comment ces abrutis ont réussi à attendre l'heure de sortir du ventre de leur mère.

— Baba, est-ce que la religion te donne un sentiment de sécurité – comme un gant protecteur ?

— Peut-être, mais je ne veux pas d'une peau supplémentaire. Je touche la flamme, je me brûle ; je tiens un glaçon, j'ai froid. Le monde est ce qu'il est. On mourra tous. À quoi ça rime la sécurité dans une foule ? On naît seul, on meurt seul. »

Peri se pencha en avant, prête à dire quelque chose, mais la voix de son père poursuivit. « Quand tu étais petite, tu me demandais si j'avais peur de l'enfer.

— Et tu m'as dit que tu creuserais un tunnel pour en sortir. »

Le visage de Mensur se fendit d'un sourire. « Tu sais pourquoi je ne suis pas tellement porté sur le paradis ?

— Dis-moi.

— Je regarde les gens qui vont y aller, ceux qui prient et jeûnent et font apparemment tout ce qu'ils sont censés faire. Il y en a tellement parmi eux qui sont bourrés de prétention ! Je me dis, si ces types-là vont au ciel, est-ce que j'ai vraiment envie d'aller là-bas ? Je préférerais brûler tranquille dans mon propre enfer. Là il fait chaud, mais au moins c'est sans hypocrisie.

— Oh, Baba, j'espère que tu ne parleras pas comme ça devant les gens. Tu vas t'attirer des ennuis.

— Ne t'inquiète pas, ma langue se lâche seulement quand je suis près de toi. Ou quand j'ai descendu quelques godets. Ces fanatiques ne viendront jamais s'asseoir avec moi à une table de raki. Je ne risque rien. » Il gloussa.

Peu après, ils arrivèrent au palais de Dolmabahçe, avec ses arcs de triomphe et sa tour de l'horloge. « Tu connais l'histoire des poissons noirs ? » demanda Mensur.

« Tout près d'ici, poursuivit-il, le sultan Mourad IV s'assit par une nuit d'orage pour lire *Les Flèches du destin* – un recueil de poèmes satiriques du grand Nef'i. Il venait à peine de commencer quand la foudre frappa un châtaignier dans les jardins du palais – un présage, sûrement. Très inquiet, le sultan ne se contenta pas de jeter le livre à la mer, il rédigea une lettre autorisant les ennemis de Nef'i à le châtier de toutes les manières qu'ils voudraient. Quelques jours plus tard, le poète, étranglé par un nœud coulant, fut plongé dans les eaux mêmes où sa poésie s'était délitée, strophe par strophe.

« Tu vois à quel point c'est toxique, ce cocktail d'ignorance et de pouvoir. Le monde a souffert davantage aux mains des religieux que par la faute de gens comme moi – quel que soit le nom comique qu'on donne à mon espèce ! »

Peri regarda par la fenêtre les vagues aux crêtes d'argent qui luisaient sous le soleil de l'après-midi, espérant voir un poisson ou deux en agiter la surface. Elle savait, maintenant qu'elle connaissait le sort de ce poète, qu'elle n'oublierait jamais cette histoire. Elle prenait sur elle les chagrins des autres comme s'ils étaient les siens et les portait autour de son cou, comme les colliers de pommes de pin qu'elle fabriquait dans son enfance. Ils lui piquaient la peau et la faisaient souffrir, mais elle refusait de les enlever jusqu'à ce qu'ils soient secs et s'émiettent en particules fines de poussière.

Mensur suivit son regard. « Voilà pourquoi les poissons dans cette partie du Bosphore sont noirs. Ils ont avalé trop d'encre. Les pauvres, ils cherchent encore les mots des poèmes et la chair des poètes… la même chose, quand on y pense. »

Peri raffolait des contes de son père. Elle avait grandi avec. Pourtant, la mélancolie dont ils étaient imprégnés lui perçait l'âme, comme une écharde sous sa peau qui devenait une partie organique d'elle-même. Parfois elle avait l'impression d'être un amas d'échardes – plantées dans son corps et dans les replis de son cerveau.

« Mais pourquoi je te raconte tout ça ? dit Mensur, avec une animation inédite. Tu n'es pas contente d'aller à Oxford ? »

Ils avaient envoyé sa candidature à diverses universités en Europe, aux États-Unis et au Canada. Des lieux aux noms si étranges qu'aucune langue ne saurait les prononcer. Mais c'est Oxford qui excitait particulièrement Mensur.

« Je ne suis pas sûre d'y aller.

— Oh si, tu iras. Ton anglais est parfait. Tu as travaillé dur pour bien le parler. Tu as réussi les examens, tu as passé l'entretien, et maintenant on t'a fait une offre.

— Mais Baba, comment on va pouvoir payer... »

La voix de Peri lui manqua.

« Ne t'inquiète pas. Je m'en suis occupé. »

Il vendait leur voiture, ainsi que le seul investissement qu'ils aient jamais détenu – un champ proche de la mer Égée, où il comptait un jour faire pousser des oliviers. Cela pesait lourd sur la conscience de Peri, de savoir que son père renonçait à ses rêves pour elle. N'empêche, quand leurs yeux échangèrent un regard d'intelligence, elle sourit. Même si elle évitait d'en parler, à la vérité elle mourait d'impatience de partir pour l'Angleterre.

« Baba, tu es sûr que maman sera d'accord ? Enfin, je veux dire, tu lui en as parlé ?

— Pas encore. Je vais le faire bientôt. Comment pourrait-elle refuser que sa fille aille dans la meilleure université du monde ? Elle sera enchantée ! »

Peri acquiesça, tout en sachant qu'il mentait. Ni l'un ni l'autre ne voulait dire à Selma que sa fille allait partir, pas avant la dernière minute.

Le dernier repas

Istanbul, 2016

En entrant dans la vaste salle à manger, Peri vit que tout le monde était déjà installé à table, et engagé dans des conversations par petits groupes. Adnan bavardait avec un ami de la famille, le P-DG d'une banque d'investissement internationale. À voir leur expression, ils parlaient soit de politique soit de football – les deux seuls sujets capables de pousser des hommes à dévoiler leurs émotions en public. Leurs hôtes étaient assis de chaque côté de la table. À ceux qui l'entouraient, l'homme d'affaires racontait une anecdote de vacances avec l'aimable aplomb de quelqu'un qui a l'habitude d'être écouté, tandis que sa femme le regardait de loin d'un air indifférent. Peri avança d'un pas, sachant que d'un seul coup, toutes les têtes se tourneraient vers elle. Elle envisagea une seconde de prendre doucement la tangente jusqu'à la porte en chêne de l'entrée par où elle pourrait s'échapper.

« Voyons, chérie, pourquoi tu restes debout ? » La maîtresse de maison l'avait repérée. « Viens t'asseoir avec nous. »

Peri se força à sourire tout en se glissant sur le siège vide qui lui était réservé. Pendant qu'elle s'attardait dans la salle de bains, la plupart, sinon la totalité des invités, avaient été informés de son accident. Maintenant, tous la dévisageaient avec une curiosité amicale, tous avaient hâte d'entendre son histoire.

« Est-ce que ça va ? » lui demanda une femme qui dirigeait une agence de relations publiques. Elle était coiffée à la Pompadour, une création sophistiquée maintenue en équilibre par une grosse épingle à cheveux en strass qui avait l'air d'une brochette de kebab, se dit Peri. Cela lui donnait un air inquiétant. « On s'est fait du souci pour vous. »

« Oui, qu'est-ce qui t'est arrivé, ma chère ? » demanda le PDG.

Peri croisa le regard d'Adnan, détectant une lueur d'inquiétude dans ses yeux d'ordinaire affectueux. Il avait devant lui un bol de soupe vide et un verre d'eau. Adnan était un abstinent, pour raisons de santé et de religion. Il était croyant.

« Rien qui mérite d'être évoqué à une table aussi charmante, dit Peri en se tournant vers le P-DG. Ça m'intéresse plus d'entendre ce dont vous discutiez si passionnément.

— Oh, de pots-de-vin et de corruption en Ligue 1. Certaines équipes semblent résolues à perdre leurs matchs. Si je n'étais pas mieux informé, je dirais qu'on les paie pour ça. » Le P-DG lança un regard espiègle à son hôte.

« Des conneries, dit l'homme d'affaires. Si tu essaies de débiner mon équipe, je t'assure, mon ami, que nous gagnerons en nous arrachant les tripes. »

Peri se détendit, soulagée d'avoir détourné la conversation de sa personne, au moins provisoirement.

Les autres avaient fini leur potage, et une servante en apporta un bol à Peri – bouillon de betterave et carotte nappé de fromage de chèvre. Quelqu'un lui remplit son verre sans lui demander son avis. Vin rouge de Napa Valley. Avant de le porter à ses lèvres, elle adressa un salut silencieux à l'âme de son père.

Tout en mangeant, Peri observa la pièce. Meubles italiens, lustres anglais, rideaux français, tapis persans, et une pléthore d'objets et coussins à motifs ottomans ; une demeure – certes plus somptueuse que la moyenne – décorée dans le même style que tant d'autres maisons d'Istanbul, mi-oriental mi-européen. Sur les murs étaient accrochées des toiles d'artistes moyen-orientaux connus ou en route vers la célébrité, dont Peri devinait que beaucoup avaient été sur- ou sous-payées, car la scène artistique de la région, peut-être à l'image de sa scène politique, était encore fluctuante.

Jadis, Peri avait assisté à une foule de dîners, trop pour pouvoir les compter, où les musulmans conservateurs ne voyaient aucun mal à se mêler aux buveurs libéraux. Ils levaient poliment leur verre d'eau quand on portait un toast, s'associant au geste. La religion, dans cette partie du monde, était un genre de collage. Ce n'était pas un fait rare de boire de l'alcool toute l'année et de se repentir pendant Laylat al-Qadr, la Nuit du Destin, où vos péchés – à condition d'éprouver un remords sincère – étaient lavés en bloc. Quantité de gens jeûnaient pendant le Ramadan autant pour renouveler leur foi que pour perdre du poids. Le sacré s'entre-tissait avec le profane. Dans une culture marquée par l'hybridité, même les plus rationnels croyaient aux djinns et gardaient à portée de main un talisman en verre bleu – reconnu dans tout le pays comme un protecteur contre le mauvais œil. Et même les plus dévots adoraient entamer la Nouvelle Année devant leur poste de télévision à battre des mains en cadence avec une danseuse du ventre. *Un peu de ci, un peu de ça. Muslimus modernus.*

Mais les choses avaient changé de manière dramatique au cours des dernières années. Les couleurs s'étaient figées en noir et blanc. Des mariages comme celui de ses parents – l'un pieux, l'autre non – se faisaient de plus en plus rares. La société actuelle était divisée en ghettos invisibles. Istanbul ressemblait moins à une métropole qu'à un patchwork urbain de communautés séparées. Les gens étaient soit « religieux fervents » soit « laïcs fervents », et ceux qui gardaient un pied dans chaque camp, mettant la même ardeur à négocier avec le Tout-Puissant qu'avec l'esprit du temps, avaient disparu ou se faisaient étrangement muets.

La réunion de ce soir était inhabituelle, donc, dans la mesure où elle rapprochait des gens des deux camps. Grandiose et palatial, le cadre évoquait pour Peri une Cène de la Renaissance. Si c'était elle l'artiste, elle l'intitulerait *Le Dernier Souper de la bourgeoisie turque*. Elle compta les convives autour de la table. Pas de doute, ils étaient treize, avec elle.

« Oh, elle n'écoute même pas », dit la directrice des relations publiques (DRP).

S'avisant qu'ils parlaient d'elle, Peri leur sourit. « Qu'est-ce que vous racontiez ?

— Ta fille m'a dit que tu es allée à Oxford. »

Le visage de Peri se ferma. Elle chercha des yeux Deniz, mais celle-ci dînait avec son amie dans la pièce voisine.

« Vraiment, chérie, tu es tellement secrète, renchérit l'hôtesse. Pourquoi tu ne nous en as jamais parlé ?

— Peut-être parce que je ne suis pas restée jusqu'au diplôme…

— Mais on s'en moque, fit le journaliste. Tu as quand même le droit de t'en vanter.

— Mon frère n'arrête pas, dit la DRP. “Quand j'étais à Oxford”, c'est sa première phrase quand il rencontre quelqu'un ! » Elle se tourna vers Peri. « Vous y étiez quand ?

— En 2001.

— Ah, la même année que mon frère. »

Peri sentit son malaise s'aggraver, et il augmenta encore quand son mari intervint : « Deniz a parlé d'une photo que tu avais dans ton sac ; tu devrais la leur montrer. »

Il agissait délibérément, Peri en était consciente, en la poussant et la provoquant devant les autres. Il souffrait de savoir qu'elle tenait encore à ce polaroïd. Il savait, bien sûr. Pas tout, mais une grande partie de l'histoire. C'était lui, en fait, qui avait ramassé les morceaux après son départ d'Oxford.

« Allez, montrez-nous », dit quelqu'un d'un ton enthousiaste.

Peri eut beau faire tout son possible pour changer le sujet, cette fois elle n'y parvint pas. Ils voulaient tous voir de quoi elle avait l'air quand elle était étudiante – et si elle avait beaucoup changé depuis.

Elle sortit le polaroïd de son sac et le posa sur la table. À la lueur des bougies, on distinguait quatre silhouettes, quatre visages souriants d'un passé révolu, debout devant l'entrée de la Bodléienne, dans la cour carrée enneigée. Des stalactites pendaient aux corniches de la tour à l'arrière-plan. Chaque invité examina le cliché avant de le passer à son voisin, non sans y aller de son commentaire.

« Ah, tu étais tellement jeune !

— Hou là là, regardez ces cheveux. C'était une permanente ? »

Quand la DRP eut la photo en main, elle chaussa ses lunettes et la scruta soigneusement. « Attendez, dit-elle, le sourcil dressé, cet homme-là me dit quelque chose. »

Peri se raidit.

« J'allais voir mon frère chaque année. Je suis sûre qu'il m'a montré une photo de cet homme… mais où était-ce ? »

L'expression de Peri se figea.

« Ah oui, je me souviens ! C'était dans un journal. C'était un professeur réputé… il a été déshonoré… obligé à démissionner d'Oxford ! Tout le monde parlait de lui. Ça a causé un scandale. » Elle braqua son regard sur Peri. « Vous en avez forcément entendu parler, non ? »

Peri resta muette, incapable de forger un mensonge, révulsée à l'idée de dire la vérité. À son profond soulagement, les servantes entrèrent à cet instant précis chargées de plateaux de hors-d'œuvre. Des arômes appétissants emplirent l'air. Pendant qu'on passait les plats, Peri parvint à récupérer le polaroïd. Le temps de le remettre dans son sac, ses mains tremblaient si fort qu'elle dut les cacher sous la table.

Deuxième partie

L'université

Oxford, 2000

Le jour où Nazperi Nalbantoğlu, fraîche émoulue de son école, arriva à Oxford, elle était accompagnée par son père inquiet et sa mère encore plus inquiète. Ses parents prévoyaient de passer la journée tous ensemble : après avoir vu leur fille installée dans sa nouvelle vie, ils comptaient reprendre le train pour Londres dans la soirée. De là, ils repartiraient en avion pour Istanbul, où ils avaient vécu l'essentiel des trente-deux ans de leur mariage fermement instable, comme un vieil escalier qui, tout branlant qu'il soit, résiste aux outrages du temps. Mais les choses se révélèrent plus compliquées que prévu. À deux reprises, Selma fondit en larmes, son humeur alternant entre des cycles de perturbation, apitoiement et fierté. De temps à autre, elle saisissait un pan de son foulard, apparemment pour s'éponger le visage mais en réalité pour effacer une larme. Une part d'elle-même était ravie de la réussite de sa fille. Personne dans sa famille n'avait obtenu de place dans une université étrangère, a fortiori Oxford. Aucun n'en avait même envisagé la possibilité, tant « ici » était loin de « là-bas ».

Une autre part d'elle, cependant, ne pouvait se résoudre à accepter que sa plus jeune enfant, une fille par-dessus le marché, vive à un continent de distance, seule, dans un pays où tout était étranger. Elle était profondément blessée que Peri n'ait pas jugé bon de la consulter ni d'obtenir son consentement avant de postuler. Elle devinait l'ombre de son époux derrière le fait accompli. Ils l'avaient tous deux informée de la nouvelle une fois que tout était réglé, et qu'elle ne pouvait plus émettre qu'une faible objection, de peur de se mettre sa fille à dos, sans doute pour le restant de ses jours. Si seulement ils avaient un parent, ou un cousin de cousin, n'importe qui – du moment qu'il était musulman et sunnite et turcophone et craignait Dieu et lisait le Coran et serait facile à joindre par téléphone – dans cette ville inconnue, à qui confier Peri ! Mais elle ne connaissait personne répondant à cette description.

Mensur, lui, tout en rêvant de voir sa fille couronnée de lauriers académiques, n'était pas moins désespéré de la voir partir. La mine calme en apparence, il tenait des propos hésitants, désordonnés, sur le ton qu'il aurait employé pour parler d'un séisme lointain : résigné, mais sous lequel on devinait son chagrin. Peri comprenait et dans une certaine mesure partageait le malaise de ses parents. Jamais jusqu'ici ils n'avaient été séparés, jamais elle n'avait été loin de sa famille, sa maison, son pays.

« Tu as vu comme c'est beau, ici », dit-elle. Malgré le poids qu'elle sentait s'accumuler sur sa poitrine, elle ne pouvait retenir son excitation, prête à prendre son essor vers une vie nouvelle.

Le soleil envoyait des traits de chaude lumière entre les nuages, donnant l'impression que l'été revenait en dépit des bourrasques intermittentes de vent d'automne. Avec son décor de rues pavées, tours crénelées, arcades couvertes, baies vitrées, porches sculptés, Oxford semblait sortie d'un livre d'images.

Tout ce qu'embrassait leur regard était imprégné d'histoire – à tel point que même les cafés et les vitrines de magasins semblaient faire partie de ce patrimoine séculaire. À Istanbul, la ville avait beau être très ancienne, le passé faisait figure de visiteur qui prolonge indûment son séjour. Ici à Oxford, il était à l'évidence l'invité d'honneur.

Les Nalbantoğlu passèrent le reste de la matinée à flâner, admirant les jardins nichés derrière les murs couverts de lierre des cours carrées, usés par les ans, foulant d'un pied timide les gravillons, se demandant s'il était permis d'entrer dans ces espaces et ne voyant personne à qui poser la question. Certains quartiers de la ville étaient si vides que les parois de roche calcaire écaillée bordant les allées anciennes semblaient mendier un peu d'attention humaine.

Fatigués et affamés, ils repérèrent dans Alfred Street un pub doté d'un plafond bas, d'un plancher de bois sonore et d'une clientèle bruyante. Ils s'installèrent discrètement à une petite table accueillante près de la fenêtre. Tout le monde buvait de la bière dans des chopes faites pour des mains de géant. Quand la serveuse s'approcha, la lèvre inférieure ornée d'un piercing, Mensur commanda du fish and chips pour chacun d'eux et une bouteille de vin blanc.

« Tu imagines, cet endroit est vieux de plusieurs siècles… » Mensur contemplait les lambris de chêne comme s'ils renfermaient un code qu'il parviendrait à déchiffrer à force de temps et de volonté.

Selma opina, mais elle avait remarqué d'autres choses en regardant autour d'elle : des étudiants qui descendaient leur bière dans un coin, une femme vêtue d'une robe si courte qu'on aurait pu la prendre pour une nuisette, un homme tatoué qui tripotait sa petite amie, dont le décolleté était plus profond que la faille entre Selma et Mensur… Comment pourrait-elle laisser Peri toute seule au milieu de ces gens ? Les Occidentaux étaient peut-être très avancés en matière de science, d'éducation et de technologie, mais qu'en était-il de leurs principes moraux ? Cela lui pesait de devoir garder ses pensées par-devers soi, de peur de fâcher son mari et sa fille. Les coins de sa bouche descendaient, indice des remarques caustiques qu'elle réprimait. Ce n'était pas juste de devoir toujours être le parent sermonneur et ennuyeux.

Inconscient des soucis de sa femme, sans être entièrement naïf quant à ses opinions, Mensur dit : « Nous sommes fiers de toi, Pericim. »

C'était la deuxième fois que son père lui disait cela, et elle y prit autant de plaisir qu'à la première. Avec leurs modestes ressources, il avait investi dans son éducation bien au-delà de leurs moyens. Elle était résolue à ne pas le décevoir.

« Il faut qu'on porte un toast, déclara Mensur quand leur bouteille de vin arriva. À notre brillante fille ! »

Le visage de Selma se ferma. « Tu sais qu'Allah m'interdit de me joindre à vous. »

« Pas de problème ! fit Mensur. Ça sera moi le pécheur. Quand je mourrai, envoie-moi un laissez-passer depuis le paradis.

— Si seulement c'était aussi simple. Tu devras gravir ta route dans les yeux d'Allah. »

Mensur se mordilla l'intérieur des joues. Entendre sa femme prêcher ses discours élégamment construits lui faisait le même effet que de voir une rangée de dominos disposés avec soin. Il ne pouvait pas se retenir d'en faire chavirer un. « Tu parles comme si tu avais un accès direct à ce que pense Allah. Tu es entrée dans Son cerveau ? Comment tu peux savoir ce qu'Il voit ?

— Parce qu'Il nous le dit dans le Coran, si tu voulais bien prendre la peine de le lire, riposta Selma.

— Oh, s'il vous plaît, vous deux, vous ne pouvez pas arrêter de vous disputer pendant une journée ? » implora Peri.

Pour changer de sujet et réduire la tension, elle ajouta : « Donc je serai bientôt de retour à Istanbul pour le mariage. »

Hakan était sur le point de se marier. Même si Umut – qui s'était replié dans une ville au bord de la Méditerranée une fois sorti de prison – était toujours célibataire, Hakan avait refusé d'attendre son tour, défiant ainsi l'ordre familial. Au début, tout le monde se dit que son impatience cachait peut-être une raison embarrassante, une bosse trop évidente pour disparaître sous la robe de la mariée, mais bientôt il apparut que la seule cause de cette précipitation, c'était la personnalité du futur époux.

Ils terminèrent leur repas dans un quasi-silence.

Pendant qu'ils attendaient l'addition, Selma prit la main de sa fille et lui dit : « Tiens-toi à l'écart des gens qui ne valent rien de bon.

— Oui, je sais, maman.

— L'éducation c'est important, mais il y a autre chose de bien plus important pour une fille, tu comprends ? Si tu perds ça, aucun diplôme ne pourra le racheter. Les garçons n'ont rien à perdre. Les filles doivent se montrer d'autant plus prudentes.

— C'est sûr », dit Peri, tout en détournant le regard.

La virginité, ce tabou auquel on ne pouvait que faire allusion sans jamais le nommer explicitement, occupait pourtant une large place dans les conversations entre mères et filles, tantes et nièces. Un sujet à contourner sur la pointe des pieds, comme un dormeur grincheux au centre de la pièce que personne n'ose déranger.

« Je fais confiance à ma fille, glissa Mensur, qui avait pratiquement vidé la bouteille à lui seul et semblait maintenant un brin éméché.

— Moi aussi, dit Selma. C'est des autres que je me méfie.

— C'est stupide de dire ça. Si tu lui fais confiance, pourquoi tu te soucies tant des autres ? »

Les lèvres de Selma se pincèrent en grimace. « Un homme qui se soûle à mort tous les jours ne devrait traiter personne d'autre que lui-même de stupide. »

Réduite à voir ses parents croiser le fer une fois de plus, sans jamais de victoire, sans apurement des comptes, Peri ne pouvait que fixer son regard par la fenêtre ouverte sur le cœur de la ville qui allait devenir, au moins pour les trois prochaines années, son université, son sanctuaire, son foyer. L'appréhension lui nouait l'estomac. De sombres pensées tourbillonnaient dans son esprit. Elle se rappela le safran coûteux – pas le produit d'imitation mais l'épice authentique – vendu dans de fins tubes de verre sur les étals des bazars d'Istanbul. Tel était son optimisme – limité, confiné, périssable.

La carte

Oxford, 2000

« Bonjour ! » cria une voix derrière eux. Dès leur arrivée à la loge du collège où elle allait résider, une étudiante de deuxième année désignée pour leur faire visiter les lieux les attendait.

En se retournant, ils virent une grande jeune femme dont le port lui rappela la Sultane qu'elle aurait pu être dans un autre temps, un autre pays. Elle portait une jupe de la même teinte que la meringue à l'eau de rose que Peri avait gardée comme un trésor quand elle était enfant. Ses cheveux bruns tombaient en boucles souples le long de son dos, qu'elle tenait parfaitement droit. Elle s'était teint les lèvres de carmin nacré, et avait du rouge sur les joues. Mais ce qui frappait surtout c'étaient ses yeux, sombres et très écartés, cerclés d'un trait de crayon violet et ombrés d'un turquoise des plus vifs. Son maquillage, tel le drapeau d'un pays instable, affichait non seulement son indépendance mais son caractère imprévisible.

« Bienvenue à Oxford, dit-elle avec un large sourire, en leur tendant une main impeccablement manucurée. Je m'appelle

Shirin ». Elle faisait tenir dans ce nom un nombre record de voyelles, Shiii-riiin.

Avec son grand nez busqué, son menton prononcé, on ne pouvait dire qu'elle était jolie au sens conventionnel du terme, mais il émanait d'elle une aura si forte qu'on pouvait la prendre pour une beauté. Peri fut si séduite par son allure qu'elle lui sourit en s'approchant d'elle.

« Salut, je m'appelle Peri, et eux, ce sont mes parents. » *On va faire semblant toute une journée d'être une famille normale*, se dit-elle.

« Ravie de vous rencontrer tous. Il paraît que vous êtes Turcs. Je suis née à Téhéran, mais je n'y suis jamais retournée, fit Shirin avec un geste désinvolte de la main, comme si l'Iran était la porte à côté et n'attendait qu'elle. J'imagine que c'est pour ça qu'on m'a demandé de vous servir de guide. Ils aiment bien nous emballer dans le même lot. Vous êtes prêts pour la visite ? »

Peri et Mensur firent oui avec enthousiasme. Selma inspecta d'un œil désapprobateur la courte jupe, les hauts talons et le lourd maquillage de la jeune fille. Qui n'avait pas l'air d'une étudiante. Et certainement pas l'air iranienne.

« Quel genre d'études elle fait, je me le demande », murmura-t-elle en turc.

Peri, inquiète à l'idée peu vraisemblable que la jeune Anglo-Iranienne comprenne le turc, siffla en retour : « Maman, je t'en prie. »

« En route ! s'exclama Shirin. Normalement on devrait commencer par notre collège, et visiter ensuite le reste de la ville. Mais je ne fais rien dans le bon ordre. C'est contre ma nature. Alors suivez-moi, petite troupe. »

Là-dessus, Shirin se lança dans un long discours sur l'histoire d'Oxford. Tout en jacassant, elle s'enfonçait de plus en plus loin dans les allées tortueuses de la vieille ville. Vivante et allègre, elle parlait si vite que les mots jaillissaient comme un torrent fou, difficile à saisir pour les Nalbantoğlu, surtout pour Selma, qui ne trouvait aucune ressemblance entre l'anglais à l'ancienne fondé sur les règles de grammaire appris à l'école – et oublié sitôt après à la vitesse de l'éclair – et le charabia qu'elle entendait maintenant. Pour lui venir en aide, Peri assuma le rôle d'interprète – de manière assez libre. Elle atténuait, reformulait et au besoin censurait tout ce qui pourrait irriter sa mère.

Pendant ce temps, Shirin expliquait que tous les collèges d'Oxford étaient des fondations autonomes, autogérées, qui contrôlaient leurs propres finances, fait qui rendait Mensur perplexe. « Mais il faut bien qu'il y ait un président, une autorité supérieure de tout ça », objecta-t-il dans son mauvais anglais, avec un regard inquiet à la ronde, comme s'il craignait de voir la ville entière sombrer dans l'anarchie.

« Je ne suis pas de votre avis, dit Shirin. Dans mon expérience, l'autorité c'est comme l'ail : plus on en met, plus ça empeste. »

Mensur, qui avait passé l'essentiel de sa vie adulte à rêver d'une autorité centrale assez forte, ferme et séculière pour enrayer la montée de l'intégrisme religieux, eut l'air alarmé. Pour lui, l'autorité était un liant – le ciment qui maintenait ensemble dans un ordre parfait les morceaux d'une société. Sans elle, les briques tomberaient, la structure se briserait.

« Mais l'autorité n'est pas toujours mauvaise, insista-t-il. Et les droits des femmes, qu'est-ce que vous dites quand un chef puissant défend les femmes ?

— Eh bien, je dis, merci beaucoup, je peux très bien défendre mes propres droits. Nous n'avons pas besoin d'une autorité supérieure pour le faire à notre place ! »

Tout en parlant, Shirin observait Selma dans son voile et son long manteau informe. Peri, toujours sensible aux réactions négatives autour d'elle, s'avisa que l'antipathie de sa mère pour Shirin était réciproque. L'Anglo-Iranienne semblait tenir en mépris les femmes qui se couvraient la tête – mépris qu'elle n'éprouvait pas le besoin de dissimuler.

« Viens, maman. » Peri tira doucement le bras de Selma – celui qui avait une cicatrice de brûlure, souvenir d'un jour où l'on avait lessivé les tapis il y a des années. Elles traînèrent un peu derrière les autres.

Sur les marches accédant à l'Ashmolean Museum, mère et fille virent un couple en train de s'embrasser passionnément. Peri rougit comme si c'était elle qui se faisait surprendre dans les bras d'un garçon. Du coin de l'œil, elle vit Selma froncer le sourcil. Jamais sa mère ne lui avait parlé de sexualité. Elle se rappelait encore la fois où, enfant, au hammam, elle lui avait demandé ce que c'était, cette chose qu'elle voyait pendre entre les cuisses d'un garçon. Selma avait réagi en se précipitant vers la mère du garçon et en lui adressant une longue tirade qui ne surmontait pas le bruit de l'eau jaillissant des fontaines de marbre mais qui, à en juger par ses gestes, devait être sévère. Peri s'était sentie mortifiée, et coupable aussi, d'avoir manifesté sa curiosité pour un objet que d'évidence elle n'avait pas le droit de chercher à connaître.

Au fil du temps, sa curiosité l'avait emporté. Elle demanda un jour à sa mère si elle avait jamais pensé se faire avorter, vu le long écart entre ses premières grossesses et sa toute dernière. Ses parents auraient pu estimer que leur famille était déjà complète et décidé de ne pas l'avoir elle.

« Eh bien, c'était embarrassant. J'avais quarante-quatre ans quand tu es arrivée, dit Selma.

— Pourquoi tu ne t'es pas fait avorter ? insista Peri.

— C'était illégal à l'époque. Pourtant les moyens existaient. Mais bien sûr ç'aurait été un péché, c'est certain. Je me suis dit, un péché devant les yeux d'Allah est plus grave que la honte devant les yeux des voisins, alors j'ai suivi la voie naturelle. »

Peri n'avait jamais dit à sa mère quel dégoût lui avait inspiré cette réponse. Elle s'attendait à quelque chose de plus doux. *Je n'ai jamais envisagé d'interrompre cette grossesse ; je t'aimais déjà tellement*, ou bien, *j'avais pris rendez-vous avec une femme qui devait m'aider, mais la nuit d'avant je t'ai vue en rêve, une petite fille aux yeux verts*… Mais en l'état des choses, Peri en conclut qu'elle était un bébé sandwich, né entre Péché et Honte : deux tranches de sanction tragique.

Ensemble, ils visitèrent le collège où allait vivre Peri. Elle logerait dans l'aile avant d'un magnifique bâtiment classé qui, aux yeux des Nalbantoğlu, ressemblait plus à un musée qu'à un dortoir. Peri avait beau être impressionnée par la hauteur des plafonds, les boiseries, l'ancienneté de la tradition, elle était aussi secrètement déçue par la taille et la simplicité de sa chambre. Un lavabo, une penderie, une commode, un bureau, un fauteuil et un placard. C'était tout – un contraste surprenant avec l'extérieur spectaculaire – mais avec en prime la liberté enivrante de vivre seule pour la première fois.

Tandis qu'ils descendaient l'escalier étroit, en s'écartant pour laisser passer d'autres étudiants, Shirin se retourna et fit un clin d'œil à Peri. « Si tu veux te faire des amis rapidement, laisse ta porte ouverte. Comme ça, ils entrent en passant te dire bonjour. La porte fermée, ça veut dire "Allez-vous en, je ne veux pas qu'on me dérange".

— Vraiment ? chuchota Peri, ne voulant pas que ses parents entendent. Mais comment je pourrai étudier si on m'interrompt ? »

Shirin gloussa comme si l'allusion aux études était la chose la plus drôle de la journée.

Pendant le reste de l'après-midi, Shirin montra aux Nalbantoğlu la coupole de la Radcliffe Camera, le Sheldonian Theatre, et le musée d'Histoire des sciences avec ses instruments anciens. L'étape suivante fut pour la Bibliothèque bodléienne. Shirin expliqua que « la Bod », comme l'appelaient les étudiants et les profs, couvrait plus de cent kilomètres d'étagères souterraines. Autrefois, il fallait prêter serment de ne pas voler les livres. Dans les bibliothèques de certains collèges, ils étaient encore attachés par des chaînes, comme à l'époque médiévale.

Mensur désigna une inscription sur le blason de la façade. « Qu'est-ce que ça veut dire ?

— *Dominus illumatio mea*, "Le Seigneur est ma lumière" », dit Shirin, pointant du doigt vers les cieux, moquerie ou inadvertance, c'était difficile à dire.

Comprenant le geste plus que les mots, Selma enfonça un coude dans les côtes de son époux. « Dis donc, si une université turque affichait la même enseigne à propos d'Allah, ça te fâcherait. Tu dirais que c'est une tanière de fanatiques. Un camp terroriste d'entraînement à l'attentat suicide ! Mais ici, les inscriptions religieuses, ça ne te gêne pas !

— Non, parce que en Europe, la religion est de nature différente, décréta-t-il d'un ton sans appel.

— Comment ça ? La religion, c'est la religion.

— Ce n'est pas vrai. Certaines sont plus... *religieuses*, dit Mensur, avec le sentiment de parler comme un enfant boudeur. Tu comprends, en Europe la religion ne cherche pas à dominer tout et tout le monde. La science est libre !

— La science a fleuri en Andalousie, Üzümbaz Efendi nous l'a expliqué, Allah bénisse son âme. Qui a inventé l'algèbre, d'après toi ? Ou le moulin à vent ? Ou la brosse à dents ? Le café ? La vaccination ? Le shampoing ? Des musulmans ! Autrefois les Européens se lavaient à peine, alors que nous avions des hammams splendides parfumés à l'eau de rose. C'est nous qui avons appris l'hygiène aux Occidentaux, et maintenant ils essaient de nous la revendre.

— On s'en fiche de qui a inventé quoi il y a mille ans. Ma pauvre, demande-toi plutôt qui a tiré le meilleur parti de la science !

— Papa, maman, arrêtez », murmura Peri, mortifiée de voir ses parents s'affronter devant une étrangère.

Shirin, soit parce qu'elle avait compris le motif de la tension et voulait jeter de l'huile sur le feu, soit par pure coïncidence, expliqua que la plupart des collèges étaient issus d'anciennes fondations monacales chrétiennes. Peri s'abstint de traduire en turc pour sa mère.

Tandis qu'ils gravissaient les marches de la Bodléienne, Peri s'arrêta pour lire les noms des donateurs inscrits sur une plaque de cuivre. Depuis des temps immémoriaux, sans interruption, les riches et les puissants soutenaient cette magnifique collection. Elle eut un moment de tristesse en pensant que si cette bibliothèque avait été construite à Istanbul, à la même époque environ, elle aurait été rasée, probablement plus d'une fois, puis reconstruite chaque fois dans un style architectural différent, et dotée d'un nouveau nom, selon l'idéologie dominante du moment – jusqu'à ce qu'un jour on la convertisse en caserne militaire et ensuite, sans doute, en centre commercial. Un soupir lui échappa.

« Ça ne va pas ? l'interrogea Shirin qui se tenait juste à côté d'elle.

— Si, je souhaiterais juste qu'on ait des bibliothèques aussi merveilleuses en Turquie.

— Tu peux souhaiter longtemps, ma vieille. L'Europe imprime des livres depuis le Moyen Âge. Je ne sais pas quand exactement le Moyen-Orient a commencé à le faire, mais je sais à coup sûr que nous sommes tous condamnés – je veux dire l'Iran, la Turquie, l'Égypte. Ouais, j'entends bien, riche culture, musique charmante, cuisine exquise. Mais les livres, c'est le savoir, et le savoir c'est le pouvoir, d'accord ? Comment pourra-t-on jamais combler un tel gouffre ?

— Deux cent quatre-vingt-sept ans, dit calmement Peri.

— Quoi ?

— Pardon, dit Peri. La presse de Gutenberg date d'environ 1440. Il y a eu quelques livres arabes publiés en Italie dans les années 1500. Mais c'est avec Ibrahim Müteferrika sous l'Empire ottoman que les musulmans ont commencé à imprimer des livres – sous un régime de censure, évidemment. En tout cas, ça fait une différence de deux cent quatre-vingt-sept ans.

— Tu es un drôle de numéro, dit Shirin. Toi, tu as toutes les chances de survivre à Oxford.

— Tu crois ? » Peri lui sourit.

Assoiffés, ils firent halte pour prendre un café au marché couvert voisin. Tandis que Peri et Shirin cherchaient une table, Mensur et Selma partirent séparément en quête des toilettes.

« En parlant de gouffre, on dirait qu'il y en a un sérieux entre tes parents, dit soudain Shirin. Ton père est un peu gauchiste, non ? Et ta mère…

— Je ne dirais pas gauchiste, il est surtout laïque… kémaliste, si tu connais un peu la Turquie. Et maman est… » Tout comme Shirin, Peri laissa la phrase flotter en suspens. Lentement, elle cueillit sur sa manche une peluche invisible qu'elle roula entre ses doigts. Jamais elle n'avait rencontré quelqu'un d'aussi direct et indiscret, mais elle ne se sentait pas du tout aussi offensée qu'elle l'aurait dû. Elle changea quand même de sujet. « Alors tu es née à Téhéran ?

— Oui, l'aînée de quatre filles. Pauvre Baba ! Il voulait à tout prix un garçon, mais Shaitan s'est faufilé dans son lit. Baba fumait comme une cheminée et mangeait comme un oiseau. *Ça va me tuer*, c'est ça qu'il disait toujours. Il parlait du régime, pas de nous. Pour finir, il a trouvé une porte de sortie. Madarjan ne voulait pas partir, mais par amour, elle a accepté. On nous a embarquées pour la Suisse. Tu as déjà été là-bas ?

— Non, c'est la première fois que je quitte Istanbul.

— Eh bien, la Suisse c'est charmant, beaucoup trop, le genre de charme bain-de-caramel-mou, si tu vois ce que je veux dire. Quatre ans passés à Sion l'endormie. Crois-moi si tu veux, j'ai entendu un jour une fille se plaindre à son père que le supermarché n'avait pas en stock sa variété de baies préférée ! Hé, oh, le monde est en éruption, le mur de Berlin est tombé, et tu nous parles de baies ? J'étais petite, mais même moi je sentais qu'il y avait de l'excitation dans l'air. J'adore ça quand les murs tombent. D'accord, la vie était sympa en Suisse, mais un peu trop lente à mon goût. Depuis, je cours tout le temps pour rattraper le temps perdu. »

Peri écoutait, les traits de son visage passant de la curiosité au plaisir.

« Après, on est partis au Portugal. J'aimais bien, mais Baba non. Il continuait à fumer, à se plaindre. Deux ans à Lisbonne, juste le temps que j'apprenne assez de portugais et boum ! Faites vos valises, les gosses, on part pour l'Angleterre, la reine nous attend ! J'avais quatorze ans, bon Dieu. Quand tu as quatorze ans, tu devrais t'occuper de tes propres soucis, pas de ceux de ta famille. Bref, l'année où on est arrivés, Baba est mort. Le médecin a dit que ses poumons s'étaient transformés en charbon. Tu ne trouves pas ça un peu bizarre qu'un médecin fasse des métaphores ? Il se prend pour un poète ou quoi ? » Shirin pianota sur la table, inspecta ses mains manucurées. « L'Angleterre c'était le rêve de Baba, pas le mien, et me voilà plus britannique qu'une tarte à la mélasse et aussi déplacée qu'un gâteau fourré aux dattes !

— Mais alors pour toi c'est où, chez toi ?

— Chez moi ? » Shirin fit une moue de désapprobation. « Je vais te dire une loi universelle : chez toi c'est là où est ta grand-mère. »

Peri sourit. « Ah, c'est joli. Où est la tienne ?

— Six pieds sous terre. Elle est morte il y a cinq ans. Elle m'adorait, j'étais son premier petit-enfant. Les voisins disaient que jusqu'à son dernier souffle elle espérait qu'on allait revenir. Voilà où il est, mon foyer. Enterré avec Mamani à Téhéran. Alors, techniquement parlant, je suis une sans-abri.

— Je suis… mmmm… désolée », dit Peri, repérant dans son hésitation une inaptitude à se mettre au diapason d'extravertis, catégorie dont Shirin faisait visiblement partie.

« Tu sais comment ils appellent le cimetière, là-bas ? Le Paradis de Zahra. Chouette, non ? Tous les cimetières devraient s'appeler "paradis". Pas besoin d'enquiquiner le Tout-Puissant avec le Jugement dernier, les chaudrons bouillants, les ponts plus étroits qu'un cheveu et tout le tremblement. Tu meurs, tu vas au paradis, fin de l'histoire. »

Peri ne bougeait pas, séduite et troublée à égalité. Il lui semblait que sa nouvelle amie, bien qu'elles aient le même âge, avait vécu deux fois plus et vu plus de pays que toute sa famille réunie. Jamais on ne lui avait parlé sur ce ton de l'au-delà. Pas même son père, qui exprimait si souvent sa répulsion pour tout ce qui avait trait à la foi.

Peu après, Mensur et Selma revinrent. Ils avaient eu le temps de tomber d'accord pour une fois sur un sujet : Shirin. Pour des raisons diverses, mais avec la même intensité, cette fille les avait pris à rebrousse-poil. Séparément, ils projetaient tous deux d'aviser Peri de se tenir à distance de l'Anglo-Iranienne. Ce serait sûrement une mauvaise influence.

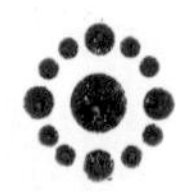

Une heure plus tard, après avoir marché en rond jusqu'à l'étourdissement, ils conclurent leur tour devant l'Oxford

Union. Au moment des adieux, Shirin étreignit Peri comme si c'était une amie longtemps perdue. Son parfum était si fort et musqué, si entêtant, que Peri se sentit un instant perdue, avec la tête qui tournait.

Shirin dit que les Anglais avaient beau être polis et courtois, ils pouvaient se montrer trop réservés et prudents pour une étrangère isolée dans un monde inconnu, et que Peri avait intérêt à fréquenter d'autres étudiants expatriés ou ceux qui venaient d'une culture mixte – comme elle-même.

« Alors j'imagine qu'on va se croiser ? » dit Peri.

Elle était sincère. Car même si la personnalité de Shirin l'intimidait un peu, elle ne pouvait résister à l'attrait de son bavardage incessant, son aplomb et son audace. Ce qui vous manque vous fait toujours envie.

« Se croiser ? fit Shirin en écho, tout en embrassant Selma et Mensur sur les deux joues, malgré leur maintien rigide. Et comment ! J'ai oublié de te dire, on est dans la même aile du collège.

— C'est vrai ?

— Ouaip, fit Shirin, le visage fendu d'un large sourire. En fait tu es juste en face de moi. Et si tu oses faire du bruit, je ferai un foin d'enfer… je plaisante. La Turquie et l'Iran, voisins, comme sur la carte. On sera grandes amies. Ou grandes ennemies. Peut-être qu'on déclenchera une guerre. La Troisième Guerre mondiale ! Parce que tu sais, c'est ça qui va arriver, pas vrai ? Il va y avoir une autre putain de guerre, parce que le Moyen-Orient est un vrai bordel – oups, pardonne ma foutue grossièreté. »

Puis, se tournant vers les parents sidérés de Peri, et estropiant leur nom, Shirin déclara : « M. et Mme Nawbawmtloo, ne vous faites aucun souci pour votre fille. Elle est entre de bonnes mains. À partir de maintenant, je m'occuperai personnellement de garder un œil sur elle. »

Le silence

Oxford, 2000

Une fois ses parents en route vers la gare, envahie par un sentiment nauséeux de solitude, Peri retourna à son escalier qui donnait sur la cour carrée du collège. Malgré le plaisir d'être délivrée de leurs incessantes querelles, au moins celles-ci lui étaient familières, et en leur absence elle se sentait perturbée, comme si on avait retiré le tapis sous ses pieds pour l'obliger à marcher sur un sol rocailleux. Maintenant que l'excitation et la fierté de la journée se dissipaient, un profond trouble l'envahissait. Elle s'avisait qu'elle n'était pas aussi prête pour cette nouvelle étape importante de sa vie qu'elle le croyait. En se raidissant contre le vent, si différent de la brise salée d'une fin d'après-midi à Istanbul, elle inspira et relâcha lentement une bouffée d'air. Son nez recherchait les senteurs habituelles – moules frites, châtaignes rôties, petits pains au sésame, boyaux de mouton grillés mêlés aux parfums des arbres de Judée au printemps, des daphnés en hiver. Comme une sorcière démente qui aurait oublié la formule de ses potions, Istanbul mitonnait ces arômes improbables dans le même chaudron : rances et doux, à vous faire tourner l'estomac et vous mettre l'eau à la bouche. Mais ici, à Oxford, l'odeur résineuse qui flottait dans l'air semblait inaltérable, fidèle.

Elle gravit l'escalier sombre jusqu'à sa chambre, ouvrit ses valises, en sortit des vêtements qu'elle suspendit dans l'armoire, d'autres qu'elle répartit dans les tiroirs, disposa ses photos de famille sur le bureau. Elle plaça son journal de Dieu à côté du lit.

Elle avait apporté quelques-uns de ses livres préférés, certains en turc, d'autres en anglais – *La Chouette aveugle* de Sadegh Hedayat, *L'Amour d'une honnête femme* d'Alice Munro et *Sourires de loup* de Zadie Smith ; Michael Cunningham, *Les Heures* ; Arundhati Roy, *Le Dieu des petits riens* ; Oğuz Atay, *Tutunamayanlar* ; Italo Calvino, *Les Villes invisibles* ; Kazuo Ishiguro, *Un artiste du monde flottant*.

« Pourquoi tu lis toujours des auteurs occidentaux ? » lui demanda un jour le seul petit ami qu'elle ait jamais eu.

Elle était encore au lycée, en dernière année, et lui, son aîné de trois ans, était déjà à l'université où il étudiait la sociologie. Le reproche latent de sa question l'avait prise par surprise. À dire vrai, Peri lisait autant de littérature locale que mondiale. Elle avait tendance à se plonger dans tout livre qui s'emparait de son imagination et stimulait sa curiosité, sans se soucier de la nationalité de l'auteur. Pourtant, comparée aux choix de lectures de son petit ami, dont les étagères affichaient des titres en turc – et quelques romans russes ou sud-américains qui selon lui échappaient à la *corruption*, n'étant pas déformés par *la lentille de l'impérialisme culturel* – sa liste à elle était trop européenne.

« Quand je te regarde, je vois en germe une intellectuelle orientale typique, avait-il ajouté. Amoureuse de l'Europe, en conflit avec ses racines. »

Pourquoi les racines avaient-elles plus de prix que des feuilles ou des branches, Peri n'arrivait pas à le comprendre. Les arbres avaient d'innombrables pousses et ramifications qui partaient dans toutes les directions, au-dessus comme au-dessous des terreaux anciens de la planète. Si même les racines refusaient de rester en place, comment espérer l'impossible de la part d'êtres humains ?

Mais Peri était si entichée de lui qu'elle éprouva un sentiment de culpabilité. Même si elle lisait plus avidement que lui, elle se dit qu'elle perdait son temps à flâner dans les ruelles et les chemins de traverse de la Cité des Livres, tentée par ses arômes et ses saveurs. Elle essaya un moment de ne pas gaspiller son argent pour des ouvrages occidentaux, mais sa résolution faiblit vite. Un bon livre était un bon livre, c'est tout ce qui comptait. En outre, même si sa vie en dépendait, elle ne pouvait pas se faire aux réactions hostiles à la lecture. Dans divers coins du monde, on est ce qu'on dit et ce qu'on fait, mais aussi ce qu'on lit ; en Turquie, comme dans tous les pays hantés par les problèmes d'identité, on se définit, d'abord, par ce qu'on rejette. Apparemment, plus les gens s'en prenaient à un auteur, moins ils avaient lu ses livres.

À la longue, leur relation prit fin, minée moins par leurs goûts divergents en littérature que par la différence de leurs points de vue en matière d'intimité. Au Moyen-Orient, il y a un certain type de petit ami qui se fâche si vous repoussez ses avances sexuelles ; or, en même temps, dès que vous répondez passionnément à ses désirs, vous perdez toute valeur à ses yeux. Condamnée si vous dites non, condamnée si vous dites oui. De toute manière, c'est une situation où vous êtes sûre de perdre.

Après avoir rangé sa chambre, Peri ouvrit la fenêtre à meneaux qui donnait sur les pelouses immaculées du jardin. Un sentiment de vide flottait dans l'air, brouillant les contours de toutes les formes discernables alentour. Les yeux fixés sur les ombres projetées par les arbres, elle frémit comme si un esprit ou un *jinni* venait de l'effleurer doucement. Pouvait-il s'agir du bébé dans la brume ? Elle en doutait. Elle ne l'avait pas revu depuis longtemps. Un fantôme anglais, sans doute. Oxford avait tout d'un lieu où les fantômes, pas forcément terrifiants, pouvaient circuler à volonté sans complexes.

Ce qui la frappa d'abord à Oxford, c'était le silence. C'était cela, et pendant des mois elle eut du mal à s'y faire, la particularité du lieu – l'absence de bruit. Istanbul était bruyante sans la moindre gêne, la nuit comme le jour ; on avait beau fermer les volets, tirer les rideaux, se mettre des bouchons dans les oreilles et remonter sa couverture jusqu'au menton, le chahut, à peine assourdi, traversait les murs et se glissait dans votre sommeil. Les derniers cris des camelots, le remue-ménage nocturne des camions, les sirènes des ambulances ou des bateaux sur le Bosphore, les prières et les jurons qui se multipliaient de même après minuit, tout cela restait en suspens dans l'air, refusant de se disperser. Istanbul, comme la nature, a horreur du vide.

Assise sur son lit, Peri sentit un nœud lui étreindre la poitrine, comme rattrapée par l'angoisse de ses parents, bien que pour des motifs à elle propres. Elle avait le sentiment d'être un imposteur, craignait de ne jamais réussir ici, parmi des étudiants sûrement mieux éduqués et plus diserts qu'elle. L'anglais qu'elle avait appris à l'école et raffiné par de longues heures de lecture la nuit ne suffirait peut-être pas pour suivre certains des cours spécialisés en philosophie, politique ou économie. Même si elle s'efforçait de le cacher au mieux, Peri redoutait profondément l'échec. Sa gorge se serra. Elle fut surprise de sentir si vite ses yeux prêts à déborder. Les larmes, quand elles jaillirent, lui donnèrent une impression de chaleur familière et au fond pas triste du tout.

Un coup à la porte la ramena d'un bond dans le présent. Sans attendre de réponse, Shirin poussa la porte et entra dans la pièce.

« Salut, voisine ! »

Peri eut un reniflement involontaire et sourit tout en essayant de se redonner une contenance.

« Je t'avais dit de laisser ta porte ouverte. Shirin était debout au milieu de la chambre, les poings sur les hanches. C'est un garçon ?

— Quoi ?

— Tu pleures. Tu viens de rompre avec ton petit ami ?

— Non.

— Très bien, il ne faut jamais verser de larmes pour un homme. Alors c'est quoi ? Tu as rompu avec une petite amie ?

— Quoi ? Mais non !

— Ouh là, bon, du calme, dit Shirin, les mains levées en parodie d'excuse. Je vois bien que tu es une hétéro aussi raide qu'un spaghetti industriel. Moi je suis plutôt du genre pasta fraîche. »

Les yeux de Peri s'écarquillèrent.

« Si tu ne pleures pas pour une peine de cœur, ça doit être le mal du pays, dit Shirin en inclinant la tête. Veinarde !

— Veinarde ?

— Ben ouais, si tu as le mal du pays, ça veut dire que tu as un pays qui t'attend quelque part. »

Shirin se laissa tomber dans le fauteuil près du bureau et sortit de sa poche un flacon de vernis à ongles – d'un rouge si vif qu'il aurait fallu assassiner plusieurs êtres vivants pour produire cette teinte. « Tu permets ? »

Là encore, sans attendre de réponse, elle enleva ses pantoufles et commença à vernir ses ongles d'orteil. Une forte odeur chimique envahit l'air.

« Alors, maintenant que tes parents sont partis, je peux te poser quelques questions ? Tu es religieuse ?

— Moi ? Pas vraiment, répondit laborieusement Peri, comme si elle révélait quelque chose qu'elle avait mis longtemps à comprendre. Mais je tiens à Dieu.

— Hmmm, il m'en faut un peu plus. Par exemple, tu manges du porc ?

— Non.

— Et du vin, tu en bois ?

— Oui, parfois, avec mon père.

— Ah, c'est bien ce que je pensais. Tu es une moit-moit. »

Peri fronça le sourcil. « Qu'est-ce que tu entends par là ?

Mais Shirin ne l'écoutait plus. Elle semblait chercher tout autre chose dans ses poches. Incapable de mettre la main dessus, elle plissa le nez, se leva, et repartit vers sa chambre de l'autre côté de l'escalier, en équilibre sur les talons pour ne pas érafler ses ongles fraîchement vernis.

Curieuse, et légèrement irritée, Peri la suivit dans sa chambre, dont la porte était grande ouverte. Elle s'arrêta net, saisie par la pagaille qui y régnait. Trousses de maquillage, crèmes, gants de dentelle, flacons de parfum, pommes entamées, papiers de bonbons, sachets de chips vides, cannettes de Coca ratatinées, livres et pages arrachées à des magazines jonchaient la pièce. Certaines de ces pages étaient collées sur le mur, à côté d'une affiche de Coldplay et une photo en noir et blanc d'une femme brune à l'allure sensuelle affichant le nom Forough Farrokhzad. Depuis l'autre extrémité de la pièce, Nietzsche, sur une immense affiche avec sa grosse moustache, la fusillait du regard. Près de lui, une photocopie couleur de quelque chose qui semblait un agrandissement d'une miniature persane était encadrée d'or rutilant. Sous la miniature, Shirin fouillait dans son sac à dos.

« Qu'est-ce que tu entendais par là ? répéta Peri.

— Moitié musulmane, moitié moderne. Supporte pas la vue du porc, mais s'accommode du vin – ou vodka, ou tequila… tu vois le genre. Mi-figue mi-raisin quand arrive le Ramadan, jeûne par-ci jeûne par-là, mais mange entre deux. Ne veut pas renoncer à la religion, car on ne sait pas s'il y a une vie après la mort, mieux vaut la jouer secure. Ne veut pas non plus renoncer aux libertés. Pincée de l'une, pincée des autres. La grande fusion de l'époque : *Muslimus modernus.*

— Hé, j'ai l'impression que tu m'insultes.

— Bien sûr que oui. C'est toujours ce qu'éprouve un *Muslimus modernus.* » Là-dessus, Shirin extirpa de son sac un flacon translucide – du film durcisseur pour ses ongles et s'exclama : « Ça y est, je l'ai trouvé. »

Peri lui jeta un regard furieux. « Si je suis ce que tu prétends, toi, qu'est-ce que tu es ?

— Oh ma vieille, moi je ne suis qu'une errante. Je n'ai d'attache nulle part. »

Tout en appliquant une couche de protection sur ses ongles, Shirin poursuivit sa diatribe contre les bigots, les hypocrites, les conformistes et ce qu'elle appelait les ignarissimes. Tel un torrent, ses idées affluaient, liquide verbal qui bouillonnait, éclaboussait, sondait. Elle déclara que ceux qui croyaient ou ne croyaient pas avec une passion sincère étaient dignes du même respect à ses yeux. Ce qu'elle ne pouvait tolérer, c'étaient ceux qui ne réfléchissaient pas. De vulgaires copieurs, d'après elle.

Dans le silence qui suivit, Peri se sentait tiraillée entre deux directions opposées. Une partie d'elle était révulsée par l'argumentation fanfaronne de Shirin. Elle devinait de la colère chez la jeune fille, mais contre quoi exactement – sa terre natale, son père, sa religion, les mollahs iraniens – elle n'aurait su le dire. Une autre partie l'écoutait avec plaisir, saisissant dans son soliloque des échos de la voix paternelle. En tout cas, ce n'était pas le genre de conversation qu'elle s'attendait à partager lors de son premier soir loin de chez elle. Elle voulait bavarder, parler des cours, des professeurs, savoir où aller prendre un café, où trouver les meilleurs sandwichs, tous les détails de la vie quotidienne à Oxford.

Il commençait à pleuvoir ; un clapotis doux, régulier, envahit la chambre. Le son dut avoir un effet apaisant sur Shirin, car quand elle reprit la parole, sa voix, bien qu'encore chargée d'émotion, était plus calme. « Désolée de te bombarder de mon bazar personnel. C'est à toi de décider ce que tu choisis de croire, ça ne me regarde pas. Comprends pas pourquoi je me suis emballée comme ça.

— C'est bon, dit Peri. Heureusement que ma mère n'est pas là. »

Shirin éclata de rire – un gloussement léger, presque enfantin.

« Parle-moi des autres étudiants, dit Peri. Ils sont tous très brillants ?

— Tu t'imagines que tout le monde à Oxford est un putain d'Einstein ? (Shirin ponctua le dernier mot d'un grognement de dérision.) Écoute, les étudiants, c'est comme les milk-shakes, tu as toute une gamme de parfums. Il existe environ six sortes d'étudiants par ici, je dirais. »

D'abord, les types soucieux de justice sociale et environnementale. Bavards, sérieux, mordants, impliqués dans la défense des forêts tropicales à Bornéo ou des moines bouddhistes persécutés au Népal, expliqua Shirin. Ils étaient faciles à repérer avec leurs pulls informes, colliers de perles fantaisie, cheveux mal coupés, jeans retroussés, mine résolue, carnet et stylo-bille à la main – toujours équipés pour recueillir des signatures. La nuit ils organisaient des tours de veille, et pendant la journée ils collaient des affichettes partout, couraient d'un débat passionné à un autre. Ils adoraient vous culpabiliser de ne pas prendre part à quelque chose de plus grand et plus important que votre vie étriquée.

Ensuite, les Eurotrash. Ceux-là venaient de riches familles européennes et semblaient tous se connaître ; pendant les vacances, ils partaient skier dans les mêmes stations et au retour ils exhibaient leur bronzage et leurs photos. Adeptes d'une forme sophistiquée d'endogamie, ils ne se fréquentaient qu'entre eux. Au cours de petits déjeuners interminables, ils engloutissaient des tonnes de pain et de beurre sans prendre un gramme. Ils aimaient se plaindre que les croissants étaient rassis et les cappuccini de pâles imitations, et ils parlaient sans cesse du temps qu'il fait.

Troisième groupe, les anciens des écoles privées. Des mondains sélectifs. Ils créaient des cliques en un éclair, choisissant leurs amis d'abord en fonction des écoles qu'ils avaient fréquentées. Avec énormément d'énergie et d'assurance, ils s'adonnaient à toutes sortes d'activités extra-universitaires. Ils ramaient, canotaient, faisaient de l'escrime, du théâtre ; pratiquaient cricket, golf, tennis, rugby, water-polo et pendant leurs moments de loisirs, taï-chi ou karaté. Toute cette dépense d'énergie devait leur donner soif car ils se réunissaient en « sociétés de buveurs » dans lesquelles ils enfilaient un smoking pour s'imbiber d'alcool, savourant l'exclusion de ceux dont l'origine sociale ne leur permettait pas de faire partie du club. Il fallait être coopté pour devenir membre, et tout candidat pouvait être blackboulé.

Ensuite, les étudiants internationaux : Indiens, Chinois, Arabes, Indonésiens, Africains... qu'on pouvait diviser pour la plupart en deux sous-catégories. Ceux qui, tels des aimants attirés l'un par l'autre, recherchaient le familier. Ils dînaient, étudiaient, fumaient et circulaient en petits groupes où ils pouvaient parler leur langue maternelle. Et ceux qui faisaient exactement le contraire, appliqués à prendre le maximum de distance avec leurs compatriotes. Ceux-là avaient des accents on ne peut plus instables, variant selon leurs efforts pour paraître plus britanniques ou, parfois, plus américains.

Cinquième groupe, les binoclards. Sérieux, studieux, intelligents, questionneurs, dignes de respect mais impossibles à prendre en amitié. En mathématiques, physique, philosophie, ils surgissaient comme des champignons sauvages, préférant leurs coins d'ombre paisible au grand soleil. Ils travaillaient leur matière avec une passion proche de la névrose. On pouvait les repérer même au sein d'une foule, marchant d'un pas vif de la bibliothèque à un séminaire, avides de discuter d'un problème avec les profs qu'ils croisaient dans les cloîtres, mais par ailleurs entièrement satisfaits de leur solitude ; à vrai dire, ils étaient plus à l'aise en compagnie de leurs livres que dans le voisinage de leurs pairs au bar de leur collège ou dans la salle commune des étudiants de premier cycle.

Peri écoutait Shirin avec un sentiment d'excitation mêlé d'anxiété. Elle se sentait prête mais craintive à l'idée d'aborder ce nouveau monde où elle aurait besoin de force pour s'aventurer. « Comment tu sais tout ça ? »

Shirin rit. « Parce que je suis sortie avec des mecs – et des filles – de chaque groupe.

— Tu es sortie... avec des filles ?

— Bien sûr. Je peux tomber amoureuse d'une femme, tomber amoureuse d'un homme. Les étiquettes, je m'en fous.

— Oh, fit Peri, un peu gênée. Alors, euh... et la sixième catégorie ?

— Aha ! » Les yeux sombres de Shirin s'illuminèrent de touches d'ambre. « Ceux-là, ils arrivent nature et ils deviennent quelqu'un d'autre en cours de route. Ils s'épanouissent. Les vilains petits canards se changent en cygnes, les citrouilles en carrosses, les Cendrillons en héroïnes. Pour certains étudiants, Oxford fait office de baguette magique, elle t'effleure, et toc ! De grenouille tu deviens un prince. »

Peri hocha la tête. « Comment ça ?

— Eh bien, ça peut se passer de plusieurs manières, mais en général, c'est grâce à quelqu'un... un tuteur, la plupart du temps. Quelqu'un qui te stimule et te fait découvrir qui tu es. »

Une nuance dans la voix de Shirin intrigua Peri. « C'est ce qui t'est arrivé ?

— Ouais. Tu as gagné. Je suis du type six. Tu ne m'aurais pas reconnue il y a un an. J'étais une boule de colère.

— Et qu'est-ce qui s'est passé ?

— Le professeur Azur, voilà ce qui s'est passé. Il m'a ouvert les yeux. Il m'a appris à plonger en moi-même. Je suis plus calme aujourd'hui. »

Si c'était cela son être plus calme, Peri n'avait pas envie de savoir à quoi pouvait bien ressembler l'autre Shirin. « Qui est le professeur Azur ? interrogea-t-elle.

— Tu ne sais pas ? » Shirin claqua des lèvres comme si elle savourait une douceur. Azur est une légende ambulante par ici.

— Qu'est-ce qu'il enseigne ? »

Un sourire éclaira le visage de Shirin.

« Dieu.

— Vraiment ?

— Vraiment. Il est un peu comme Dieu dans son genre. Il a publié neuf livres et il est toujours en train de participer à une table ronde ou un congrès. Une vraie célébrité, je peux te le dire. L'année dernière, le magazine *Time* l'a classé parmi les cent personnalités les plus influentes du monde. »

Dehors, le vent qui montait en puissance fit claquer une fenêtre ouverte quelque part dans le bâtiment.

« C'était vachement difficile d'être son étudiante ! poursuivit Shirin. Putain, tout ce qu'il nous faisait lire ! C'était dément. Toutes sortes de trucs dingues : poésie, philo, histoire. Attention, j'aime bien ces trucs-là, comprends-moi bien, je ne serais pas dans une filière "Humanités" si je n'aimais pas ça, hein ? Mais il dénichait ces textes dont personne ne savait rien et il nous demandait de les discuter. N'empêche, c'était marrant. À la fin du séminaire, je n'étais plus la même personne. »

Une fois que Shirin avait démarré, remarqua Peri, elle continuait sans interruption, comme une voiture aux freins défaillants, incapable de ralentir, encore moins de s'arrêter, sauf intervention d'une force extérieure. Et voilà qu'elle déclarait : « Tu devrais penser à suivre son séminaire en option. Enfin… si Azur t'accepte, bien sûr. Difficile de le convaincre. Plus facile de faire franchir un fossé à un chameau. »

Peri eut un sourire. « Nous avons le même proverbe en Turquie. Pourquoi c'est si difficile d'être accepté dans son séminaire ?

— Il faut que tu sois éligible. Ça veut dire que tu dois en parler avec ton directeur d'études, et cetera. S'il est d'accord, tu peux aller voir Azur. Là, ça devient délicat. Pas facile de lui plaire. Il te pose des tas de questions bizarres.

— Sur quoi ?

— Dieu… le bien et le mal… la science et la foi… l'existence et la condition mortelle… Shirin fronça le sourcil, en quête d'autres vocables. Sur tout. C'est comme un entretien d'évaluation. Je n'ai jamais compris ce qu'il cherchait. À la fin, il ne garde qu'une poignée de gens.

— On dirait que tu as réussi l'épreuve deux fois, dit Peri, sentant une pointe d'envie lui monter dans la gorge, sans la moindre raison.

— C'est exact », dit Shirin. Cette fois, impossible de ne pas entendre la note de fierté dans sa voix.

Il s'ensuivit un bref silence.

« Je continue à le voir pour qu'il me conseille au moins une fois par semaine, caqueta Shirin, incapable de se taire plus d'une minute. En fait, je raffole de lui. Il est incroyablement beau gosse. Non, pas seulement beau gosse. Très sexy. »

Peri se redressa sur son siège, ne sachant comment réagir. En surface, elles venaient toutes deux de pays musulmans, de cultures similaires. Mais comme elle était différente, cette fille, qui semblait parfaitement à l'aise dans sa peau et sa sexualité !

« Ouh là, on dirait que tu en pinces pour ton professeur, dit Peri, qui ne put se retenir d'ajouter : Ce n'est pas contraire aux règles ? »

Shirin rejeta la tête en arrière et hurla de rire. « Oh si, c'est très très mal. Qu'on m'arrête et mette sous bonne garde à la disposition de Sa Majesté ! »

Gênée de paraître si naïve, Peri haussa les épaules. « Eh bien… ça a l'air épatant, ce séminaire. Mais j'ai besoin de me concentrer sur d'autres choses.

— Tu veux dire que ça te prend trop de temps d'être mortelle, dit Shirin, fixant sa nouvelle amie d'un regard aigu. Dieu n'aura qu'à attendre. »

Même si c'était une plaisanterie, la remarque de Shirin était si inattendue et si brutale que Peri en fut troublée. Elle détourna les yeux vers la fenêtre et le ciel gris ardoise où déclinait la dernière lueur du jour. Le vent, la pluie, le claquement d'un volet, la froidure hivernale de l'air ambiant alors qu'on n'était qu'au début de l'automne – elle se rappellerait tout cela pendant nombre d'années. C'était un moment décisif de sa vie, mais elle le comprit seulement quand il fut enfui.

Le passe-temps

Istanbul, 2016

Les hors-d'œuvre disparurent sous une nuée de compliments adressés au cuisinier. Caviar d'aubergine, poulet circassien à l'ail et aux noix, artichauts et fèves, fleurs de courgettes farcies, poulpe grillé dans une sauce au beurre citronné. À la vue de ce dernier plat, une ombre passa sur le visage de Peri. Cela faisait longtemps que le poulpe n'était plus pour elle une denrée comestible, et elle le repoussa doucement du bord de sa fourchette.

Après avoir passé au crible les intrigues du monde du football, les invités concentrèrent leur conversation sur le deuxième sujet favori des dîners d'Istanbul : la politique. Et la question inévitable qui se posait dès que trois Turcs ou plus se retrouvaient autour d'une table : « Mais où va-t-on ? »

Peri se dit que la classe capitaliste de cette partie du monde n'était pas dénuée d'hypocrisie. À la surface, ils s'affichaient comme conservateurs et favorables au statu quo ; intérieurement, ils fumaient de rage et de frustration. Avec peu d'interférences entre leurs vies publique et privée, les membres de l'élite – surtout celle du monde des affaires – passaient leur temps à assurer leurs arrières. En public, ils gardaient leurs opinions pour eux, elle le voyait bien, s'abstenaient de discuter politique – sauf s'ils y étaient obligés, auquel cas ils se contentaient de quelques commentaires inoffensifs, rien de plus. Ils arpentaient la société d'un air indifférent, comme des touristes flânant devant des boutiques sans intérêt manifeste. Quand ils se heurtaient à un élément qui les perturbait, ce qui se produisait souvent, ils fermaient les yeux, se bouchaient les oreilles, serraient les lèvres. Derrière les murs de leur demeure, toutefois, le masque d'insouciance tombait ; et ils se métamorphosaient. Leur apathie se muait en audace, leurs murmures en cris, leur discrétion en témérité. Dans les soirées privées, la bourgeoisie stambouliote n'était jamais lasse de se déchaîner contre la politique, comme pour compenser leur silence à l'extérieur.

À Oxford, Peri avait appris comment la bourgeoisie occidentale, avec ses valeurs libérales individualistes et sa lutte contre les féodalités, avait joué un rôle progressiste au cours de l'histoire. Ici, la classe capitaliste était une idée d'arrière-garde, l'épilogue d'une chronique qui attendait encore d'être narrée. Selon Marx, la bourgeoisie avait créé un monde à son image. S'il avait écrit le *Manifeste communiste* en Turquie et à propos d'elle, cette thèse aurait peut-être été très différente. Bien connue pour ses manœuvres d'évitement, la bourgeoisie locale s'était rendue à la culture qui l'entourait. Comme un pendule en mouvement perpétuel, ils oscillaient entre un élitisme autosatisfait et un statisme autodépréciateur. L'État – avec un É majuscule – était l'alpha et l'oméga de toute chose. Comme un nuage orageux à l'horizon, l'autorité de l'État flottait au-dessus de chaque demeure du pays, villa somptueuse ou humble appentis.

Peri passa en revue les visages autour de la table. Les riches, les riches en puissance et les ultra-riches partageaient tous le même sentiment d'insécurité. La paix de leur esprit dépendait en grande partie des caprices de l'État. Même les plus puissants redoutaient de perdre le contrôle, même les plus fortunés craignaient de devoir faire des sacrifices. On attendait d'eux qu'ils croient en l'État pour la même raison qu'ils devaient croire en Dieu : la peur. La bourgeoisie, malgré son éclat et ses paillettes, ressemblait à un enfant terrorisé par son père – l'éternel patriarche, le Baba. En pleine incertitude, à la différence de leurs équivalents européens, les membres de la bourgeoisie locale n'avaient ni audace ni autonomie, ni tradition ni mémoire – coincés qu'ils étaient entre ce qu'on attendait d'eux et ce qu'ils voulaient être. *Pas si différents de moi*, se dit Peri.

Les senteurs mêlées de bougies et d'épices, comme une épaisse nappe de brouillard, flottaient au-dessus de leur tête. L'air de la pièce semblait plus lourd et plus chaud, malgré le vent frais qui soufflait de la terrasse, où quelques hommes étaient sortis fumer. Peri sentait bien une tension entre certains des convives. La politique changeait les amis en ennemis. L'inverse était tout aussi vrai : la politique unissait des gens qui avaient par ailleurs fort peu en commun, transformait des adversaires en camarades.

Au cours du quart d'heure suivant, pendant que les convives dégustaient les entrées, les attitudes changèrent, les traits se durcirent, les sourires se firent plus graves. En ponctuant leurs remarques de points d'exclamation, ils discutèrent de l'avenir de la Turquie. Comme cet avenir était lié à l'avenir du globe, ils évoquèrent aussi l'Amérique, l'Europe, l'Inde, le Pakistan, la Chine, Israël, l'Iran. À l'évidence, ils se défiaient de tous, et de certains plus que d'autres. Des lobbies sinistres et leurs pantins complotaient contre la Turquie, les impérialistes manipulaient leurs larbins, leurs mains invisibles contrôlant tout à distance. Ils discutèrent de relations internationales avec la vigilance qu'ils réservaient dans les rues aux sniffeurs de colle et autres accros à la drogue, s'attendant à tout moment à se faire attaquer et dévaliser.

Peri les écoutait sans bruit, bien qu'en son for intérieur elle se sente assaillie par une masse d'émotions contradictoires. Elle avait hâte d'être chez elle, seule sous sa couverture, plongée dans la lecture d'un roman. Une part d'elle avait honte de ne pas savoir apprécier la soirée, la nourriture exquise, les bons vins ; d'être un bonnet de nuit, comme le lui reprochait souvent sa fille. L'autre part, pourtant, avait envie de se soûler, retourner dans la salle de bains et mettre en pièces l'aquarium en verre. Elle gardait encore vif le souvenir de l'histoire racontée par son père – des bancs de poissons noirs comme l'encre grignotant les strophes d'un poème, et les yeux d'un poète.

C'était cela qu'elle éprouvait ce soir – Istanbul lui grignotait l'âme.

La course

Oxford, 2000

Étudier à Oxford eut deux effets immédiats sur Nazperi Nalbantoğlu. Le premier cinématographique. Avec ses anciennes cours carrées et ses jardins paisibles, ses clochers conquérants et ses remparts crénelés, ses salles à manger majestueuses et ses chapelles distinguées, Oxford évoquait l'ouverture, la beauté et la résolution, comme si chaque détail faisait partie d'un panorama esquissé avec soin – un scénario de film où elle, la nouvelle, tenait le premier rôle. Un sentiment d'ivresse. La conviction qu'il allait se passer quelque chose d'important dont elle serait le centre.

Souvent le matin, Peri s'éveillait enthousiaste, pleine d'énergie et d'ambition, comme s'il n'était rien qu'elle ne puisse accomplir si elle s'y appliquait avec assez de zèle. Après son diplôme, elle projetait de rester dans le monde académique, ou de trouver un emploi dans une grande institution internationale. Elle voulait gagner beaucoup d'argent et offrir à ses parents une belle maison au bord de la mer – ils occuperaient chacun un étage et n'auraient plus besoin de se quereller. Résolue à faire honneur à son père, elle voyait déjà son certificat de diplôme encadré, bien astiqué, suspendu au mur de leur salon, à côté du portrait d'Atatürk. Le soir, quand Mensur lèverait son verre à la santé du héros national, il saluerait aussi la réussite de sa fille.

Le deuxième effet d'Oxford sur Peri fut d'ordre inverse. De nature claustrophobique. Une façon spéciale de s'enfermer en soi, presque une évasion ; l'endroit était trop difficile à maîtriser, on ne pouvait le déchiffrer que par bribes. Ces matins-là, Peri se repliait sur elle-même, piégée dans sa propre tête, intimidée par les difficultés des tutorats ou le comportement des professeurs, et par le cérémonial qu'ils estimaient indispensable aux études universitaires.

Elle apprit vite que ce n'était pas cool de posséder des pulls ou des ours en peluche estampillés de toute part du nom de l'université ; ces objets-là étaient destinés exclusivement aux touristes, même si elle ne put se retenir d'acheter un mug. Lorsqu'elle rentrerait chez elle pour le mariage de son frère, elle projetait de l'emporter et d'en faire présent à sa mère. Selma le mettrait sûrement en évidence sur son étagère, près de ses chevaux en porcelaine et ses livres de prière musulmans.

Un matin, la lune encore très haut dans le ciel, Peri aperçut de sa fenêtre une étudiante – des écouteurs sur les oreilles, les joues écarlates – qui trottinait dans la cour. Elle s'était essayée au jogging plusieurs fois à Istanbul, malgré les obstacles que la ville éparpillait sur son trajet. Ici, au fond, c'était un privilège de ne pas avoir à craindre les trottoirs brisés, les ornières des routes, le harcèlement sexuel, les voitures qui refusaient de ralentir – même aux passages piétons. Le jour même, elle s'acheta une paire de baskets.

Après quelques essais infructueux, elle trouva son parcours idéal. Elle traversait High Street près de Magdalen Bridge, longeait le parc de Merton, la prairie de Christ Church, puis revenait par Addison's Walk, selon son degré d'endurance. Parfois, les pavés semblaient rouler sous ses pieds, lui donnant l'impression qu'au bout d'une de ces petites rues pittoresques elle trouverait un portail ouvert sur un autre siècle. Le plus dur, c'était de prendre le rythme, mais une fois qu'elle l'avait trouvé, elle pouvait le tenir pendant près d'une heure. Après une longue course, les cheveux humides collés à sa nuque, le cœur battant si fort qu'il lui faisait presque mal, il lui semblait entrer dans un autre monde, franchir un seuil entre les vivants et les morts. Elle avait conscience de penser bien trop souvent à la mort pour une personne aussi jeune.

Il y avait beaucoup de coureurs à Oxford – enseignants, étudiants, personnel administratif. On distinguait facilement ceux qui appréciaient l'exercice et ceux pour qui c'était une corvée, à accomplir parce qu'ils avaient promis à quelqu'un – médecin, conjoint – de lui offrir une version plus saine d'eux-mêmes. Peri enviait ceux qui étaient manifestement meilleurs qu'elle, mais elle était plutôt contente de sa performance – elle courait week-ends et jours de semaine sans exception. Si elle devait travailler le matin, elle courait à la nuit tombée. Si ses soirées étaient prises, elle se forçait à sortir du lit dès le lever du soleil. À plusieurs reprises, trop espacées pour devenir une habitude, elle courut à des heures tardives pour se clarifier l'esprit, le silence de la nuit devenu si profond qu'elle n'entendait que le râle de ses poumons tout en courant à vive allure vers le centre-ville. Une discipline de fer, se rassurait-elle, qui lui ferait du bien, tant sur le plan physique que sur le plan émotionnel.

Parfois, quand son rythme coïncidait avec celui d'un autre coureur, elle se demandait ce qu'il ou elle pouvait bien penser. Peut-être rien. Pour Peri, c'était le seul moment qui apaisait ses anxiétés et chassait ses craintes. En fonçant à travers les pelouses, inspirant l'air humide qui pouvait d'un moment à l'autre virer à la pluie, elle éprouvait une légèreté de tout l'être, sensation inconnue jusqu'ici comme si elle – Peri, Nazperi, Rosa – n'avait pas accumulé tous ses soucis comme d'autres collectionnent les emballages cadeau et les timbres étrangers ; elle devenait esprit allègre, comme si elle n'avait aucun passé ni souvenir du passé.

Le pêcheur

Oxford, 2000

La Semaine des débutants, c'est comme ça qu'on l'appelait. Avant que le trimestre d'automne ne commence pour de bon à la Saint-Michel, une corne d'abondance pleine à craquer d'événements mondains et de distractions se répandait sur les première année encore tout frais pour les aider à connaître l'université, la ville et ses environs, se faire de nouveaux amis – et peut-être des ennemis – et se débarrasser de leur nervosité aussi vite qu'un gingko perd ses feuilles au premier gel. Barbecues, entretiens avec les tuteurs, tournois de cuisine et de dégustation, goûters, sauteries, karaoké et une soirée déguisée… Vêtue de son T-shirt de débutante, Peri circula dans la foule d'un air détaché, conversa avec des étudiants et des enseignants. Plus elle parlait à des gens, plus elle avait la certitude qu'ils savaient tous ce qu'ils faisaient, tous sauf elle.

Peri avait appris que l'université, résolue à changer son image de chasse gardée pour quelques privilégiés en accueillant la diversité des origines et des milieux, avait récemment annoncé un programme de bourses pour encourager les candidats issus de classes défavorisées à se présenter. Elle scrutait maintenant les visages autour d'elle, observant une ample gamme d'ethnies et de nationalités, mais leur condition économique était plus difficile à discerner.

Elle remarqua que derrière la frénésie et le tumulte, il y avait de subtils échanges de regards. Un garçon en particulier semblait s'intéresser à elle. Grand, la mâchoire prononcée et les cheveux blonds taillés court, des épaules puissantes et une posture triomphante – à force de nager ou ramer, devina-t-elle – il lui sourit comme un gourmet sourirait devant un plat exotique.

« Tiens-toi à l'écart de ce type », chuchota une voix à son oreille.

Aussitôt elle se retourna, et aperçut une fille voilée, les sourcils en arc de cercle et les yeux cernés du khôl le plus noir. À une narine, elle portait un anneau en forme de croissant argenté miniature.

« Club des rameurs de l'université, très populaire, dit la fille. Il part à la pêche aux première année.

— Pardon ?

— Ce mec, il fait la même chose tous les ans, apparemment. Ensuite il se vante partout du nombre de poissons qu'il a pêchés en une semaine. Quelqu'un m'a dit qu'il voulait battre son record de l'an dernier.

— Tu veux dire que les poissons... sont des filles ?

— Oui, et le comble de l'ironie, c'est que certaines ne voient aucun inconvénient à ce qu'on les traite comme de stupides poissons luisants, toutes pomponnées comme des poupées. » Une note taquine se glissa dans sa voix. « C'est dur de briser nos chaînes quand il y en a parmi nous qui adorent être entravées. »

Les yeux de Peri s'écarquillèrent tandis qu'elle s'efforçait d'imaginer à quoi pourrait bien ressembler un poisson enchaîné.

« Demande aux gens par ici, qui a besoin du féminisme ? poursuivit la jeune fille. Ils te diront : “Oh, les femmes du Pakistan, du Nigeria, d’Arabie Saoudite. Mais pas en Grande-Bretagne. Tout ça c’est loin derrière nous. Sûrement pas à Oxford, hein ?” Mais la réalité est bien différente. Tu sais que les étudiantes réussissent assez mal ici en général ? Il y a un énorme écart dans les résultats d’examen. Une nouvelle à Oxford a autant besoin du féminisme qu’une mère paysanne au fin fond de l’Égypte. Si tu es d’accord avec moi, signe la pétition. » Elle lui tendit un stylo et une feuille de papier à l’en-tête de « Brigade féministe d’Oxford ».

« Hmmm… et tu es féministe ? interrogea prudemment Peri, ayant du mal à réconcilier le terme avec l’allure de la fille.

— Et comment ! Je suis une féministe musulmane et s’il y en a qui pensent que c’est impossible, c’est leur problème. Pas le mien. »

Tout en apposant sa signature sur la feuille, Peri repensa soudain à son ex-petit ami en Turquie. Il était opposé non seulement à toute lecture d’œuvres littéraires européennes, mais aussi à toutes sortes d’idéologies occidentales, le féminisme étant la première menace. *Une diversion pour entraîner nos sœurs loin du vrai problème : le conflit de classe.* On n’avait pas besoin d’un mouvement à part pour défendre les droits des femmes, puisque toutes les formes de discrimination disparaîtraient quand on mettrait fin à l’exploitation économique. L’émancipation des femmes viendrait tout naturellement avec l’émancipation du prolétariat.

« Merci, dit la fille, en reprenant sa feuille et son stylo. Au fait, je m’appelle Mona. Et toi ?

— Peri.

— Heureuse de t’avoir rencontrée », dit Mona. Son sourire était radieux.

Peri apprit que Mona était égypto-américaine. Née dans le New Jersey, elle avait déménagé au Caire avec sa famille à l'âge de dix ans. « Les enfants devraient être élevés dans la culture musulmane », avait décrété son père. Des années plus tard, ayant découvert que la vie en Égypte était plus rude qu'ils ne s'y attendaient – ou qu'après tout ils étaient de vrais Américains – ils étaient repartis pour les États-Unis. C'était sa deuxième année à Oxford, et elle changeait de discipline pour se concentrer sur la philosophie. Sa mère était voilée, disait-elle, mais pas sa sœur aînée. « Nous avons fait des choix de vie différents. »

À part militer pour le féminisme, Mona était engagée dans une série d'activités bénévoles : Société des Balkans, Société des amis de la Palestine, Société d'études soufi, Société d'étude des migrations, et Société islamique d'Oxford, dont elle était l'un des principaux responsables. Elle était aussi sur le point de lancer une « société du hip-hop » parce qu'elle adorait ce style de musique. Puisant dans la variété des cultures qu'elle avait croisées, elle écrivait des chansons, avec l'espoir qu'un jour quelqu'un les adapterait en rap.

— Ouh là, mais comment tu trouves le temps de faire tout ça ? » demanda Peri.

Mona secoua la tête. « Le problème, ce n'est pas de trouver du temps. C'est juste de savoir le gérer. C'est pourquoi Allah nous a donné cinq prières par jour, pour structurer nos vies. »

Peri, qui n'avait jamais pratiqué les cinq prières – pas même une, pas même pendant sa phase religieuse après l'infarctus de son père, fit la moue et dit doucement : « Tu sembles très à l'aise avec la religion.

— On pourrait dire que je suis en paix avec la personne que je suis, j'imagine. » Mona vérifia l'heure à sa montre. « Faut que j'y aille, mais je suis sûre que je te verrai dans les parages. Je collecte toujours des signatures pour une bonne cause ou une autre. »

Avant de se séparer, elles se donnèrent une poignée de main – ferme, c'était le style de Mona.

Ce soir-là, Peri nota dans son journal de Dieu : *Certaines personnes veulent changer le monde, d'autres, leur compagnon ou leurs amis. Moi, j'aimerais changer Dieu. Ça, ce serait vraiment formidable. Est-ce que tout le monde sur terre n'en profiterait pas ?*

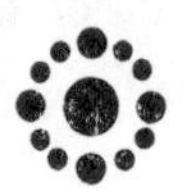

De retour à Istanbul, Peri avait tenté, sans grand succès, de se conduire en extravertie, ce qu'elle n'était pas, et participé à bien plus de mondanités qu'elle ne l'aurait voulu. À Oxford, libérée de la pression culturelle qui pesait sur ses épaules, elle appréciait, non, elle *chérissait*, la solitude. L'introversion n'était pas la seule raison qui la poussait à éviter en grande partie l'excitation de la Semaine des débutants. Elle s'avisa que si certains événements (sages thés dans la salle commune des étudiants, rencontres avec les professeurs) étaient gratuits, d'autres (cupcakes végétaliens, marshmallows halal, pizzas végétariennes) coûtaient de l'argent. Vu son maigre budget, elle avait tout intérêt à éviter l'agitation. Elle se concentra donc sur sa liste de choses à faire : obtenir sa carte d'étudiante ; acheter les manuels, si possible d'occasion ; ouvrir un compte bancaire. Résolue à trouver la façon la moins chère de survivre, elle comparait les prix des boutiques et des supermarchés.

Peri était sans doute l'une des rares parmi les étudiants qui se réjouit de voir la semaine, avec toutes ses distractions et ses parties de plaisir, toucher à sa fin. Le trimestre commença aussitôt. Soulagée, elle s'installa dans une routine de cours, tutorats, listes de lectures et dissertations. Dans un environnement totalement nouveau pour elle, l'étude était une corde solide à laquelle se cramponner, et c'est ce qu'elle fit de toutes ses forces.

Shirin allait et venait à des horaires différents, laissant derrière elle un sillage de parfum. Des molécules entêtantes de magnolia et de cèdre. Les rythmes de leur vie quotidienne avaient beau être régis par des habitudes incompatibles, elles prenaient de plus en plus souvent leurs repas ensemble, discutant cours, profs et abordant parfois ce sujet d'intérêt permanent – les garçons. Peri, qui n'avait guère d'expérience en la matière, écoutait Shirin jacasser sans fin sur l'art de s'attacher les mâles de l'espèce, et sentait son moral sombrer de plus en plus bas. Quand on est en compagnie d'amies expérimentées qui pratiquent le flirt sans effort, une forme de découragement s'abat sur le novice, qui se sent abandonné si loin derrière qu'il devient simple spectateur.

Peri chercha le séminaire qu'avait mentionné Shirin. Elle le découvrit sur une liste d'options proposées par le Département de philosophie, parées pour certaines d'un titre ronflant et sophistiqué : « La critique du créationnisme par les atomistes » ; « L'holisme dans l'épistémologie et la psychologie stoïciennes » ; « Les rois philosophes de Platon, la bonne vie et le noble mensonge » ; « Thomas d'Aquin : ses critiques médiévaux et ses pairs scolastiques » ; « La philosophie de la religion chez Kant et les penseurs de l'idéalisme allemand » ; « Questions philosophiques en sciences cognitives ».

Vers le bas de la liste, un titre court se détachait : « Dieu », suivi d'une description : *En s'inspirant des sources de l'Antiquité au présent, de la philologie à la poésie, du mysticisme aux neurosciences, des philosophes orientaux à leurs équivalents occidentaux, ce séminaire explore ce dont nous parlons quand nous parlons de Dieu.*

Entre parenthèses figurait le nom de l'enseignant : Professeur Anthony Zacharias Azur. Et en dessous, une note : *places limitées. S'adresser d'abord au responsable. Avertissement : ce séminaire peut être ou ne pas être celui qui vous convient.*

Peri trouva la description insolite, et son arrogance à peine masquée aussi attirante qu'irritante. Elle pensa demander un complément d'information, mais dans la frénésie de ces premiers jours n'y pensa bientôt plus.

Shirin avait raison. « Dieu » devrait attendre.

Le caviar noir

Istanbul, 2016

Le plat principal – risotto aux champignons sauvages et agneau rôti au safran, sauce miel et menthe – fut servi sur de grandes assiettes en argent garnies de légumes grillés. Le défilé des servantes en tenue amidonnée qui soulevaient les couvercles dissimulant des amas de viandes fumantes était si théâtral que certains parmi les présents applaudirent de joie. L'esprit dopé par les mets délicats et le vin, les invités devinrent plus gais, de plus en plus bruyants et audacieux.

« Franchement, je ne crois pas à la démocratie », dit un architecte aux cheveux en brosse et bouc impeccablement taillé. Son entreprise avait fait des profits considérables avec des programmes de construction dans toute la ville. « Prenez Singapour, ils ont réussi sans démocratie. La Chine. Pareil. Le monde bouge à toute allure. Il faut prendre les décisions en un éclair. L'Europe gaspille son temps en débats stériles pendant que Singapour galope en tête. Pourquoi ? Parce qu'ils sont concentrés sur l'objectif. La démocratie, c'est une perte de temps et d'argent.

— Bravo, dit une décoratrice d'intérieur qui était la fiancée de l'architecte, bientôt sa troisième épouse. Je le dis toujours, dans le monde musulman, la démocratie est obsolète. Déjà en Occident, c'est prise de tête, mais ici avouons-le, c'est complètement déplacé. »

L'épouse de l'homme d'affaires était du même avis. « Vous vous rendez compte, mon fils a une maîtrise de management. Mon mari emploie des milliers de gens. Mais notre famille n'a droit qu'à trois voix. Dans son village, le frère de notre chauffeur a huit enfants. Je ne sais pas s'ils ont jamais ouvert un livre de leur vie ; ils auront dix voix ! En Europe, le public est éduqué. Au Moyen-Orient c'est une tout autre histoire ! Donner un droit de vote égal aux ignorants, c'est comme offrir des allumettes à un gamin. La maison risque de brûler ! »

Caressant les poils de son menton d'une phalange de l'index, l'architecte dit : « Bon, je ne propose pas de renoncer aux urnes. On ne pourrait pas expliquer cela aux Occidentaux. Une démocratie sous contrôle, c'est parfait. Un cadre de bureaucrates et de technocrates conduits par un chef fort et intelligent. Tant que l'individu au sommet de la pyramide sait ce qu'il fait, je n'ai rien contre l'autorité. Sinon, comment on ferait venir les investisseurs étrangers ? »

Tous se tournèrent vers l'unique étranger de la tablée – un gestionnaire américain de fonds spéculatifs de passage dans la ville. Il s'efforçait de suivre la conversation avec l'aide de traductions sporadiques qu'on lui chuchotait à l'oreille. Braqué par les regards, il se tortilla sur son siège d'un air gêné. « Personne n'a envie de voir la région déstabilisée, ça, c'est sûr. Vous savez comment les gens de Washington appellent le Moyen-Orient ? Le Minable Orient. Désolé, les gars, mais c'est une vraie pagaille. »

Certains des invités rirent, quelques-uns firent la grimace. Pagaille, d'accord, mais c'était leur pagaille. Ils pouvaient la critiquer à cœur joie, mais pas un riche Américain. Sentant monter l'énergie négative, le gestionnaire de fonds serra les lèvres.

« Raison de plus pour adopter ma thèse », dit l'architecte entre deux bouchées de risotto. Apolitique pendant des années, et bien qu'à moitié Kurde, depuis quelque temps il se montrait enclin au chauvinisme.

« Ma foi, la région tout entière arrive à la même conclusion, concéda le directeur de banque. Après le fiasco du Printemps arabe, tout individu sain d'esprit est bien forcé de reconnaître les bienfaits de la stabilité sous un gouvernement fort.

— La démocratie, c'est dépassé ! Je sais que ça peut paraître choquant pour certains, mais tant pis, dit l'architecte, ravi de voir que son point de vue recueillait l'approbation. Je suis tout à fait favorable à une dictature bienveillante.

— Le problème avec la démocratie, c'est que c'est un luxe, comme le caviar bélouga, dit un chirurgien esthétique qui était propriétaire d'une clinique à Istanbul mais vivait à Stockholm. Au Moyen-Orient, c'est hors de prix.

— Même l'Europe n'y croit plus, dit le journaliste en plantant sa fourchette dans une tranche d'agneau. L'UE est en lambeaux.

— Ils se sont conduits comme des chatons quand la Russie s'est mise à faire le tigre en Ukraine, poursuivit l'architecte, maintenant lancé à plein régime. Que ça nous plaise ou non, nous vivons au siècle des tigres. Bien sûr on ne vous aimera pas si vous êtes un tigre. Mais ils auront peur de vous, et c'est ça qui compte.

— Personnellement, je suis contente qu'on ne nous ait pas admis dans l'UE. Bon débarras, fit, méditative, la DRP. Autrement nous serions dans la même situation que la Grèce. » Elle tirailla doucement le lobe d'une oreille, émit un léger son réprobateur et frappa deux fois sur la table.

« Les Grecs ? Ils rêvent de voir revenir les Ottomans, ils étaient plus heureux quand nous les gouvernions », dit l'architecte avec un gloussement qu'il arrêta net en voyant l'expression de Peri. Il se tourna vers Adnan avec un clin d'œil. « Je crains que ta femme n'apprécie pas mes plaisanteries. »

Sur quoi, Adnan, qui écoutait le menton appuyé sur une main, lui adressa un sourire – mi-sombre, mi-complice. « Je suis sûr que tu te trompes. »

Peri effleura des yeux le risotto qui se figeait sur son assiette. Elle aurait pu laisser passer ces commentaires, comme la fumée de cigare d'un voisin, déplaisante mais supportable, jusqu'à un certain point. Mais elle s'était promis il y a des années, juste après son départ d'Oxford, de ne plus jamais garder le silence.

Avec un petit mouvement raide elle dit à son mari : « Si, c'est vrai, je n'aime pas ce genre de propos. La démocratie qui ressemble au caviar noir, les États aux tigres... » Comme elle parlait pour la première fois depuis un bon moment, toutes les têtes se tournèrent vers elle, et elle leur rendit leur regard. « Voyez-vous, une dictature bienveillante, ça n'existe pas.

— Pourquoi pas ? interrogea l'architecte.

— Parce qu'il n'y a pas de petit Dieu. Une fois qu'on commence à jouer les dieux, tôt ou tard, la situation échappe à tout contrôle. »

Depuis le début de ces échanges, son esprit était tout occupé par le souvenir du Professeur Azur. *Il est un peu comme Dieu à sa manière.* Les choses se seraient-elles mieux passées s'il avait seulement reconnu que lui, pas moins que ses étudiants, était simplement humain ?

« Reviens sur terre, interrompit l'architecte. Ici on n'est pas dans ton très chic Oxford ! On parle de *realpolitik*. Nos voisins, ce sont la Syrie, l'Iran, l'Irak. Pas la Finlande, la Norvège ou le Danemark. Tu ne bâtiras jamais une démocratie de style scandinave au Moyen-Orient.

— Peut-être pas. Mais tu ne peux pas m'empêcher de le souhaiter. Tu ne peux pas nous empêcher tous de désirer ce qu'on nous refuse.

— Désirer ! Quel mot ! fit l'architecte en se penchant en avant, la paume des mains à plat sur la table. Là on entre dans des eaux dangereuses. »

Peri secoua la tête, bien consciente que selon le *Guide du patriarcat pour étudiants avancés*, un membre du Club féminin pour la bienséance ne saurait défendre en public les mérites du « désir ». Mais elle souhaitait ardemment quitter le club – et si elle ne pouvait pas démissionner, elle méritait d'en être exclue. Elle pensa à Shirin. Son amie si pleine de cran n'aurait sûrement pas mâché ses mots avec cet homme. Revigorée à cette idée, Peri dit d'une voix douce : « Si tu estimes que je devrais accepter les choses comme elles sont... que les nations, comme des épouses soumises, devraient aussi renoncer à leurs rêves... leur imagination... alors ton point de vue sur les relations internationales – et sur les femmes, pendant qu'on y est – est bien plus borné que je ne le croyais. »

Il y eut un bref silence, tangible, personne ne sachant que dire. Pendant cet instant de plomb, l'homme d'affaires releva le menton, redressa les épaules, frappa dans ses mains comme un danseur de flamenco prêt à occuper le centre de la scène, et rugit, toujours aussi jovial : « Où diable est passé notre plat suivant ? »

La porte pivotante de la cuisine s'ouvrit et les servantes entrèrent d'un pas vif.

La fête

Oxford, 2000

C'était le vingtième anniversaire de Shirin, qu'elle fêtait à la Turf Tavern – un pub vieux de plusieurs siècles, lambrissé, au bout d'une allée étroite sous les murs de la vieille ville. Peri, en retard pour la soirée, marchait avec détermination, son cadeau sous le bras. Après s'être torturé l'esprit pour savoir quoi lui acheter, elle avait fixé son choix sur un vêtement que Shirin allait adorer, elle en était sûre : une veste en jean ornée de pierres brillantes colorées. Il lui avait coûté une petite fortune.

Une chaude humidité d'alcool et de rires accueillit Peri quand elle pénétra sous le plafond bas du pub aux lambris de chêne. Vu la popularité de Shirin, elle s'attendait à trouver une grande foule, et c'était bien le cas. Un groupe d'amis bruyants entouraient l'héroïne de la fête, dont le nouveau petit ami se tenait debout près d'elle, le bras autour de ses épaules. Son précédent copain – un étudiant en deuxième année de physique, intelligent et gentil – planifiait leurs rencontres avec une telle outrance, d'après Shirin, qu'elle s'en était exaspérée. « J'ai décidé de le jeter quand j'ai vu son programme hebdomadaire. » Les cours du matin, les heures de bibliothèque, la gymnastique, les tutorats, toutes ces cases étaient bloquées. Il avait inscrit Shirin dans la case 16 h 15-17 h 15. Le vendredi soir, il lui réservait un espace supplémentaire. « Tu peux croire ça, Souriceau, il m'avait coincée entre 19 h 30 et 22 h 30 ? Dîner, cinéma, baise. »

La voix sonore de Shirin fit sortir Peri de ses pensées. « Hé, voilà ma voisine. Salut, toi ! »

Éblouissante dans un haut semé de perles et de sequins, sur un jean taille basse blanc et serré, Shirin s'empara de son présent et étreignit Peri en l'embrassant. « Où tu étais passée ? Tu as manqué l'invité d'honneur. Il vient de partir.

— Qui ?

— Azur, dit Shirin, la mine rayonnante. Il était là, je n'arrive pas à croire qu'il soit venu. Trop cool ! Il est juste entré, a porté un toast et il est reparti. »

Shirin semblait prête à en dire plus, mais quelqu'un la tira par le bras pour lui faire souffler les bougies de son gâteau. Peri regarda les visages alentour. Elle ne s'attendait pas à reconnaître quelqu'un parmi les amis sociables de Shirin, qui buvaient et parlaient fort. À sa grande surprise, pourtant, elle vit un visage familier : Mona. Assise à une table d'angle, en tunique à manches longues orange avec pantalon et voile assortis, elle sirotait un Coca-cola.

« Salut, Mona.

— Ravie de te voir, dit Mona, qui parut soulagée d'avoir quelqu'un à qui parler.

— Je ne savais pas que tu étais amie avec Shirin, dit Peri en s'asseyant auprès d'elle.

— En fait, pas exactement amies, mais elle m'a invitée, et j'ai pensé... » La voix de Mona baissa et se tut.

Peri comprit ce qu'elle n'osait pas dire tout haut. On ne refusait pas une invitation d'une des étudiantes les plus populaires du collège. Aussi Mona, très ouverte et assurée, était venue, sans trop savoir à quoi s'attendre. Maintenant, parmi des dizaines de fêtards sans complexe débordant de vie, en train de se balancer sur un rythme qu'ils étaient seuls à entendre, elle éprouvait un malaise qu'elle n'osait pas montrer.

Elles se mirent à converser, tout en avalant des tranches de gâteau, tandis que Shirin et ses amis s'amusaient bruyamment.

« Je peux te poser une question ? demanda Peri. Quand on s'est rencontrées, tu m'as dit que ta sœur et toi vous aviez fait des choix de vie différents. Alors est-ce que ça veut dire… que tu *préfères* te couvrir la tête ?

— Bien sûr. Mes parents m'ont toujours laissé choisir. Mon hijab est une décision personnelle, un témoignage de ma foi. Il m'apporte de la paix et de la confiance. » Le visage de Mona s'assombrit. « Même si on me harcèle constamment à cause de ça, tout le temps.

— Toi ?

— Oui, mais ça ne m'a pas arrêtée. Si moi, avec mon voile, je ne peux pas défier les stéréotypes, qui va le faire pour moi ? Je veux faire bouger les choses. Les gens me regardent comme si j'étais une victime passive et obéissante du pouvoir masculin. Eh bien c'est faux. Je suis capable de penser toute seule. Mon hijab n'a jamais fait obstacle à mon indépendance. »

Peri écoutait, intriguée de découvrir chez cette fille une version plus jeune de sa propre mère. La même défiance affichée, la même détermination. C'était un sentiment qu'elle ne connaissait que trop bien. Elle avait l'habitude des gens qui dissertent avec ferveur et assurance. Qu'est-ce qui chez elle encourageait les autres à déverser leurs émotions, elle n'en avait aucune idée. C'était bizarre pour une personne aussi indécise qu'elle d'être toujours envahie par les certitudes et les passions des autres.

« Ces chansons hip-hop que tu écris… elles parlent de religion ? »

Mona rit. « Le hip-hop, ça parle d'amour. De poésie. Peut-être un peu de colère aussi – contre l'injustice et les inégalités. Ça te donne la force de – »

Une explosion de rires au fond de la salle l'interrompit. Quelqu'un venait de lancer un défi au petit ami de Shirin. On remplit de bière un large verre haut d'un demi-mètre, que le garçon descendait maintenant à toute vitesse. Il réussit à finir son verre, le visage fendu d'un sourire fat et la chemise trempée. Sous les applaudissements de la foule, il posa un long baiser humide et heureux sur les lèvres de Shirin mais s'interrompit brusquement pour courir dehors, saisi par le besoin de vomir.

« Je crois que je ferais mieux de partir, dit Mona.

— Je t'accompagne », dit Peri.

Non qu'elle soit gênée par l'alcool ou les comportements suggestifs comme semblait l'être Mona. Son malaise à elle était d'un autre genre. Face à l'exubérance des autres, incapable de se mettre au diapason, elle se recroquevillait toujours, un hérisson roulé en boule, qui se protégeait contre la liesse.

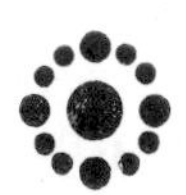

Quand Peri et Mona quittèrent le pub sans se faire remarquer, la pleine lune brillait. Passant sous Hertford Bridge, surnommé pont des soupirs pour sa prétendue ressemblance avec celui de Venise, elles s'acheminèrent dans les rues latérales peu éclairées.

« Je ne comprends pas, dit Mona. Pourquoi Shirin m'a invitée ? »

Peri se posait la même question. « Eh bien, elle aime se faire de nouveaux amis. »

Mona secoua la tête. « Non, il y a autre chose. Je n'arrive pas à mettre le doigt dessus. On se connaît depuis longtemps mais j'ai toujours eu l'impression qu'elle ne m'aimait pas à cause… de mon foulard, sans doute. »

Se rappelant la façon dont Shirin avait dévisagé sa mère, Peri garda le silence.

« Si c'est le cas, parfait. Je m'en fiche. Mais pourquoi elle veut essayer de me prendre en amitié ? » Le visage de Mona brillait d'orgueil farouche. « Tu crois que je suis parano ?

— Non, dit Peri. Enfin, oui, un peu. Je suis sûre que vous pourriez devenir amies.

— Eh bien, on verra. Elle me dit toujours que je devrais suivre le séminaire du Professeur Azur.

— Vraiment ? » Peri se crispa comme si son corps pressentait un danger que son esprit n'avait pas encore saisi. « Elle fait pareil avec moi. Va chez Azur, elle me dit toujours ça.

— Alors je ne suis pas la seule… », dit Mona, l'air préoccupé. Elle montra la direction de Turl Street. « Moi je vais par là.

— Bon, très bien, alors bonne nuit.

— Toi aussi, ma vieille. Il faut qu'on se voie plus souvent. »

Là-dessus, elle prit fermement la main de Peri entre les deux siennes, la secoua avec vigueur et disparut dans la nuit.

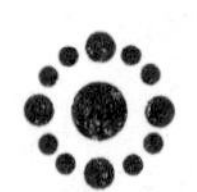

Seule de nouveau avec ses pensées, Peri tourna dans Broad Street. Devant elle, dans l'obscurité, elle distingua une silhouette éclairée par les lumières jaunâtres de la rue : une clocharde qui poussait un landau rouillé, chargé de vêtements, de cartons, de sacs plastique – une éternelle voyageuse entre ici et nulle part. Peri l'observa. Ses vêtements sales et humides lui collaient au corps ; ses cheveux étaient emplâtrés de crasse et semble-t-il de sang séché. Peu à peu, Peri découvrit plus de détails : des cals sur ses paumes, une cicatrice qui lui décolorait la joue gauche, les yeux enflés. À Istanbul on voyait tout le temps des visages de gens dans la dèche. Certains se blottissaient dans les coins pour échapper aux regards étrangers ; la plupart sollicitaient votre attention, de la nourriture, de l'argent. À Oxford aussi il y avait des vagabonds, moins qu'à Istanbul, mais curieusement, c'était déconcertant d'y croiser une personne sans abri, tant elle contrastait avec l'exquise sérénité de la ville.

Attirée sans trop savoir pourquoi, Peri suivit la femme, qui marchait à petits pas décidés. Une odeur fétide s'insinua dans ses narines quand le vent changea de direction. Un mélange d'urine, de sueur, et d'excrément.

La clocharde parlait toute seule, d'une voix tendue. « Combien de fois il faut que je te le répète, merde ? » demandait-elle. Son visage se durcit tandis qu'elle attendait la réponse. Elle eut un rire allègre mais bientôt sa rage monta. « Non, putain de salaud ! »

Peri se sentit le cœur si lourd qu'elle était proche de la mélancolie. Qu'est-ce qui la séparait – étudiante d'Oxford avec un avenir prometteur – de cette femme qui n'avait rien à son compte ? Y avait-il une faille dans laquelle la société polie craignait de tomber – comme cette extrémité du monde plat qui remplissait jadis les anciens marins de terreur ? Si oui, où était la frontière entre la santé mentale et la folie ? Elle se rappela ce qu'avait dit le *hodja* quand sa mère l'avait emmenée lui rendre visite. Peut-être avait-il raison. Peut-être qu'elle était *attirée vers l'ombre.*

La femme s'arrêta et se retourna, son regard pénétrant celui de Peri. « C'est moi que tu cherchais, ma cocotte ? gloussa-t-elle, découvrant une denture tachée de nicotine. Ou bien tu cherchais Dieu ? »

Peri blêmit. Elle fit non de la tête, incapable de répondre, s'avança d'un pas, et ouvrit le poing qui serrait les pièces qu'elle avait préparées. La main de la femme sortit de sa manche et les saisit avec autant d'adresse qu'une langue de lézard attrapant un insecte sur une feuille.

Peri fit aussitôt demi-tour, se dirigea vers son collège, presque au pas de course, effrayée sans savoir pourquoi, espérant que chaque pas l'éloignerait plus vite de la clocharde et de cette idée insidieuse qu'elles appartenaient toutes deux au même endroit.

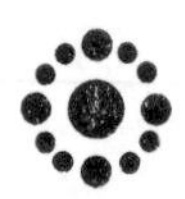

Une fois rentrée, Peri lut tard dans la nuit. Si elle avait gardé un œil sur la pelouse dehors, elle aurait vu Shirin qui avait encore égaré sa clé, enlever ses chaussures à semelle compensée, se faire hisser par un ami tout aussi éméché pour franchir le mur haut de quatre mètres du jardin, déchirer et salir son jean blanc dans la manœuvre, s'étaler sur une platebande, se remettre sur pied et frapper au hasard à une fenêtre du rez-de-chaussée, tout cela en riant et en chantant une mélodie perse entraînante.

Le dictionnaire

Oxford, 2000

Oxford ne manquait pas de pubs, ni de lieux où se restaurer avec un budget modeste ; pourtant, Peri franchissait rarement le seuil de ces établissements. Et alors qu'il existait plus de cent clubs et sociétés où elle aurait pu entrer, elle les tenait tous à distance frileuse, y compris la Brigade féministe. Elle devait garder son cap, se répétait-elle ; toute autre occupation détournerait son esprit de ses études. Cela incluait les garçons. Une aventure amoureuse créait toujours du désordre. Une rupture, encore plus. Toutes les émotions et les remous ; les déjeuners, dîners et promenades ; puis les querelles pour des bêtises et les réconciliations. Bref, placer un être humain sinon au centre de votre vie, du moins tout près, demandait beaucoup d'effort. Elle n'avait pas de temps à perdre pour cela. De même, les amitiés pouvaient être tout aussi exigeantes et requérir beaucoup de travail. De temps à autre, elle croisait une étudiante avec qui elle s'entendait aussitôt, mais elle évitait d'approfondir le lien. Peri s'était imposé une discipline rigide, discipline de robot, presque dogmatique, avec pour unique devise pendant ces premières semaines de collège : étudier, étudier, étudier.

Habituée jadis à toujours réussir en classe, elle découvrait douloureusement ses nouvelles faiblesses dans le champ académique. Elle n'avait aucun mal à suivre les cours. Participer aux tutorats – les débats, les travaux d'écriture – se révéla plus ardu. Elle avait du mal à mettre ses idées sur le papier dans une langue qui n'était pas sa langue maternelle. Résolue à ne pas échouer, elle se menait durement, mécontente d'elle-même.

Elle comprit que pour exceller à Oxford, il fallait qu'elle améliore son anglais. Son cerveau avait besoin de mots pour s'exprimer pleinement, tout comme un jeune arbre a besoin de pluie pour atteindre son potentiel de croissance. Elle acheta des liasses de Post-It multicolores, et y nota les mots trouvés par hasard qui la séduisaient, et dont elle comptait se servir à la première occasion – ce que fait toujours un étranger, sous une forme ou une autre.

Autotomie : rejet par un animal d'une part de son corps qui le met en danger.

Cleft stick : un bâton fendu. Expression de Tolkien dans Le Seigneur des anneaux, *qui signifie être dans une impasse.*

Rantipole : tiré de La Légende de Sleepy Hollow. *Personnage frénétique, téméraire, souvent querelleur.*

Dans son premier essai de philosophie politique, elle écrivit : *En Turquie, où la politique quotidienne est rantipole, chaque fois que le système est coincé dans un bâton fendu, la démocratie est la première chose qu'on coupe et sacrifie par un acte d'autotomie.*

Quand ce fut son tour de lire sa copie à haute voix devant son tuteur, il l'arrêta à mi-chemin, l'air à la fois perplexe et amusé. « Est-ce que c'était vraiment de l'anglais ? »

Peri en fut mortifiée. La phrase qui sonnait si subtile, élégante et sophistiquée à ses oreilles n'était que charabia pour un anglophone de naissance. Comment l'étranger et l'autochtone pouvaient-ils entendre les mêmes mots de manière si différente ? Sans se laisser décourager, obsédée par les nuances, elle continua à collectionner les mots scintillants. Ils lui rappelaient les coquillages en spirale et les coraux roses, lissés par d'innombrables marées, qu'elle ramassait enfant quand sa famille se rendait au bord de la mer. Sauf qu'à la différence de ces trésors si jolis mais immobiles, les mots respiraient, ils vivaient.

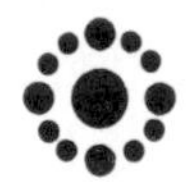

Peri, dont le sens de l'orientation n'était pas très développé, se perdait souvent quand elle partait explorer Oxford. Au cours d'une de ces sorties, elle découvrit une librairie qui se nommait Deux Sortes d'Intelligence. Les lattes inégales de son parquet craquèrent en complicité imaginaire lorsqu'elle traversa la première pièce ; sur chaque mur, des étagères de livres grimpaient jusqu'au plafond. Il y avait une cheminée dans l'angle, avec au-dessus de vieilles gravures d'Oxford ; une volée de marches en bois menait à deux petites pièces, chacune bourrée de livres choisis avec grand soin pour refléter les goûts particuliers des propriétaires en matière de philosophie, psychologie, religion, sciences occultes. Avec ses photos encadrées aux murs, ses Sacco de couleur pastel où les clients pouvaient s'asseoir, et son percolateur qui dispensait du café frais à longueur de journée, le lieu devint sur-le-champ un endroit favori.

Les propriétaires (elle était Écossaise, lui Pakistanais) furent très impressionnés de voir qu'elle connaissait l'origine du nom de leur librairie. C'était le titre d'un poème de Rûmî. Peri se rappelait même quelques vers : *Il y a deux sortes d'intelligence, l'une acquise, dans l'enfance, à l'école, qui mémorise… les faits et les concepts tirés des livres ou de ce que dit le professeur… une autre, fluide… est une fontaine, jaillie en toi, tournée vers l'extérieur.*

« Bravo, dit la femme. Venez lire ici autant que vous voulez.

— Pour continuer à nourrir votre intelligence. Les deux sortes ! » dit l'homme.

Ce que fit Peri. Cela devint vite une habitude. Elle prenait un café, glissait une pièce dans la boîte à dons et s'enfonçait dans un Sacco pour lire jusqu'à ce que son dos la tiraille et que ses jambes soient engourdies. Elle fréquentait beaucoup aussi la Bodléienne. Là, elle se trouvait un cubicule isolé, y empilait plus de livres qu'elle ne pouvait en lire, ouvrait subrepticement un sachet de bretzels et plongeait la tête dans des océans de mots.

Elle acheta des cartes postales montrant des vues d'Oxford. Les rues médiévales ensoleillées, les bâtiments de pierre calcaire aux teintes miel, les jardins ombragés des collèges… Quelques cartes partirent chez ses parents, mais la plupart étaient réservées à son frère Umut. Elle lui écrivait constamment, alors que ses réponses étaient irrégulières et brusques. Pourtant, elle ne renonçait jamais. Ses cartes postales gardaient un ton léger, et même joyeux. Inutile d'évoquer ses peurs, ses migraines, ses cauchemars, et la solitude qui était, elle le savait maintenant, à la fois une malédiction et une compagne. Au lieu de cela, elle décrivait les manières étrangement plaisantes des Britanniques, leur pragmatisme, la confiance tacite qu'ils accordaient à leurs institutions, leur humour décalé.

Les messages d'Umut étaient rédigés sur du papier ligné, des fragments arrachés à une boîte de biscuits, un calendrier ou un sac d'épicerie. Mais une fois il lui envoya une carte postale. Une mer indigo, une barque de pêcheur rouge, la brise apaisante de la Méditerranée, et un sable doux comme des promesses… à croire que lui aussi s'essayait à l'art de feindre le bonheur.

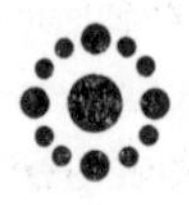

Pendant le « Dîner officiel » – qui se déroulait dans une grande salle datant de plusieurs siècles – entourée par les portraits d'anciens présidents du collège, assise sur les vieux bancs de chêne devant les tables où brillait l'argenterie patrimoniale, servie par des domestiques en veste blanche, Peri se sentait transportée dans une autre dimension. Elle faisait de la figuration dans un tableau, surréaliste et romantique à la fois. Certaines parties du collège n'avaient pas bougé depuis des siècles, et elle adorait le contact et le parfum de l'histoire, de sa continuité. Souvent, elle se rendait dans la vieille bibliothèque juste pour respirer l'arôme grisant des étagères encombrées. Elle descendait dans un sous-sol où elle tournait une manivelle pour déplacer les étagères afin d'atteindre les livres qu'elle voulait lire. Parmi ces milliers de titres, dont chacun était un refuge, elle se sentait complète. Chose étrange, une pensée récurrente lui venait à l'esprit quand elle était au cœur de cette immensité de savoir : Dieu.

Étrange, car, de tous les attributs qu'elle pouvait s'attacher, pas un ne ressemblait à « pieux », ou même « spirituel ». Jamais elle ne le dirait à sa mère, mais parfois elle se demandait si elle croyait en quoi que ce soit. Culturellement, elle était musulmane, bien sûr. Elle adorait le Ramadan et les fêtes de l'Aïd, dont chacune lui emplissait le cœur de chaleur, et l'esprit de réminiscences viscérales d'arômes et de saveurs. L'islam, pour elle, était un réservoir de souvenirs d'enfance – si proche et personnel mais en même temps si vague, si éloigné dans l'espace et le temps. Comme le morceau de sucre qui fondait dans son café, à la fois là et absent.

Elle avait toujours trouvé bizarre que nombre de Turcs apprennent les prières arabes sans avoir la moindre idée de ce qu'elles racontent. Qu'ils soient anglais ou turcs, Peri *adorait* les mots. Elle les tenait entre ses mains comme des œufs prêts à éclore, leur cœur minuscule battant contre sa peau, pleins de vie. Elle s'informait de leur signification – cachée et manifeste ; étudiait leur étymologie. Mais pour une foule de croyants, les mots des prières étaient des sons sacrés qu'il fallait non pas tant pénétrer qu'imiter – un écho sans début ni fin, où l'acte de penser se réduisait à l'acte de mimer. Dans le sein protégé de la foi, on trouvait les réponses en abandonnant la question, on avançait en se livrant.

Dans son journal de Dieu, Peri écrivit : *Les croyants préfèrent les réponses aux questions, la clarté à l'incertitude. Les athées de même, à peu de chose près. C'est drôle, quand il s'agit de Dieu, dont nous ne savons à peu près rien, très peu d'entre nous osent franchement dire : « Je ne sais pas. »*

L'ange

Oxford, 2000

Depuis son arrivée à Oxford, Peri parlait régulièrement au téléphone à son père, en prenant soin d'appeler aux heures où elle avait le plus de chance que ce soit lui qui décroche. Mais aujourd'hui, quand elle appela Istanbul, ce fut sa mère qui répondit.

« Pericim, dit tendrement Selma, mais très vite elle changea de ton. Tu comptes bien venir au mariage de ton frère, n'est-ce pas ?

— Oui, maman, je t'ai dit que oui.

— C'est un vrai ange, tu peux me croire.

— Qui ça ?

— La mariée, bien sûr, idiote. »

Angoissée par les préparatifs, Selma louait les vertus de sa future belle-fille avec un excès qui n'échappa pas à Peri.

« Épatant, ça nous fera pas de mal d'avoir un ange dans la famille. » Peri sentait les insinuations enveloppées dans les compliments de sa mère, comme des bonbons dissimulant un goût rance sous un emballage doré. La fiancée incarnait la fille que Selma n'avait jamais eue – pieuse, facile à vivre, obéissante.

« Qu'est-ce qui ne va pas ? interrogea Selma.

— Rien. »

Selma soupira. « Il faut que tu sois là pour la soirée henné. »

Si le mariage était placé sous la responsabilité du marié, l'organisation de la soirée henné revenait à la famille de l'épousée.

« Maman, on en a déjà parlé. Je peux venir seulement au mariage.

— Pas question. Les gens vont jaser. Il faut que tu arrives plus tôt. »

Peri leva les yeux au ciel, surprise une fois de plus de voir avec quelle rapidité sa mère pouvait lui saper le moral – comme si Selma, et elle seule, savait exactement sur quelle partie du cœur de sa fille appuyer pour accélérer le flux du sang.

« Je ne peux pas me permettre de manquer d'autres cours », dit fermement Peri.

Leur conversation vira à l'aigre, chacune accusant l'autre d'égoïsme. Après avoir raccroché, Peri se sentit submergée de rancune à l'idée de tout ce qu'elles avaient dit ou réprimé, tout ce qui était brisé entre elles et ne pourrait être réparé.

Cette nuit-là, Peri dormit d'un sommeil agité. Elle s'éveilla avec un mal de tête lancinant, proche de la migraine, et chercha en vain dans ses tiroirs un antalgique. Après s'être massé les tempes, elle appuya la base d'une canette de métal contre son œil droit douloureux, ce qui lui faisait toujours du bien.

Elle retourna au lit et se roula en boule. Elle ne pensait pas redormir, mais avant même de s'en rendre compte elle rêvait.

Un jardin aux arbres noueux. Seule, vêtue d'une robe qui flottait dans la brise, Peri flânait. Au bord d'un cours d'eau, elle vit un chêne immense. Là, suspendu à une des branches, un bébé dans une corbeille, le visage à moitié couvert par une tache sombre. Peri s'avisa avec horreur que l'arbre était en feu, les flammes lui léchaient le tronc depuis le sol. Elle saisit un seau et commença à puiser dans la rivière. Bientôt tout était inondé, l'eau tourbillonnait et bouillonnait autour de ses pieds. Quand elle releva les yeux, le bébé n'était plus dans l'arbre ; il avait été emporté par le cours d'eau qui s'était transformé en fleuve tumultueux. Peri hurla quand elle comprit qu'elle avait fait quelque chose de terrible et d'irréparable.

On frappait quelque part, des coups légers mais persistants. Peri tenta d'ouvrir les yeux, ne sachant trop si cela aussi faisait partie de son rêve.

« C'est moi, Shirin, tu m'as foutu une vache de trouille, dit une voix derrière la porte. Tu vas bien ? »

Peri s'assit dans son lit, les idées confuses. « Oui, ça va. » Elle avait la gorge desséchée, comme des feuilles mortes. Elle était horrifiée d'avoir hurlé si fort qu'on pouvait l'entendre dans la chambre en face.

« Je ne pars pas avant de t'avoir vue de mes propres yeux. »

Lentement, Peri sortit du lit et alla ouvrir la porte. Shirin portait un pyjama de soie couleur pêche et un masque assorti qu'elle avait remonté sur son front. Ses yeux, vierges de tout maquillage, entourés d'une épaisse couche de crème, paraissaient plus sombres et plus petits.

« Putain, on aurait cru une femme dans un film d'horreur, dit Shirin. Une de ces héroïnes stupides qui court en haut de la maison quand elle voit un psychopathe au lieu d'ouvrir la porte d'entrée et foutre le camp.

— Désolée de t'avoir réveillée.

— T'inquiète pas pour moi, dit Shirin, les bras croisés sur sa poitrine impressionnante. Tu as souvent des cauchemars ?

— Parfois », reconnut Peri. Les yeux fixés sur la moquette, elle repéra une tache qu'elle n'avait pas vue avant. « Juste des rêves idiots.

— Récurrents ?

— Oui, plutôt. »

Shirin repoussa une mèche derrière son oreille et dit d'une voix qui ne souffrait aucune opposition : « J'ai vu assez de folie dans ma famille, et Dieu sait que je suis un peu cinglée moi-même, je sais la reconnaître quand je la vois.

— Tu veux dire que je suis folle ?

— Pas folle à lier, mais ce hurlement que j'ai entendu, c'était quelque chose. Si tu as un problème psychologique, il faut que tu le traites.

— Je n'ai pas de problème psychologique.

— Aargh !!! » Shirin émit un son atroce, telle une bête sauvage transpercée par une flèche. « Ça me bouleverse tellement quand les gens sont offensés par le mot "psychologique" ! Je parie que tu ne te serais pas vexée si j'avais parlé de maladie hémorroïdique.

— Hémorroïdaire, rectifia Peri.

— N'importe. » Shirin examina les Post-It collés au mur. « Tu es une accro au dictionnaire, je vois.

— Écoute, c'est très gentil à toi de venir prendre de mes nouvelles, mais je vais bien. » À travers la fenêtre à meneaux, la lune projetait un rectangle de lumière irrégulier sur son visage. « Je rentre chez moi pour le mariage de mon frère. Je ne peux pas me permettre de manquer des cours, mais les obligations familiales passent en premier. Ça me stresse un peu. »

Shirin approuva de la tête. « Parfait, va au mariage, mais quand tu reviendras, il faut que tu sortes un peu plus. C'est normal de s'amuser un peu ; tu es jeune, tu as oublié ?

— Je ne suis pas comme toi, dit calmement Peri.

— Tu veux dire que tu aimes le malheur ?

— Bien sûr que non.

— Il y a deux manières de traiter la mélancolie, poursuivit Shirin. Soit tu t'assieds sur le siège du conducteur et tu enfonces la pédale pendant que Monsieur Dépression glapit de peur à l'arrière. Soit tu le laisses conduire, et c'est toi qu'il terrorise à la place.

— Qu'est-ce que ça change, si tu finis par te planter dans un arbre dans les deux cas ?

— Ouais, mais au moins c'est toi qui conduis, ma cocotte, et pas ce vieux sinistre Monsieur Dépression. Ça ne compte pas, ça ? »

Sentant qu'elle ne pouvait remporter cette joute, Peri tenta de changer le sujet par la seule méthode qui lui vint à l'esprit. « Au fait, ce professeur dont tu parlais, Azur, j'ai regardé son séminaire.

— Ah, oui ? » Les joues de Shirin se teintèrent de rose. « Il est charmant, n'est-ce pas ?

— Je ne l'ai pas rencontré, juste lu la description sur la liste des options.

— Ah ! Et qu'est-ce que tu en penses ?

— Ça a l'air intéressant. »

Shirin se dirigea vers la porte. « Je peux te donner un conseil amical ? D'une Iranienne à une sœur turque, mets ça au compte de la camaraderie entre damnées. Si tu arrives à t'inscrire au séminaire d'Azur, ne prononce jamais le mot "intéressant". Il en a horreur. Il dit qu'il n'y a strictement rien d'intéressant dans le terme "intéressant". »

Là-dessus, Shirin ressortit et ferma la porte derrière elle, laissant Peri seule avec ses cauchemars.

La boîte à musique

Istanbul, 2016

Les desserts firent leur entrée, servis sur des assiettes de cristal : gâteau à la mousse de noisettes sur un cœur de bavaroise au chocolat, coings rôtis au four garnis de crème de bufflonne. Les invités s'exclamèrent en chœur, moitié compliments, moitié inquiétudes.

« Ah, j'ai dû prendre un bon kilo ce soir, dit la DRP en se tapotant le ventre.

— Ne t'inquiète pas, tu l'auras brûlé avant d'arriver chez toi, la rassura l'épouse de l'homme d'affaires.

— Continuez juste à discuter politique, dit le journaliste. C'est comme ça qu'on brûle les calories dans ce pays. »

Quand la servante apparut à son côté, Peri murmura, « Non merci.

— Bien sûr, madame », dit la servante en baissant la voix, complice.

Mais l'hôtesse qui avait entendu l'échange intervint depuis l'extrémité de la table. « Non, chérie ! Je ne me suis pas fâchée quand tu as contredit nos opinions, mais je ne serai pas très contente si tu refuses de goûter mon gâteau. »

Peri céda, ne pouvant faire autrement. Elle mangerait le coing et le gâteau. Pourquoi les femmes se donnaient tant de mal pour s'engraisser mutuellement, elle ne le comprendrait jamais. Peut-être y avait-il un rapport avec la « loi d'esthétique comparative » – si la plupart d'entre elles étaient potelées, personne ne l'était vraiment. Mais peut-être était-elle cynique. La voix de Shirin, perdue depuis longtemps, retentit dans sa tête : « Crois-moi, Souriceau, pas assez cynique. »

Dès que son hôtesse, satisfaite à présent, tourna son attention vers un autre convive, Peri saisit son verre de vin. Elle avait bu plus que de coutume ce soir, même si personne n'en avait conscience, pas plus qu'elle. Une faille était apparue dans le barrage qu'elle avait dressé au fil des ans pour bloquer l'afflux d'émotions non désirées vers son cœur. Maintenant, à travers cette fente minuscule, un filet de mélancolie s'insinuait, tandis qu'une autre part d'elle-même, consciente du danger et des ravages que cela pouvait causer, était en état d'alerte maximale, essayant à toute force de sceller l'ouverture pour que tout revienne à la normale.

« Je croyais qu'on allait voir un médium aujourd'hui », dit l'amie du journaliste d'une voix rauque de fumeuse. Tout le monde savait qu'elle était très affectée par les rumeurs – publiées récemment sur un site Internet – rapportant que le journaliste avait été repéré en train de dîner aux chandelles avec son ex-femme et que le couple allait peut-être se remettre ensemble.

« Il aurait dû arriver il y a une heure, dit l'homme d'affaires. Le pauvre, il est sans doute coincé dans les embouteillages.

— Hah ! même les médiums ne savent quel chemin prendre pour circuler dans Istanbul, plaisanta le gestionnaire américain de fonds spéculatifs.

— Vous verrez, mes amis, ce type-là, c'est le meilleur, dit l'homme d'affaires, mêlant le turc et l'anglais. On raconte qu'il a prédit la crise financière.

— Peut-être qu'on devrait tous consulter un médium, puisque les experts politiques sont nuls, et les experts financiers encore pires », dit la DRP.

Cédant à une impulsion, Peri s'excusa de devoir quitter la table.

« Oh non, on t'a encore ennuyée ? » fit l'architecte en levant le nez de son verre, le regard brouillé. Homme de rancunes mesquines, il ne lui pardonnait pas de l'avoir défié.

Peri le regarda. « Juste un coup de téléphone pour voir si les enfants vont bien.

— Bien sûr, dit l'homme d'affaires. Pourquoi pas dans mon bureau à l'étage ? Là tu auras un peu de calme et de silence. »

Peri emprunta le portable de son mari et se rendit au premier étage, tout en continuant à écouter les voix autour de la table du dîner.

Le bureau de l'homme d'affaires était agrémenté de fenêtres de plain-pied offrant une vue spectaculaire sur le Bosphore. Avec des murs recouverts de cuir, un plafond à caissons de bois, un énorme bureau en acajou et marbre, de hauts fauteuils couleur jaune d'œuf, des objets d'art anciens et de beaux tableaux, la pièce ressemblait moins à un espace de travail qu'au salon privé d'un extravagant patron de la Mafia.

Un coin était décoré de photos encadrées de l'homme d'affaires – à côté d'hommes politiques, de célébrités, d'oligarques. Parmi eux, Peri remarqua le sourire de porcelaine d'un dictateur du Moyen-Orient, aujourd'hui déchu de son pouvoir, en train de serrer la main de son hôte devant une structure qui ressemblait à une tente de Bédouin très élaborée.

Derrière, sur une autre photo, luisait d'un éclat métallique le visage rigide d'un ancien autocrate d'Asie centrale, connu pour avoir garni sa ville natale d'images de lui-même, et rebaptisé deux mois de l'année en leur donnant son propre nom et celui de sa mère. Peri inspira profondément, retenant un nuage imaginaire de fumée dans ses poumons, incapable de le souffler. Que faisait-elle ici, dans ce manoir construit avec de l'argent qui affluait par un passage de secrets et d'ombres ? À cet instant, elle avait l'impression d'être un galet au fond d'un fleuve, perpétuellement bousculé par le courant. Si le professeur Azur était là, il sourirait peut-être et citerait son livre, *Le Guide pour préserver sa perplexité* : « Il n'y a pas de sagesse sans amour. Pas d'amour sans liberté. Et pas de liberté à moins d'oser nous éloigner de ce que nous sommes devenus. »

Rapidement, comme pour fuir ses pensées, elle fit le numéro de leur domicile. Le front appuyé contre la fenêtre, elle examina la vue dehors en attendant que sa mère, qui gardait les enfants, décroche. Derrière la vitre, sous un croissant de lune trop lumineux pour être réel, la ville se déployait – maisons inclinées sur le côté comme si elles se murmuraient des secrets ; rues aux angles brusques serpentant sur les collines ; les dernières maisons de thé qui fermaient et leurs derniers clients qui partaient... Elle se demanda ce que faisaient les enfants qui lui avaient volé son sac. Est-ce qu'ils dormaient, et si oui, étaient-ils allés se coucher sans manger ? Il lui vint à l'esprit qu'ils étaient peut-être en train de rêver et qu'elle se trouvait quelque part dans leurs rêves, une folle avec ses escarpins à la main qui les poursuivait dans les rues.

Selma répondit à la quatrième sonnerie. « Le dîner est fini ?

— Pas encore. Nous sommes toujours ici. Les garçons, ça va ?

— Évidemment, pourquoi ça n'irait pas ? Ils ont passé un très bon moment avec leur Mamie. Maintenant ils dorment.

— Ils ont mangé ?

— Tu crois que je les laisserais mourir de faim ? J'ai fait des *manti*[1], ils les ont dévorées. Les pauvres petits, on dirait que ça leur avait manqué. »

Peri, qui n'avait pas hérité des talents culinaires de Selma, entendit la note de réprimande dans la voix de sa mère. « Merci. Je suis sûre qu'ils ont adoré tes boulettes.

— Pas de quoi. À demain matin. Je serai peut-être endormie quand vous rentrerez.

— Attends ! » Peri marqua une pause. « Maman, je peux te demander un service ? »

Il y eut un bruit de froissement, et Peri devina que sa mère déplaçait le téléphone vers son oreille gauche pour mieux entendre. Elle avait beaucoup vieilli depuis la mort de son mari. Bizarrement, après toutes ces années d'hostilité, le monde de Selma s'était effondré le jour où Mensur mourut, comme si le combat qu'elle menait contre son mari la maintenait pleinement en vie.

« Dans la chambre, deuxième tiroir de la commode, il doit y avoir un carnet, dit Peri. Turquoise. En cuir.

— Celui que ton père t'a donné. » Une note d'amertume se glissa dans sa voix – même après toutes ces années, Selma ne digérait pas le lien entre son mari et sa fille. La mort de Mensur n'avait pas modifié ses sentiments. Cela, Peri le savait d'expérience : il est possible de jalouser les morts et l'emprise qu'ils gardent sur les vivants.

« Oui, maman. Il est verrouillé mais il y a une clé dans le tiroir du bas. Sous les serviettes. Sur la dernière page il y a un numéro de téléphone, marqué “Shirin”. Tu peux me le donner ?

— Ça ne peut pas attendre demain matin ? Tu sais que mes yeux ne sont plus aussi bons qu'autrefois.

— S'il te plaît, il faut que je téléphone, plaida Peri. Ce soir.

1. *Manti* : boulettes garnies de viande.

— D'accord, attends un peu, dit Selma avec un soupir. Je vais voir ce que je peux faire.

— Oh, maman…

— Oui ?

— Ensuite, s'il te plaît, tu pourras reverrouiller le carnet ?

— Une chose après l'autre, dit Selma d'un ton las. Ne m'embrouille pas les idées. »

Peri entendit sa mère poser l'appareil, puis un bruit de pas qui s'éloignaient, lourds et pressés. Elle attendit en se mordillant la lèvre inférieure. Au loin, sous les lumières du Second Pont, la mer était bleu verdâtre, la couleur de l'anticipation. Elle étudia son reflet dans le miroir, observant avec désapprobation le bourrelet flasque de son abdomen. Bon, elle n'en était pas encore à vieillir rapidement, comme elle l'avait craint naguère. Il y avait plusieurs façons de vieillir, peut-être. Chez certains c'était d'abord le corps qui vieillissait, chez d'autres l'esprit, chez d'autres encore, l'âme.

Il existe une boîte dans la partie du cerveau qui conserve la mémoire – une boîte à musique au vernis égratigné – et diffuse les notes d'une mélodie obsédante. Empilé à l'intérieur, il y a tout ce que l'esprit ne veut pas oublier ni n'ose se rappeler. Dans les moments de stress ou sous l'effet d'un traumatisme, ou peut-être sans raison visible, la boîte s'ouvre et son contenu se répand à la ronde. C'est ce qui semblait lui arriver ce soir.

« Je ne l'ai pas trouvé, dit Selma, le souffle haletant suite à ses efforts.

— S'il te plaît, tu peux chercher encore ? Tu me diras quand tu l'auras trouvé.

— J'étais en train de regarder la télé, objecta Selma, avant d'adopter un ton plus conciliant. D'accord, je vais faire de mon mieux. »

Leurs relations s'étaient améliorées pour la raison même qui autrefois les éloignait : Mensur. Diviseur dans la vie, il les avait rapprochées par son absence.

« Ah, encore une chose, s'empressa d'ajouter Peri. On m'a volé mon téléphone. Envoie un texto à Adnan mais ne lui parle pas de cela. Écris simplement "appelle maison" et je te rappellerai.

— Qu'est-ce qui se passe ? » demanda Selma. Une pause furtive pleine de soupçon. « Shirin, ce n'est pas cette fille atroce que tu avais rencontrée en Angleterre ? »

Peri sentit son cœur chavirer.

« Pourquoi tu veux lui parler ? insista Selma. Cette fille n'était pas ton amie. »

C'était ma meilleure amie, pensa Peri, mais elle s'abstint de le dire. *Elle et Mona et moi. Toutes les trois : la Pécheresse, la Croyante, la Déboussolée.*

Au lieu de quoi elle dit : « C'était il y a longtemps, maman, nous sommes des adultes maintenant. Tu n'as aucun souci à te faire. Je suis sûre que Shirin a laissé tout cela derrière elle. »

Au moment même où elle prononçait ces mots, et se forçait à les croire, Peri savait que ce n'était sûrement pas vrai. Shirin ne laisserait jamais le passé derrière elle. Pas plus que Peri n'en avait été capable.

La ceinture de chasteté

Oxford, Istanbul, 2000

Une après-midi au cœur de l'hiver, le vent avait un goût de sel marin et de soufre quand Peri arriva à Istanbul pour le mariage de son frère. Sa ville natale lui avait cruellement manqué – même si elle s'était sentie seule quand elle y vivait, elle se sentait encore plus seule quand elle était loin. Comme s'il fallait l'empêcher de nourrir des pensées mélancoliques, dès l'instant où elle posa sa valise, elle fut inondée par une liste d'obligations – des parents qui attendaient sa visite, des cadeaux à acheter, des tâches à accomplir.

Il ne lui fallut pas longtemps pour s'aviser que pendant son absence une pyramide de tension s'était élevée au foyer des Nalbantoğlu, qui rendait l'air pesant et irrespirable. Certaines des rancœurs étaient anciennes – les habituelles joutes amères et irritées entre ses parents. Mais une grande partie était récente, exacerbée par les préparatifs de mariage. La famille de la mariée voulait à tout prix une cérémonie somptueuse, « *digne de notre fille* ». Le salon qu'on avait loué fut remplacé à la dernière minute par un espace plus vaste, ce qui voulait dire inviter plus de gens, commander plus de nourriture et, au bout du compte, dépenser plus d'argent. Pourtant, personne n'était satisfait. Les deux familles avaient beau échanger des facéties et des compliments, sous le vernis d'amabilité, une marée de ressentiment coulait dans les deux sens.

Le matin du mariage, Peri fut accueillie au réveil par les arômes succulents qui flottaient dans toute la maison. Quand elle se rendit à la cuisine, elle y trouva sa mère en tablier imprimé de pâquerettes jaunes qui faisait cuire trois variétés de *börek* – épinards, fromage blanc, viande hachée. Frottant, cirant, époussetant, lavant, Selma avait travaillé à une vitesse surhumaine et semblait incapable de ralentir.

« Peri, dis à cette femme qu'elle va se tuer au travail, dit Mensur, assis à la table de la cuisine, sans lever les yeux de son journal – un quotidien de centre-gauche auquel il était abonné depuis toujours dans les souvenirs de Peri.

— Dis à cet homme que c'est *son* fils qui se marie. Ça n'arrive qu'une fois dans une vie », répliqua Selma.

Peri soupira. « Vous êtes vraiment comme deux gosses – pourquoi vous ne vous parlez pas directement ? »

Là-dessus son père tourna une autre page ; sa mère étala une autre couche de pâte. Assise entre eux, comme pour créer une zone-tampon, Peri demanda : « Alors, comment s'est passée la soirée henné ? »

Selma se mordit la lèvre, le regard comme des échardes de verre. « Tu l'as manquée. Tu aurais dû être là.

— Maman, je t'avais dit que je ne pourrais pas. J'avais des cours.

— Eh bien, si tu veux savoir, tout le monde a demandé après toi. Dans mon dos, on a jasé : le fils n'est pas là, la fille n'est pas là… Quelle famille !

— Umut ne vient pas ?

— Il a dit qu'il viendrait. Il a promis. J'ai préparé ses plats préférés. J'ai dit à tout le monde qu'il venait. Mais à la dernière minute voilà qu'il appelle pour dire : "Maman, j'ai des choses importantes à faire." Quelles choses importantes ? Il me prend pour une imbécile ? Je ne comprends pas ce garçon. »

Mais Peri comprenait très bien. Depuis sa sortie de prison, Umut préférait mener une vie tranquille dans une ville du Sud, à fabriquer des bricoles pour les touristes dans une case qu'il appelait sa maison, son sourire pas moins friable que les coquillages qui lui servaient maintenant de gagne-pain. Ils lui avaient rendu visite à plusieurs reprises dans le passé. Il se montrait toujours poli et réservé, comme s'il s'adressait à des étrangers. La femme avec qui il vivait – une divorcée mère de deux enfants – disait qu'il allait bien, mais que parfois son humeur s'assombrissait sans prévenir : il devenait maussade, hargneux, incapable de sortir du lit, incapable de se laver la figure. Elle disait que parfois il *déprimait* tellement qu'elle devait garder un œil sur lui nuit et jour, non parce qu'elle craignait qu'il ne blesse ses enfants ou elle-même, mais parce qu'il risquait de se faire mal ; elle enfermait ses rasoirs car ces coupures-là ne cicatrisent pas facilement ; elle ne s'étendit pas sur ce point, et la famille Nalbantoğlu ne chercha pas à creuser davantage, de crainte que ce ne soit trop difficile à gérer.

« Écoute, je suis désolée, je serais venue plus tôt si j'avais pu », dit Peri. Elle n'avait aucune intention de se disputer avec sa mère. « Comment ça s'est passé ? Raconte-moi.

— Oh, les choses habituelles, rien de spectaculaire. En échange, ils comptent sur nous pour les inonder de diamants. »

Tel un comptable méticuleux, Selma tenait à jour les sommes d'argent que les Nalbantoğlu avaient dû allonger en comparaison avec l'autre famille ; combien de gens le marié inviterait, comparé au nombre d'invités de la mariée ; et ainsi de suite. On aurait dit qu'une balance d'épicier s'était matérialisée au milieu de leurs vies : quel que soit le poids posé sur un plateau par une famille, il devait être contrebalancé par l'autre côté. Si c'était un genre de bras-de-fer, il se pratiquait avec la plus grande correction. Peri n'en revenait pas de voir sa mère comparer et se plaindre, puis la minute suivante bavarder gaiement au téléphone avec la mère de la mariée, plaisantant et gloussant comme une collégienne.

En dépit des frais, la mariée avait des qualités qui plaisaient infiniment à Selma – la première étant que sa famille était très religieuse.

« Pour être honnête, ils ont fait venir un *hodja* génial pour la soirée henné, dit Selma. Une voix de rossignol. Tout le monde pleurait. La famille de la mariée est bien plus pieuse que nos sept générations d'ancêtres. Ils descendent de hadjs et de cheikhs. » Elle prononça ces derniers mots avec emphase, s'assurant qu'ils parvenaient bien aux oreilles obscurantistes de son époux.

« Splendide ! répartit Mensur depuis son coin. Ça veut dire qu'ils comptent autant d'hérétiques dans leur lignée. Peri, explique ça à ta mère. C'est un concept de base de la dialectique. La négation d'une négation. Toute doctrine crée son opposition. Là où il y a beaucoup de saints, il y a forcément beaucoup de pécheurs ! »

Le front de Selma se plissa. « Peri, dis-lui qu'il raconte des sornettes.

— Papa, maman, arrêtez..., dit Peri. Nous avons de la chance que mon frère ait trouvé une compagne qui le rend heureux. C'est tout ce qui compte. »

Elle avait rencontré la future épouse deux ou trois fois. Des joues à fossette, des yeux noisette qui s'écarquillaient à la moindre surprise et un penchant pour les bracelets dorés. La jeune fille semblait assez timide. Elle portait le voile, qu'elle nouait à la manière qu'on appelait, apprit Peri, le style Dubaï. Le style Istanbul convenait aux visages ronds, le style Dubaï aux visages ovales, et le style Golfe aux visages carrés. Peri découvrait avec stupeur toute une gamme de mode islamique qui, soit venait d'apparaître, soit lui avait totalement échappé jusqu'ici. Avec le « hijab haute couture », le « costume de bain burkini », le « pantalon halal », c'était un courant branché – et une énorme industrie.

À la différence de nombreux sécularistes qu'elle connaissait, dont son père, Peri ne s'opposait pas systématiquement au port du voile – d'où son amitié sereine avec Mona. Elle préférait s'intéresser à ce qu'il y avait dans la tête des gens plutôt que dessus. Et c'était là son dilemme. Même si elle acceptait la tenue de la mariée, en son for intérieur Peri la méprisait un peu. Elle ne l'avait jamais avoué à ses parents, et se l'avouait à peine à elle-même. Cette fille était inculte : la dernière fois qu'elle avait ouvert un livre, ça devait être à l'école. Il était impossible de converser avec elle sauf si on parlait de sujets qui n'intéressaient nullement Peri – feuilletons populaires télévisés, régimes basses calories. Pour être équitable, disons que la mariée n'était pas plus inculte que son futur époux, que secrètement Peri méprisait un peu lui aussi. Elle ne se rappelait pas avoir jamais eu une véritable conversation avec Hakan.

Son snobisme intellectuel se limitait aux jeunes. Elle n'était pas du tout gênée par les illettrés d'âge mûr, qui n'avaient jamais eu accès au savoir. Mais envers toute personne de son âge qui parlait comme si les livres étaient des objets décoratifs assortis au mobilier, Peri éprouvait un léger dédain.

Si jamais je tombe amoureuse, se promit-elle, *ce sera du cerveau de quelqu'un. Je ne me soucierai pas de son allure, de sa position sociale ou de son âge, seulement de son intellect.*

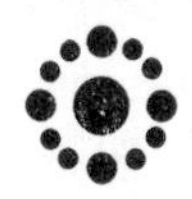

La salle réservée pour le mariage était le grand salon d'un hôtel cinq étoiles avec vue splendide sur le Bosphore.

Chemins de table en satin, cascades de fleurs en soie, housses de chaises aux nœuds dorés, pièce montée de huit étages avec des arcades et des feuillages en sucre faits main, et comme centre de table un arbre de cristal aux couleurs changeantes. Peri savait que la soirée avait englouti une grosse portion des économies de ses parents. Ses propres dépenses à Oxford ajoutaient déjà une lourde charge au budget familial. À la vue de l'étalage extravagant qui l'entourait, elle résolut de trouver un emploi à temps partiel dès qu'elle serait de retour en Angleterre.

Bientôt, les invités commencèrent à arriver. Parents, amis et voisins des deux familles prirent leur place autour des tables parées qui s'alignaient dans la salle de bal. Les jeunes mariés paraissaient nerveux ; il saluait tout le monde, elle regardait ses pieds ; lui trop bruyant, elle bien trop silencieuse. La mariée portait une robe ivoire à manches longues en dentelle et taffetas, brodée d'argent et ornée de strass – un modèle décrit dans le catalogue de vente comme « hijabi chic et alluré ». La robe était jolie, quoiqu'un peu épaisse, et sous les projecteurs, la mariée transpirait déjà. Le marié, équipé d'un smoking noir, semblait plus à l'aise, et il retira sa veste quand il eut trop chaud. Un par un, les invités s'approchèrent pour les complimenter et épingler leur offrande sur la robe : pièces d'or ou monnaie courante (lires ou dollars). La robe de la mariée était ornée de tant de billets de banque et de pièces enrubannées que lorsqu'elle se leva pour une photo on aurait dit une sculpture contemporaine, en délicat équilibre entre l'avant-garde et le dément.

À l'arrière-plan, un orchestre de rock amateur jouait un éventail de mélodies, des chants populaires anatoliens aux meilleurs airs des Beatles, et glissait de temps en temps une de ses propres compositions, assez peu harmonieuses. Malgré les objections de la famille de la mariée, on servait de l'alcool dans un coin de la pièce. Mensur avait tenu bon, et menacé de ne pas assister au jour le plus heureux de la vie de son fils si le raki, compagnon de toute sa vie à lui, était interdit. La plupart des invités choisissaient des boissons non alcoolisées mais certains assez nombreux semblaient avoir repéré le bar impie. Et parmi les pionniers de ce territoire prohibé, ô surprise, l'oncle de la mariée. Vu l'allure à laquelle il descendait les verres, il ne lui fallut pas longtemps pour être soûl – détail qui enchanta Mensur.

Jouant son rôle d'hôtesse, Peri – en robe bleu-vert descendant au genou, les cheveux relevés en un chignon si énorme qu'il déplaçait le centre de gravité de sa tête – dut parler à une foule d'invités et sourire beaucoup. Tandis qu'elle roucoulait avec les petits, baisait la main des vieux, écoutait jaser les jeunes filles, elle remarqua un jeune homme qui la dévisageait avec intensité. Ce n'était pas le genre de regard masculin qui exprimait l'attirance et s'arrêtait à cette frontière intangible, mais un regard qui forçait, insistait, revendiquait. Il semblait ne pas comprendre que seul un pas lilliputien sépare l'assertion de l'agression. Quand leurs yeux se croisèrent, Peri fronça le sourcil, espérant lui avoir signifié qu'il ne l'intéressait pas. Il répondit par un sourire suffisant, laissant le signal qu'elle lui avait adressé suspendu sans arriver à destination.

Une demi-heure plus tard, alors qu'elle se rendait aux toilettes, le jeune homme lui bloqua le chemin. La main sur le mur pour l'empêcher de passer, il dit : « Vous avez l'air d'une fée. Je vois que vos parents ont bien choisi votre prénom.

— Excusez-moi. Vous n'avez rien de mieux à faire ?

— Ce n'est pas ma faute, vous ne devriez pas être aussi jolie », dit-il avec un regard salace.

Le sang de Peri ne fit qu'un tour, les mots lui jaillirent de la bouche. « Laissez-moi tranquille. Personne ne vous a donné le droit de m'importuner. »

Pris de court, il cligna des yeux. Avec un effort démesuré, il baissa le bras. Son visage, qui quelques secondes auparavant affichait un sourire confiant, montrait maintenant une hostilité non déguisée. « On m'avait dit que vous étiez prétentieuse. J'aurais dû écouter. Juste parce que vous allez à Oxford, vous croyez que vous valez mieux que nous !

— Cela, dit-elle d'une voix calme, n'a rien à voir avec Oxford.

— Salope arrogante », marmonna-t-il entre ses dents, assez fort pour qu'elle l'entende.

Le visage de Peri blêmit tandis qu'elle le regardait s'éloigner. Comme c'était facile de basculer de l'affection à la haine. Au royaume de l'Est, le cœur masculin, comme l'orbe à l'extrémité d'un pendule, passait d'un extrême à l'autre. Oscillant entre l'admiration outrée et le mépris outré, dansant au-dessus des détritus émotionnels qui la veille formaient une passion, les hommes aimaient trop, enrageaient trop, haïssaient trop, toujours trop fort.

De retour au salon, Peri vit les mariés entamer la danse que tout le monde attendait. Des dizaines de paires d'yeux se pressaient contre eux de toute part. Le dos raide, les mains crispées, ils tenaient la pose sans se toucher et se balançaient ensemble – deux somnambules pris au piège dans le même rêve.

Peri se sentait triste. Le gouffre entre la personne qu'elle portait en elle et celle qu'on lui demandait de devenir lui semblait plus vaste que jamais. Elle mesurait la distance, déjà infranchissable, entre l'environnement d'où elle venait et celui vers lequel elle souhaitait avancer. Elle ne voulait pas être ce genre de mariée. Elle ne voulait pas vivre la vie de sa mère. Elle ne voulait pas être inhibée, limitée et réduite à quelque chose qu'elle n'était pas.

Une pensée lui traversa l'esprit comme un éclair : *Je ne devrais jamais épouser un homme né dans cette partie du monde.* Cette idée était en désaccord total avec tout ce qu'on lui avait enseigné, si délicieusement fautive, si ineffablement blasphématoire, qu'elle dut baisser le regard, de peur que d'autres ne la lisent dans ses yeux. Son mari, elle le choisirait issu d'une culture aussi éloignée et différente de la sienne que possible. Un Esquimau peut-être. Quelqu'un qui se nommerait Aqbalibaaqtuq.

Elle rit en imaginant la façon dont Mensur inviterait son gendre inuit à écluser quelques godets ensemble, avec de la soupe de tête de poisson, de la chair de baleine crue et des nageoires de phoque fermentées en guise de nouveaux mezzés. Sa mère, elle, insisterait pour qu'il se convertisse à l'islam, circoncision et tout le tremblement. Aqbalibaaqtuq deviendrait Abdullah. Ensuite son frère Hakan l'emmènerait suivre un cours intensif de masculinité turque. Aqbalibaaqtuq occuperait quantité d'heures oisives dans une maison de thé à jouer aux cartes et fumer le narguilé. Bientôt, s'il passait assez de temps en mauvaise compagnie, il serait entraîné sur les voies de l'archétype masculin du pays, exigeant les privilèges accordés à son sexe. Leur amour arctique fondrait à la chaleur des coutumes patriarcales.

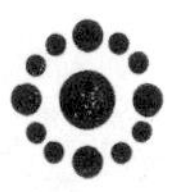

Passé minuit, la fête tirait à sa fin. Un par un, les invités restants firent leurs adieux, les membres de l'orchestre emballèrent leurs instruments et libérèrent les lieux, ne laissant derrière eux que les membres de la famille proche. Le lendemain matin, les nouveaux mariés embarqueraient pour leur lune de miel d'une semaine. Destination : un hôtel de tourisme luxueux sur la côte méditerranéenne de Turquie, qui s'était forgé un nom, et avait suscité une controverse, en créant des restaurants halal, des piscines halal, des discothèques halal, avec dans tous des sections séparées pour les deux sexes. Ils avaient même divisé la plage et partagé la mer entre secteur des femmes et secteur des hommes.

Mais ce soir, à la demande pressante de Selma et par commodité, le jeune couple passerait la nuit chez les Nalbantoğlu près de l'aéroport. Les parents de la mariée, qui habitaient à l'autre bout de la ville, étaient invités également. Tous se serrèrent donc dans la fourgonnette avec les sacs et les paniers, ainsi qu'un bouquet de fleurs en soie aux pétales froissés et déchirés après tant d'heures.

Il faisait un froid inhabituel à cette période de l'année, le vent cognait furieusement contre les vitres comme un esprit offensé. Tandis que la fourgonnette fonçait à travers les rues glissantes de pluie, Peri vit la mère de la mariée sortir de son sac une écharpe rouge vif – « la ceinture de chasteté » – et la nouer autour de la taille de sa fille. L'écharpe l'intriguait, même si elle savait que dans diverses régions du pays elle était d'usage courant. Sans y penser davantage, elle s'efforça de bavarder avec Hakan, qui était assis auprès d'elle. Son frère paraissait fatigué et distrait, et elle remarqua une mince pellicule de sueur sur son front ; bientôt, Peri sombra elle aussi dans le silence.

L'hôpital

Istanbul, 2000

Une fois arrivés à destination, les jeunes mariés furent installés dans la chambre principale, et les parents de la mariée dans la chambre de Peri. Selma et Mensur n'avaient d'autre choix que de prendre la chambre de leur fils et dormir dans le même lit. Quant à Peri, elle devrait se contenter du canapé du salon.

Dès que sa tête toucha l'oreiller, Peri se sentit submergée par une vague d'épuisement. Entre veille et sommeil, elle entendait un murmure éloigné, des mots qui flottaient dans l'air juste avant l'extinction de la dernière lumière. Quelqu'un récitait ses prières. Elle essaya de deviner qui, mais la voix était sans âge ni sexe. Peut-être rêvait-elle déjà. Bercée par le tic-tac de la pendule de l'entrée, trop somnolente pour même se brosser les dents, la poitrine soulevée par chaque souffle, elle partit à la dérive.

Au cœur de la nuit, une bonne heure plus tard, Peri fut réveillée en sursaut. Elle pensait avoir entendu un bruit mais n'en était pas sûre. Elle prit appui sur son coude, raide et immobile. Tendant l'oreille, attendant, elle se demanda si c'était elle qui sondait l'obscurité ou le contraire. Retenant sa respiration, elle compta les battements de son cœur : trois, quatre, cinq... puis de nouveau ce bruit. Quelqu'un pleurait. Entre les sanglots, un froissement régulier, insistant, grondait comme le vent dans un bosquet d'arbres avant un orage. Une porte s'ouvrit et se referma brusquement, non par accident mais comme claquée par une main furieuse.

Malgré sa conviction intime qu'il y avait un problème, Peri resta étendue, espérant qu'il s'évanouirait tout seul, quel qu'il soit. Mais les bruits se multiplièrent. Les murmures grossirent en cris, des pas retentirent dans le couloir avec, à l'arrière-plan, non plus un sanglot mais un gémissement, l'appel d'une âme en peine.

« Qu'est-ce qui se passe ? » s'écria Peri en se levant, sa voix la devançant dans les profondeurs de la maison.

Elle atteignit la chambre où ses parents auraient dû dormir. Sa mère était debout, entièrement éveillée, le visage couleur de cendre. Son père arpentait la pièce, les mains nouées, la chevelure en bataille. À côté d'eux son frère Hakan, une cigarette allumée à la main ; il aspirait la fumée avec un geste outré de désespoir. En les observant, elle eut la sensation étrange qu'elle ne connaissait aucun de ces individus – des étrangers qui interprétaient le rôle de ses proches.

« Pourquoi tout le monde est réveillé ? » interrogea-t-elle.

Son frère lui lança un regard furieux, les yeux étrécis à l'épaisseur d'une lame. « Va-t'en dans ta chambre.

— Mais...

— J'ai dit va-t'en ! »

Peri fit un pas en arrière. Elle n'avait jamais vu Hakan dans cet état – même s'il était enclin aux accès de colère et d'imprécations, cette fois-ci sa fureur était si déchaînée et féroce qu'on aurait dit qu'une bête sauvage s'était aventurée dans la pièce.

Au lieu de retourner au salon, Peri se rendit à la chambre principale, où elle trouva la porte ouverte, la mariée perchée au bord du lit en chemise de nuit, sa chevelure noire répandue sur les épaules. Ses parents étaient assis de l'autre côté du lit, les lèvres pincées.

« Je vous jure que ce n'est pas vrai, dit la mariée.

— Alors pourquoi il raconte une chose pareille ? grinça la mère.

— Tu préfères le croire plutôt que ta propre fille ? »

La mère se tut un moment. « Je croirai ce que dira le docteur. »

Lentement, comme au sortir d'une transe, Peri comprit la raison des bruits qu'elle avait entendus plus tôt : son frère était sorti de la chambre en rage, persuadé que son épouse n'était pas vierge.

« Quel docteur ? » interrogea la mariée ; ses yeux rougis, terrifiés, regardaient la ville à travers la fenêtre. Le ciel, noir de charbon, la lune dissimulée derrière un nuage, saignait des nappes pourpres à l'horizon, messagères de l'aube.

« C'est la seule façon d'en avoir le cœur net », dit la mère en se remettant sur pied. Elle prit la main de sa fille et la força à se lever.

« Maman, je t'en prie, ne fais pas ça », murmura la mariée, sa voix pas plus grosse qu'une perle.

Mais la femme n'écoutait pas. « Va chercher nos manteaux », dit-elle à son mari, à quoi il acquiesça, par habitude sinon par adhésion.

Le sang à la tête, Peri courut rejoindre le camp de ses parents. « Baba, arrête-les. Ils vont à l'hôpital ! »

Mensur, dans son pyjama en coton, avait l'air désemparé de celui qu'on lance dans un spectacle dont il ignore le texte. Il jeta un coup d'œil à sa fille, puis à la mariée et sa mère, qui passaient maintenant devant eux, en direction de la porte d'entrée. La même impuissance dont il avait fait preuve, des années auparavant, la nuit où la police avait envahi leur demeure.

« Calmons-nous tous, dit Mensur. Inutile de faire intervenir des étrangers. Nous sommes une famille, maintenant. »

La mère de la mariée écarta ces paroles d'un revers de la main. « Si ma fille est en faute, je la punirai moi-même. Mais si votre fils ment, Allah m'est témoin, je le lui ferai regretter. »

Mensur plaida : « S'il vous plaît, n'agissons pas dans la colère…

— Laisse-les faire ce qu'ils veulent, s'entremit Hakan, la fumée de cigarette lui sortant des narines. Moi aussi je veux connaître la vérité. J'ai le droit de savoir quel genre de femme j'ai épousé. »

Peri regarda son frère bouche bée. « Comment tu peux dire une chose pareille ?

— Ferme-la ! » dit Hakan d'une voix si plate qu'elle s'accordait mal à la brutalité du message. « Je t'ai dit de ne pas te mêler de ça. »

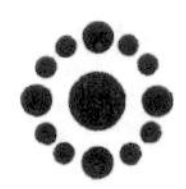

Moins d'une demi-heure plus tard, ils étaient tous assis sur un banc de l'hôpital le plus proche. Tous sauf la mariée.

De cette nuit, qui se rejouerait dans sa mémoire pendant des années, Peri conserverait divers détails : les fentes du plafond qui évoquaient la carte d'un continent oublié ; les chaussures de l'infirmière qui claquaient sur le sol de béton ; l'odeur de désinfectant mêlée à celle du sang et de la maladie ; la peinture vert mousse appliquée sur les murs ; l'étiquette DÉPARTEMENT DES URGENCE dont le S final avait disparu ; et la pensée troublante, qui lui martelait le cerveau, que même si elle trouvait surréaliste tout ce qui était en train de se produire, elle aurait facilement pu se retrouver soumise au même examen, si ses parents l'avaient mariée dans une famille préoccupée de ces choses-là. Oui, Peri comprenait cela, le cœur plein de désarroi.

Elle avait entendu parler de ces crises de nuit de noces, mais toujours supposé que ces choses-là n'arrivaient qu'aux autres – des paysans dans des villages perdus, des provinciaux bornés. Sa famille n'était pas du genre à se retrouver mêlée à un test de virginité dans un hôpital délabré. Depuis son enfance, on l'avait traitée en égale de ses frères, sinon mieux. Elle était chérie, gâtée et aimée par ses deux parents. Tout de même, ayant grandi dans un quartier guindé où des paires d'yeux vous observaient et vous jugeaient derrière chaque rideau de dentelle, elle avait conscience des limites à ne pas franchir, les vêtements à éviter, la manière de s'asseoir en public, à quelle heure rentrer d'une soirée… autrement dit, une bonne partie du temps. Pendant sa dernière année à l'école, le tourbillon de dissension et de défi qui avait saisi dans son courant la plupart de ses camarades de classe et les avait emportés au loin l'avait d'abord laissée insensible, arrimée au terrain des hautes valeurs morales. Tandis que ses pairs brisaient les tabous et s'entre-brisaient le cœur avec la même ferveur, Peri poursuivait sa vie tranquille. Puis elle était tombée amoureuse, et l'amour, aussi bref qu'intrépide, pulvérisa ses frontières bien gardées. À l'insu de ses parents, elle était allée jusqu'au bout avec son petit ami gauchiste. Elle mesurait maintenant la fragilité de sa position en tant que « fille bien-aimée ». Elle avait le sentiment d'être une hypocrite. Assise là, à attendre le résultat d'un test de virginité sur une autre jeune femme, alors qu'elle n'était plus vierge elle-même.

« Pourquoi ça prend si longtemps ? Il y a un problème ? demandait le père, bondissant sur ses pieds pour se rasseoir de nouveau.

— Bien sûr que non », glapit sa femme. Elle était si agitée que l'infirmière de garde était déjà venue deux fois lui demander de baisser le ton.

Une heure – ou l'impression d'une telle durée – s'écoula. Enfin le médecin apparut. Les cheveux relevés, des yeux gris fulminant derrière ses lunettes, elle les observa avec un mépris non déguisé. Visiblement, elle détestait ce qu'elle avait fait, et elle les détestait encore plus de lui avoir demandé de le faire.

« Puisque vous teniez tellement à le savoir, sachez qu'elle est vierge, annonça-t-elle. Certaines filles viennent au monde sans hymen, et certains hymens se déchirent pendant l'acte sexuel ou une quelconque activité physique mais ne saignent jamais. »

Elle semblait agir délibérément, utiliser des faits médicaux pour les humilier – un geste de vengeance pour l'embarras qu'ils avaient imposé à la mariée.

« Vous avez détruit la santé mentale de cette jeune femme. Je vous conseille de lui faire consulter un thérapeute, si vous l'aimez, bien sûr. Maintenant je vous prie de partir tous sur-le-champ. Nos autres patients ont de vrais problèmes. Les gens comme vous nous font perdre notre temps. »

Sans un mot de plus, le médecin tourna les talons et partit. Pendant toute une minute, personne ne dit rien. Ce fut la mère de la mariée qui rompit le silence.

« Allah est grand, s'écria-t-elle. Ils ont essayé de calomnier ma fille. Mais Dieu, mon Dieu, les a frappés au visage et leur a dit : "Comment osez-vous souiller une vierge ? Comment osez-vous ternir un bouton de rose ?" »

Du coin de l'œil, Peri vit son père baisser la tête, le regard fixé sur le sol de béton comme s'il espérait s'y engloutir.

« C'est votre fils qui n'y arrivait pas, vous entendez ! S'il n'est pas un homme digne de ce nom, comment pouvez-vous blâmer ma fille ? Au lieu de ça, c'est vous qui auriez dû emmener votre fils au vous-savez-quoi.

— Ma chérie, calme-toi », murmura son mari, l'air gêné et ne sachant si c'était la bonne méthode.

Son intervention ne servit qu'à attiser la colère de sa femme. « Pourquoi je devrais ? Pourquoi je devrais leur épargner la honte ? »

Une porte au bout du couloir s'ouvrit et la mariée en sortit. Elle s'approcha d'eux, à pas mesurés et lents. Tel un éclair, sa mère fonça en avant, se martelant les cuisses de ses poings comme pour un deuil. « Mon bouton de rose, qu'est-ce qu'ils t'ont fait ? Qu'ils plongent dans la boue, ceux qui ont tenté de nous y traîner ! »

Ignorant sa mère, la mariée se dirigea vers la sortie. Tandis qu'elle passait devant les Nalbantoğlu, et devant son mari, dont la jambe frémissait si violemment que le banc vibrait, elle garda le menton haut, refusant d'échanger un regard avec quiconque. Peri remarqua ses mains, manucurées et teintes au henné, et ses paumes, marquées de croissants rouges. C'est ce détail qui l'affecta plus que tout ce dont elle fut témoin au cours de cette lamentable nuit. Les marques qu'une jeune femme creuse avec ses ongles durant un examen de virginité.

« Féride… attends… »

C'était la première fois que Peri prononçait son nom. Jusqu'à ce jour elle avait toujours dit « elle » ou « toi » ou juste « la mariée ».

Feride ralentit mais ne s'arrêta pas ni ne se retourna. Continuant tout droit, elle franchit les portes coulissantes, et disparut avec ses parents en remorque.

Peri se sentait bouillir de rage – contre son frère, dont l'égoïsme et le sentiment d'insécurité avaient causé cette souffrance ; contre ses parents, qui n'avaient pas fait tout leur possible pour empêcher l'agression ; contre les usages vétustes qui déterminaient la valeur d'un être humain en fonction de son entrejambe ; mais surtout contre elle-même. Elle aurait pu tenter de venir en aide à Feride et pourtant elle n'avait rien fait. C'était toujours comme ça. Sous l'effet du stress, lorsqu'elle devait agir et montrer sa détermination, elle sombrait dans la léthargie, comme si une main invisible la poussait vers le fond, d'où elle voyait le monde autour d'elle se diluer et s'aplatir dans le flou, et ses sentiments s'évanouir, comme des ampoules qu'on éteint l'une après l'autre.

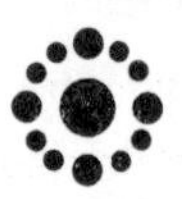

Au retour, dans la fourgonnette louée pour le mariage, les Nalbantoğlu étaient seuls. Hakan conduisait, son père était assis à l'arrière, regardant par la fenêtre, et Peri prit place à côté de sa mère.

« Qu'est-ce qui va se passer maintenant ? demanda-t-elle.

— Rien, inshallah, répondit Selma. On va acheter des chocolats, des soieries, des bijoux… et présenter des excuses. On fera tout ce qui est en notre pouvoir pour nous faire pardonner, même si c'était leur idée d'aller à l'hôpital, pas la nôtre. »

Peri marqua un temps de réflexion. « Comment un mariage peut-il survivre après un début aussi désastreux ? »

Sa mère eut un sourire de biais, la lumière d'un réverbère lui divisant le visage en deux : mi-flamme, mi-ombre. « Crois-moi, Pericim, bien des mariages ont survécu à pire que ça. Tout ira bien, inshallah. »

Peri la dévisagea, voyant peut-être pour la première fois, la voyant vraiment, sa mère. Il lui vint à l'esprit que peut-être l'union de ses parents n'était pas conforme à l'impression qu'elle donnait, et que son papa chéri ne se comportait pas toujours comme le gentleman qu'il semblait à ses yeux.

Ses pensées dérivèrent vers la photo de mariage de ses parents, qu'ils gardaient dans la vitrine, encadrée mais pas exposée : Mensur et Selma, tous deux jeunes et maigres, raides, sérieux, comme s'ils venaient d'être frappés par la gravité de ce qu'ils avaient fait. Derrière eux, un décor absurde d'orchidées sauvages et d'oies en vol. Autour de sa tête encore non voilée, Selma portait une guirlande de pâquerettes tressées – d'une beauté en plastique aussi artificielle que leur bonheur.

Peri tenait la main de sa mère, plus par instinct que par intention, et elle la serra doucement. Cette mère qui lui avait toujours paru si fragile et larmoyante possédait peut-être une force de résilience bien à elle. Selma traitait les crises émotionnelles en usant de la même méthode que pour les corvées ménagères. Avec diligence, elle ramassait les morceaux, tout comme elle rangeait les bibelots disséminés dans la maison.

Comme si elle devinait les pensées de sa fille, Selma ajouta : » J'ai la foi, ça aide. Il doit y avoir une raison à ce que nous venons de traverser. Nous ne la connaissons pas encore, mais Allah si. »

Peri voyait à l'embrasement de ses joues et à la lueur de son regard qu'elle était sincère. La foi, quelle que soit la manière dont Selma l'entendait, lui infusait une sorte d'abandon qui aurait pu être une cause de faiblesse s'il ne l'avait rendue plus forte. La religion était-elle source de pouvoir pour des femmes qui autrement n'en avaient que très peu dans une société structurée pour et par des hommes, ou était-ce un instrument de plus pour faciliter leur soumission ?

Le lendemain, Peri repartit pour l'Angleterre, l'esprit agité de questions – et incapable de décider s'il valait mieux en chercher les réponses ou éviter de les remuer.

Le charognard

Istanbul, 2016

Après avoir parlé à sa mère, Peri se dirigea vers le grand escalier orné d'urnes pseudo-grecques, franchit le sol de marbre et rejoignit les dîneurs. Elle était à la fois déçue et soulagée de n'avoir pu obtenir le numéro de Shirin. Elle n'avait pas la moindre idée de ce qu'elle aurait dit, et au cas où elle trouverait les mots justes, si Shirin l'aurait écoutée. Elle l'avait appelée plusieurs fois par le passé, peu après son départ d'Oxford, mais Shirin était trop en colère pour parler, la blessure encore trop à vif. Même si les années avaient passé depuis, rien ne garantissait que ce serait différent.

Le rire des invités lui rompant les oreilles, Peri entra dans la salle à manger où la DRP l'attendait, debout devant l'armoire aux alcools.

« Voilà, j'ai appelé mon frère pendant que vous étiez sortie, dit la femme avec un sourire qui n'atteignait pas tout à fait ses yeux. Il était enchanté d'apprendre que vous étiez tous les deux à Oxford à peu près à la même époque. Je suis sûre que vous avez beaucoup de connaissances en commun. »

Peri lui rendit son regard avec la même intensité. « Peut-être, mais l'université d'Oxford est vaste.

— Je lui ai dit que vous aviez une photo du professeur à scandale. Il était très surpris. »

Peri serra les mâchoires en prévision de ce qui allait suivre.

« Comment il s'appelait ? Mon frère me l'a dit, mais j'ai oublié.

— Azur. »

Peri sentit le nom lui brûler la langue comme une goutte de feu.

« Exactement. Je savais que c'était bizarre ! » La DRP claqua des doigts pour ponctuer sa réflexion. « Euh, mon frère était curieux de savoir... il voulait que je vous demande si vous étiez son étudiante.

— Non, je ne connaissais pas le professeur si bien que ça, dit Peri sans marquer d'hésitation. Ses étudiantes, c'étaient les filles de la photo. J'étais juste une de leurs amies. Perdu tout contact avec elles depuis, d'ailleurs.

— Oh ! » La déception assombrit le visage de son interlocutrice, qui n'était pas prête à la lâcher pour autant. « Essayez Facebook, j'ai renoué le lien avec toutes mes amies de classe – même celles de l'école primaire. On s'organise des rencontres fèves et pilaf – »

Peri acquiesça de la tête, impatiente de se débarrasser de cette femme qui, comme une armée ennemie, envahissait son domaine, piétinait sa vie privée, son passé. Jamais elle ne lui dirait combien de fois elle avait tapé le nom d'Azur sur Google, ses distinctions, ses livres, ses photos – et les centaines d'entrées qu'elle avait scrutées le concernant ; puis lancé une recherche sur le scandale à la suite duquel il avait cessé d'enseigner, mais continué à donner des interviews et des conférences.

« Mon frère se rappelle avoir entendu des rumeurs selon lesquelles il y avait une étudiante turque qui suivait les cours du professeur. Il dit qu'on en parlait partout en ville. »

La tension emplissait l'espace entre elles comme une mare d'eau sale. « Qu'est-ce que vous essayez de dire ? interrogea Peri, surprise de la froideur de sa propre voix.

— Rien. Simple curiosité. »

L'image du vagabond surgit brusquement devant les yeux de Peri. Sa silhouette émaciée, son regard pénétrant, ses mains rongées d'eczéma. Cette femme, avec tous ses privilèges et son argent, était aussi droguée que lui. Peri l'imagina tenant un sac plastique empli des misères et secrets d'autres gens, dans lequel elle fourrait son nez et inspirait pour trouver un répit à sa propre vie.

« J'aimerais avoir quelque chose de plus intéressant à vous raconter », dit Peri, avec une légère pause sur le mot « intéressant ». Sa remarque, bien qu'émise à l'intention de la fouineuse, semblait adressée d'abord à elle-même. « J'étais une étudiante sans histoire, pas du genre à être impliquée dans un scandale. »

La DRP sourit avec un air de commisération.

« La prochaine fois que vous parlez à votre frère, dites-lui qu'il devait s'agir de quelqu'un d'autre.

— Oui, bien sûr. »

Pendant le reste du dîner, Peri évita de croiser le regard de la DRP. Elle n'éprouvait aucun remords d'avoir menti. Elle n'allait pas dévoiler son passé à une étrangère, surtout une étrangère du genre charognard, en quête de ragots à dévorer. De plus, ce n'était pas tout à fait un mensonge, à y bien réfléchir. Après tout, il s'agissait d'une autre fille, une Peri bien différente de la femme qu'elle était aujourd'hui, qui avait été jadis l'étudiante favorite d'Azur, et plus tard, la cause de sa ruine.

La course au crépuscule

Oxford, 2000

De retour au collège, Peri s'enfouit dans ses études. Le matin en prenant son café – si différent du café turc fort et sucré – elle observait les étudiants et les professeurs, l'air absorbé, livres et carnets serrés contre la poitrine tandis qu'ils se hâtaient d'un bâtiment à un autre ; elle se demandait combien d'entre eux avaient goûté à la vie ailleurs. C'était si facile de croire qu'Oxford – ou n'importe quel lieu, en fait – était le centre du monde.

Ce mercredi, elle quitta la bibliothèque à la tombée de la nuit. Cela faisait trois heures qu'elle lisait, et elle avait le cerveau saturé d'idées. Elle imaginait son esprit sous l'aspect d'une maison biscornue avec une quantité de pièces où ranger tout ce qu'elle lisait, entendait et voyait, et que tout cela était examiné, traité et enregistré par un petit employé, un homuncule entièrement à son service sans qu'elle en prenne conscience. Pourtant il était possible, croyait-elle, de se cacher à soi-même ses pensées.

Elle décida d'aller courir. Après un bref passage par son escalier pour déposer les livres qu'elle avait empruntés et enfiler ses vêtements de sport, elle descendit Holywell Street, trouvant progressivement son rythme. Le vent froid lui faisait l'effet d'un baume sur son visage.

Des cyclistes la dépassaient en silence, leurs réflecteurs échangeant des clins d'œil de conspirateur dans le noir. Les gens circulaient en tous sens – vers des magasins, des restaurants, des séminaires – et les plus éminents professeurs lui offraient son spectacle favori, à vélo, toge flottant doucement au vent. Elle-même n'était pas très bonne cycliste. C'était un des domaines où elle devait s'appliquer – comme le bonheur.

S'écartant de son parcours habituel, elle filait à travers des rues et des allées qui semblaient désertes. Elle inspira l'arôme de plantes hivernales inconnues, tourna à un angle, et s'arrêta, pantelante. Elle se trouvait face à une affiche sur le mur.

Le Muséum d'histoire naturelle
de l'Université d'Oxford
présente
DIEU EN DÉBAT
Professeur Robert Fowler, Professeur John Peter
&
Professeur A. Z. Azur
Venez prendre part à un débat spectaculaire
entre les esprits les plus brillants de notre temps

Les yeux de Peri s'écarquillèrent. Elle vérifia l'heure et le lieu signalés sur l'affiche. Le débat était prévu le jour même, 17 heures, au Muséum d'histoire naturelle.

Il avait déjà commencé. L'endroit était au moins à trois kilomètres, et elle n'avait ni billet ni argent sur elle, au cas où il resterait des billets à vendre. Elle ne savait pas comment elle réussirait à entrer et pourtant, elle changea aussitôt de direction, respira un grand coup et commença à courir.

Le troisième chemin

Oxford, 2000

Le temps que Peri, échevelée et inondée de sueur, atteigne sa destination, le soleil s'était déjà couché sur un ciel bas couleur d'ambre. Elle arriva devant l'édifice néogothique construit comme une « cathédrale de la science ». L'architecture à Oxford se divisait en deux catégories : celle qui se souvient et celle qui rêve. Le Muséum d'histoire naturelle se réclamait des deux. Les gravillons crissant sous ses pieds, Peri se dit que le bâtiment – indépendamment de toutes les collections qu'il recélait – exigeait de ses visiteurs admiration et respect.

Deux personnes montaient la garde à l'entrée principale, garçon et fille – des étudiants, à leur allure – qui arboraient la même chemise bleu pétrole et le même air d'ennui. L'un d'eux fit un signe dans sa direction.

« Je suis venue pour le débat, dit Peri en essayant de reprendre son souffle.

— Vous avez un billet ? demanda le garçon – un jeune dégingandé, lèvre inférieure protubérante et front étroit couronné d'un buisson de cheveux roux.

— Euh, non, dit Peri d'une voix inquiète. Et je n'ai pas mon porte-monnaie sur moi.

— Ça n'aurait rien changé. » Il secoua la tête. « C'est complet depuis des semaines. »

Les mots, comme mus de leur propre volonté, jaillirent de la bouche de Peri. « Oh, mais j'ai couru tout le chemin jusqu'ici ! »

En entendant sa réaction, si bruyante et spontanée, la fille sourit avec sympathie. « C'est presque fini, de toute façon. Vous êtes en retard. »

Cramponnée à un dernier brin d'espoir, Peri intercéda : « Est-ce que je peux juste jeter un coup d'œil ? »

La fille haussa les épaules. Elle n'y voyait aucune objection. Mais le garçon était d'un avis contraire. « On ne peut pas autoriser cela », dit-il, sur le ton de celui qui, se trouvant sans s'y attendre investi d'une autorité, est résolu à en tirer tout le parti possible.

« Le débat est enregistré. Il y aura une projection gratuite par la suite », suggéra la fille.

Peri n'était pas satisfaite. Pourtant, elle acquiesça. « D'accord, merci. »

Elle fit demi-tour. Boudeuse, dans la faible lueur du crépuscule, elle avait l'air d'un enfant déçu. Si on lui avait demandé pourquoi elle tenait tant à entrer, la seule réponse qui lui serait venue aurait été *l'instinct*. Quelque chose lui disait qu'un grand nombre des questions qui tiraillaient les replis de son cerveau étaient justement traitées ici. C'est mue par cette conviction qu'elle accomplit le geste suivant.

Au lieu de retourner sur la route principale, Peri se mit en quête d'une entrée latérale. Ce n'était pas nécessaire. Une autre occasion d'entrer se présenta quand elle s'aperçut, en regardant par-dessus son épaule, que la fille n'était plus là. L'autre agent de service attendit quelques secondes, puis il disparut à l'intérieur du bâtiment.

Cédant à une impulsion, Peri profita de ce que l'entrée n'était plus gardée pour pénétrer dans le musée. Une fois à l'intérieur, elle avança prudemment, les sens en alerte car elle s'attendait presque à voir le garçon roux bondir sur elle de derrière un recoin et la jeter dehors. Mais il n'était nulle part en vue. Suivant les panneaux qui indiquaient DIEU EN DÉBAT, elle se retrouva bientôt dans une grande salle bondée.

En rangs serrés, un public d'étudiants et de chercheurs étaient assis, attentifs, le regard fixé sur les quatre silhouettes qui occupaient la scène. L'un d'eux, un éminent journaliste de la BBC, servait de modérateur au débat ; il semblait sur le point de conclure la rencontre. Peri scruta les trois professeurs, se demandant lequel était Azur.

Le premier – un grand homme maigre aux yeux obliques, intelligents – était chauve avec une grande barbe poivre-et-sel qu'il tripotait nerveusement quand il entendait des propos qui n'étaient pas à son goût. Costume gris, chemise rose à carreaux, bretelles rouges à clips métalliques et un air belliqueux qui émergeait parfois sous son sourire appliqué. Il contemplait souvent ses mains comme si elles renfermaient un mystère qu'il espérait résoudre.

Le deuxième, le plus âgé des trois, avait le visage large, le teint rouge, des cheveux gris clairsemés et une bedaine qu'il oubliait de dissimuler quand il s'excitait. Il portait une veste d'un brun-roux qu'il trouvait soit trop étroite, soit inconfortable pour une autre raison, car il semblait mal à l'aise, recroquevillé dans son siège, le regard vague. À Peri, il faisait l'impression de quelqu'un de gentil, le genre d'homme qui préférerait passer du temps avec ses étudiants ou ses petits-enfants qu'à débattre de Dieu sur un podium.

Le troisième orateur, assis à l'écart des autres à la gauche du modérateur, avait une chevelure dorée qui tombait en vagues élégantes plus bas que son col, et un nez proéminent qui hésitait entre le hideux et le magnifique. Ses yeux brillaient comme des fragments d'obsidienne derrière leurs lunettes classiques noires et écaille de tortue quand il regardait l'auditoire avec un sourire désabusé. Peri n'arrivait pas à décider si son allure placide était le signe d'une âme en paix avec elle-même ou le reflet d'une hubris bien entretenue. C'était tout aussi difficile de deviner son âge. La souplesse ferme de son maintien suggérait qu'il était plus jeune que les autres, et son comportement exprimait un entrain qui pouvait être ou non dû à sa relative jeunesse. Peri était sûre que c'était lui le professeur qui faisait délirer Shirin.

« Je crois parler au nom de tous les présents quand je dis que cette discussion a été fascinante, et qu'elle nous a fourni quelques idées provocatrices à ruminer », s'extasia le modérateur. Il semblait épuisé et assez soulagé que l'événement se termine. Peri se demanda ce qui s'était dit avant qu'elle arrive, sentant une forte montée de tension sous le vernis de courtoisie universitaire.

« Maintenant il est temps d'ouvrir la discussion à la salle. Quelques règles de base : posez des questions courtes et pertinentes. Attendez le micro mobile et n'oubliez pas de vous présenter avant de parler. »

Un frémissement d'excitation traversa la salle, comme une brise sur un champ de blé. Aussitôt quelques mains se levèrent, les braves et les intrépides.

Ce fut un étudiant qui se lança le premier. Après s'être brièvement présenté, il entama une tirade sur la dichotomie du bien et du mal, depuis la Grèce antique et Rome jusqu'au Moyen Âge. Le temps qu'il atteigne la Renaissance, l'auditoire commençait à s'agiter et le journaliste l'interrompit : « D'accord, Monsieur. Vous aviez une question en tête, ou vous comptez nous faire un sermon laïc ? »

Des rires fusèrent. L'étudiant rougit et quand il rendit enfin le micro – il n'avait toujours pas posé de question – ce fut avec une réticence manifeste.

La personne suivante qui se leva était un homme d'Église en soutane noire, peut-être un pasteur anglican : Peri ne connaissait pas la différence. Il dit avoir beaucoup apprécié le débat mais avoir été stupéfait d'entendre le premier orateur affirmer que la religion ne tolérait pas de libre discussion. L'histoire de l'Église chrétienne était riche de contre-exemples. Les germes de nombreuses universités en Europe, y compris la leur, avaient été semés par la théologie. Les athées avaient le droit d'exprimer leur opinion, à condition de ne pas dénaturer les faits, conclut-il.

Il s'ensuivit un bref échange entre l'ecclésiastique et le professeur barbu, dont Peri comprit qu'il était l'« athée » en question. Le professeur dit que la religion, loin d'être une alliée de la libre discussion, était sa Némésis depuis la nuit des temps. Quand Spinoza remit en question l'enseignement des rabbins, il ne fut pas félicité pour ses talents intellectuels, mais exclu de la synagogue. On retrouvait le même schéma troublant dans l'histoire de la chrétienté et celle de l'islam. Son propre dévouement à la science et à la clarté lui interdisait de se placer sous l'emprise d'un dogme.

Ce fut ensuite une femme élégante d'âge moyen qui tendit la main vers le micro. Science et religion ne pourraient jamais faire bon ménage, dit-elle, en citant nombre de philosophes et de savants – d'Est en Ouest – qui avaient été persécutés par les autorités religieuses au cours de l'histoire. Elle prit pour cible le deuxième professeur, qui, comprit Peri, n'était pas seulement un illustre érudit mais un homme d'une grande piété.

Ce deuxième orateur, bien que moins disert que son collègue athée, parlait d'un ton modéré soutenu par un fort accent irlandais, énonçant chaque mot lentement, comme une gourmandise à savourer. Selon lui, il n'y avait pas de conflit entre la religion et la science, qui pouvaient avancer main dans la main si on voulait bien cesser de les comparer à l'huile et l'eau. Il connaissait personnellement plusieurs chercheurs scientifiques, experts dans leur domaine, qui étaient fervents chrétiens. Comme le soutenait Darwin – qui ne s'était jamais considéré comme un athée – il était absurde de douter qu'on puisse être à la fois ardent théiste et évolutionniste. Quantité de scientifiques salués aujourd'hui comme « résolument athées » étaient en fait des théistes de cœur.

Pendant tout ce temps, Peri, qui n'avait pas trouvé de siège libre, était debout, adossée au mur. Elle scrutait Azur, qui écoutait la discussion, le front balayé par ses cheveux, le visage éclairé par une lueur énigmatique et le menton posé sur la paume. Il n'allait pas garder longtemps cette position. La question suivante s'adressait directement à lui.

Une jeune femme au premier rang se leva. Les épaules rejetées en arrière, la queue-de-cheval brune captant la lumière du plafonnier, elle se dressa de toute sa hauteur. Même de dos, Peri voyait bien que c'était Shirin.

« Professeur Azur, en tant qu'esprit libre, j'ai un problème avec ma religion maternelle. Je ne supporte pas l'arrogance de soi-disant "experts" ou "penseurs", ni les platitudes intéressées d'imams, de prêtres ou de rabbins. Pardon d'être grossière, mais tout ça n'est qu'une foutue comédie. Quand je vous lis, j'entends une voix qui répond à ma colère. Sur des questions sensibles, vous parlez avec conviction. Quand vous vous asseyez pour écrire, vous avez un lecteur particulier en tête ? »

Azur inclina la tête sur le côté avec un gentil sourire de compréhension et de complicité – nuance d'expression qui échappa à l'examen de Peri. À la lisière de son angle de vision, une chemise à carreaux bleus détourna son attention. C'était l'étudiant de service qu'elle avait vu à l'entrée. Craignant qu'il ne soit à sa recherche, elle se recroquevilla contre le mur. Mais le jeune homme, le visage affichant une vive hostilité, fixait l'estrade, mâchoires serrées, regard collé à un orateur en particulier : Azur.

Dès que Shirin fut assise, le garçon plongea en avant, zigzaguant parmi les rangs d'auditeurs. Il freina à côté de Shirin, penché tout près d'elle en lui réclamant le micro. Peri n'avait pas la moindre idée de ce qui se passait entre eux, mais elle vit le dos de Shirin se raidir. Saisissant le micro sans plus attendre, le garçon se tourna vers les orateurs, sa voix sonore presque un cri. « J'ai une question pour le professeur Azur. »

Le visage d'Azur s'assombrit. Son mouvement de tête, lent et délibéré, confirma qu'il connaissait le jeune homme. « J'écoute, Troy, dit-il.

— Professeur Azur, vous avez écrit dans un de vos précédents livres – je crois que c'était *Briser la dualité* – que vous ne discuteriez ni avec des athées ni avec des théistes, mais c'est exactement ce que vous faites ici, à moins que je ne m'adresse à un clone. Qu'est-ce qui a changé ? Vous aviez tort à ce moment-là ou vous faites erreur maintenant ? »

Azur lui adressa un sourire – différent de celui qu'il avait adressé à Shirin – rayonnant de froide assurance.

« Vous n'avez le droit de critiquer mes propos du moment que si vous les citez avec véracité. Je n'ai pas dit que je ne discuterais ni avec des athées ni avec des théistes. Ce que j'ai dit c'était… » Il haussa un sourcil. « Quelqu'un aurait un exemplaire de mon livre ? Il faut que je voie ce que j'ai dit. »

Rires dans la salle.

Le modérateur lui tendit un livre. Rapidement, Azur trouva la page qu'il cherchait. « Voilà. »

Il s'éclaircit la gorge – un peu théâtralement, pensa Peri – et commença à lire : « La question cruciale de l'existence de Dieu suscite l'une des disputations les plus ennuyeuses, stériles et mal avisées dans lesquelles ont pu s'engager des êtres par ailleurs intelligents. Nous avons vu, bien trop souvent, que ni les théistes ni les athées ne sont prêts à abandonner l'Hégémonie de la Certitude. Leur désaccord apparent est un cercle de refrains. Il n'est même pas juste d'appeler cette bagarre de mots un “débat”, car les participants, quel que soit leur point de vue, sont connus pour l’intransigeance de leur position. Là où il n’y a pas de possibilité de changement, il n’y a pas les conditions d’un véritable dialogue. »

Azur redressa la tête et examina l’auditoire avant de refermer le livre. « Voyez-vous, participer à un débat ouvert c’est un peu comme tomber amoureux. Le temps qu’il s’achève, vous êtes devenu une autre personne. » Sa voix était sereine ; ses gestes emphatiques, abondants, pleins d’aisance. « Aussi mes amis, si vous ne voulez pas changer, ne vous engagez pas dans des discussions philosophiques. C’est ce que je disais autrefois et c’est ce que je dis maintenant. »

Des applaudissements isolés montèrent du public.

« Je crains que nous n’arrivions au terme du temps imparti. Une dernière question de nos auditeurs », annonça le modérateur.

Un homme âgé se leva. « Puis-je demander à nos distingués érudits s’ils ont un poème préféré parlant de Dieu – qu’ils croient ou non en Lui ? »

Les auditeurs s’agitèrent sur leur siège avec gourmandise.

Le premier professeur dit : « Mes poèmes préférés varient au fil du temps… mais en ce moment je pense à quelques strophes du “Prométhée” de Byron.

Titan ! à tes yeux immortels,
les souffrances de la race humaine,
vues dans leur douloureuse réalité,
ne furent pas, comme pour les dieux, un sujet de dédain.
Quelle fut la récompense de ta compassion ?
une souffrance muette et intense ;
le rocher, le vautour et la chaîne…

« Je ne suis pas très doué pour la récitation de poésie », dit le deuxième professeur. « Je vais essayer T. S. Eliot. »

Beaucoup veulent voir leur nom imprimé.
Beaucoup ne lisent rien d'autre que le résultat des courses.
Tant de lectures pour ne pas lire les mots de Dieu.
Tant de constructions pour ne pas bâtir la maison de Dieu.

Alors que c'était son tour, Azur garda le silence pendant ce qui parut une seconde de trop. Dans le silence de l'expectative, il finit par dire : « Les miens seront empruntés au grand poète persan, Hâfez. Je risque de changer un peu les mots, car comme vous le savez, toute traduction est une trahison d'amoureux. »

Il parlait d'une voix si basse que Peri dut se pencher en avant pour l'entendre. Elle remarqua qu'ils étaient plusieurs comme elle dans l'auditoire.

J'ai tant appris de Dieu que je ne peux plus me prétendre
Chrétien, hindou, musulman, bouddhiste ou juif.
La Vérité a tant partagé de sa Substance avec moi
Que je ne peux plus me prétendre
Homme, femme, ange ou même pure âme.

Tandis qu'il prononçait ces vers, Azur leva les yeux et regarda droit devant lui, au-dessus de l'auditoire. Même s'il ne fixait personne en particulier, et semblait à égale distance de ses admirateurs et de ses critiques, à cet instant Peri ne put réprimer le sentiment que ses mots s'adressaient à elle.

Le modérateur jeta un coup d'œil à sa montre. « Il nous reste juste le temps d'une dernière remarque de chaque orateur, annonça-t-il. Messieurs, comment résumeriez-vous votre opinion en une phrase ? »

Le professeur athée déclara : « Je vais répéter une citation connue et n'irai pas plus loin : *La religion est un conte de fées pour ceux qui ont peur du noir.*

— Dans ce cas, l'athéisme est un conte de fées pour ceux qui ont peur de la lumière », contra le professeur pieux dans son doux ronronnement irlandais.

Toutes les têtes se tournèrent vers Azur. « En fait, j'aime bien les contes de fées, dit-il malicieusement. Mes collègues ici présents s'égarent autant l'un que l'autre. L'un souhaite nier la foi, l'autre le doute. Ils semblent ne pas comprendre que moi, en tant que simple être humain, j'ai besoin des deux. L'incertitude, messieurs, est un bienfait. Nous ne l'écrasons pas. Nous la célébrons. C'est le principe du Troisième Chemin.

— Sur cette note, j'aimerais remercier nos éminents invités et clore cette rencontre », s'empressa de dire le modérateur, craignant que les remarques d'Azur ne déclenchent une nouvelle discussion. Il ajouta que l'événement d'aujourd'hui était un parfait exemple de débat franc, libre et ouvert, conforme à la plus noble tradition britannique et oxfordienne.

« Je vous demande d'applaudir chaleureusement tous nos orateurs ! Et n'oubliez pas, ils vont maintenant dédicacer leurs livres. »

L'auditoire applaudit longuement. Ensuite, ceux qui voulaient des exemplaires signés se ruèrent vers un comptoir couvert de hautes piles de livres, tandis que d'autres s'approchaient de l'estrade dans l'espoir d'échanger quelques mots avec l'un des orateurs ; certains restaient assis et chuchotaient entre eux. Le reste de l'auditoire avançait résolument vers la sortie.

Entre-temps, les trois orateurs se rendirent à la table qui leur était assignée. Une rose jaune avait été disposée en face de chacun d'eux par les organisateurs.

Peri progressait lentement dans la foule, écoutant les conversations à droite et à gauche. Juste avant d'être poussée hors de la salle, elle s'arrêta et fit demi-tour comme si elle voulait rassembler chaque détail à portée de ses yeux. Elle regarda le modérateur en train de ranger ses notes dans son cartable. Elle regarda les deux professeurs plus âgés qui bavardaient avec leurs lecteurs. Et elle regarda la file désordonnée d'admirateurs qui se formait devant Aziz – jusqu'à ce qu'il disparaisse peu à peu parmi le flux des corps.

L'optimiseur

Istanbul, Oxford, 2001

Le premier trimestre s'acheva dans un brouillard. Peri, de retour chez elle pour les vacances de Noël, se persuada que l'état de santé de son père n'avait pas empiré, et que la propension de sa mère à l'hygiène n'était pas devenue une obsession. La maison tout entière embaumait la poudre à récurer et les arômes de citron. Sur chaque radiateur, des torchons séchaient, lavés si souvent que leurs motifs et leurs couleurs étaient presque effacés, au-dessus de petites mares d'eau assemblées comme des larmes versées sur les choses enfuies.

La veille du Nouvel An, réunis devant la télévision, père et fille mâchonnaient des châtaignes rôties en regardant un numéro de danse du ventre – la façon dont Mensur célébrait traditionnellement l'arrivée d'une année nouvelle. Selma, comme de coutume, avait regagné sa chambre de bonne heure, non pour dormir mais pour prier. Umut et Hakan étant repartis, ils n'étaient plus que tous les deux, le père et la fille, comme par le passé. Ils ne parlaient pas beaucoup, comme si entre eux le silence avait son langage propre. C'étaient ces rituels, *leurs* rituels, qui avaient manqué le plus à Peri – se promener longuement au bord de la mer, faire cuire des *menemen*, jouer au backgammon sur la table de bridge près du cactus devant la fenêtre.

Une semaine plus tard, Peri repartit pour Oxford. Deux voyages consécutifs vers Istanbul ayant lourdement grevé son budget, elle voulait absolument trouver un travail à temps partiel. Par ailleurs, elle avait un autre objectif en tête : en savoir plus sur le professeur Azur.

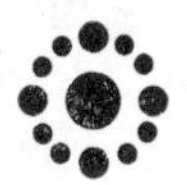

Le trimestre de printemps débuta par un renouveau d'espoirs et de décisions. Peri prit rendez-vous avec son directeur d'études pour lui demander conseil. Avec ses lunettes cerclées de métal et son air constamment distrait, on aurait dit que le Dr Raymond cherchait à résoudre de tête une équation du second degré. De petite taille, la mâchoire ferme, il encourageait chaque étudiant dont il avait la charge à trouver *l'emploi du temps parfait pour optimiser ses ressources intellectuelles*. En retour, les premier cycle lui avaient donné un surnom : l'Optimiseur.

Le Dr Raymond et Peri parlèrent longuement des cours qu'elle devrait choisir en deuxième année. Non qu'il y eût une grande flexibilité. Le programme était à peu près établi, seuls quelques petits ajustements étaient possibles.

« Il y a un séminaire que j'espérais prendre. Tout le monde dit qu'il est épatant, dit vivement Peri. Enfin, pas vraiment tout le monde, mais une amie à moi.

— Et de quel séminaire peut-il bien s'agir ? » demanda le Dr Raymond en retirant ses lunettes.

Au fil des ans, il avait vu à maintes reprises des étudiants s'envoyer mutuellement sur de fausses pistes. Ce qui convenait à l'un n'apportait que déconvenues à l'autre. En outre, les jeunes gens ont tendance à changer d'avis aussi souvent qu'ils changent leur liste de chansons préférées. Le cours qui les faisait se pâmer d'enthousiasme au début du trimestre ne valait plus tripette à la fin. Pendant ses vingt-trois années au conseil d'administration du collège, il était arrivé à la conclusion qu'il valait mieux ne pas offrir trop d'options aux étudiants. Choix et confusion étaient frères siamois.

Sans se douter des pensées qui traversaient l'esprit de son conseiller, Peri continuait. « Une série de séminaires sur Dieu. Le professeur s'appelle Azur. Vous le connaissez ? »

Les coins de la bouche du Dr Raymond, qui étaient fixés dans un sourire aimable, retombèrent de façon presque imperceptible. « Oh, je le connais de réputation – qui ne le connaît pas ? »

L'esprit de Peri courait à plein régime tandis qu'elle s'appliquait à décortiquer l'intonation de cette remarque simple en apparence. Elle avait appris que les Anglais exprimaient souvent leurs opinions de manière oblique. À la différence des Turcs, ils ne communiquaient pas leur ressentiment par le ressentiment, ni la colère par une colère au carré. Non, leur conversation était faite de strates : la gêne la plus forte pouvait s'exprimer par un simple sourire réticent. Ils complimentaient là où, en vérité, ils souhaitaient dénoncer ; ils enveloppaient leurs réserves d'éloges cryptiques. *Si je jouais mal un rôle sur scène*, se disait Peri, *en Turquie on me bombarderait de branches de houx piquantes. En Angleterre, j'imagine que ce seraient des roses – avec la certitude que je saisirais le message des épines. Des styles totalement différents.*

Le Dr Raymond se taisait, réfléchissant à la meilleure manière d'aborder ce problème délicat. Quand il reprit la parole, il articula chaque mot avec soin – comme un parent expliquerait les faits de la vie à un enfant boudeur. « Je ne suis pas entièrement convaincu que ce serait le bon choix pour vous.

— Mais vous avez dit que je pouvais choisir un sujet intéressant du moment qu'il figurait sur la liste des options, et c'est bien le cas. J'ai vérifié.

— Vous pouvez peut-être me dire pourquoi vous voulez prendre ce séminaire ?

— Le sujet... m'importe pour des raisons familiales.

— Des raisons familiales ?

— Dieu a toujours été un sujet de conflit dans notre maison. Ou la religion, je devrais dire. Ma mère et mon père ont des opinions opposées. J'aimerais étudier la question convenablement. »

Le Dr Raymond s'éclaircit la gorge. « Nous avons la chance d'avoir ici l'une des plus grandes collections de livres du monde ; vous pouvez lire tout ce que vous voudrez concernant Dieu.

— Ça ne serait pas mieux de le faire sous la conduite d'un professeur ? »

C'était une question à laquelle le Dr Raymond préférait ne pas répondre, et il ne répondit pas. « Azur est très savant, ça, c'est sûr, mais je dois vous avertir que ses méthodes d'enseignement sont, comment dirais-je, peu orthodoxes. Elles ne conviennent pas forcément à tout le monde. Ce séminaire divise les étudiants – certains l'apprécient énormément, d'autres y sont très malheureux. Ils viennent ensuite me voir pour se plaindre. »

Peri resta immobile. Bizarrement, le manque d'enthousiasme de son conseiller ne faisait qu'aiguiser sa curiosité ; elle était maintenant encore plus désireuse de prendre ce séminaire.

« Rappelez-vous qu'il s'agit d'un petit groupe. Azur accepte peu d'étudiants et il exige d'eux qu'ils soient présents chaque semaine et qu'ils fassent toutes les lectures et les exercices demandés. C'est beaucoup de travail.

— Ça ne me fait pas peur de travailler dur. »

Le Dr Raymond émit un soupir audible. « Eh bien faites, allez parler à Azur, demandez-lui de vous montrer le programme. » Il ne put s'empêcher d'ajouter : « S'il en a un, bien sûr.

— Qu'est-ce que vous voulez dire, Monsieur ? »

Le Dr Raymond marqua une pause, un voile d'inquiétude passa sur ses traits habituellement enjoués. Il fit alors quelque chose qu'il n'avait jamais fait pendant toutes ces années comme enseignant à Oxford : un commentaire négatif à un étudiant dans le dos d'un collègue. « Écoutez, ici on considère Azur comme un drôle d'oiseau. Il croit qu'il est un génie, et les génies pensent qu'ils ne sont pas soumis aux règles du commun des mortels.

— Oh, suffoqua Peri. Mais c'est vrai ?

— Qu'est-ce qui est vrai ?

— Que c'est un génie ? »

Le Dr Raymond comprit que son cynisme s'était retourné contre lui, et que tout ce qu'il dirait maintenant risquait de le coincer dans une impasse. Son expression solennelle céda la place à un air de bonne humeur. « C'était une sorte de plaisanterie.

— Une blague ? Je vois…

— Ne vous précipitez pas, prenez votre temps, dit le Dr Raymond en rechaussant ses lunettes pour signifier la fin de la conversation. Voyez d'abord quelle impression ça vous fait. Si vous avez des doutes, revenez m'en parler, nous vous trouverons facilement une autre option. Plus appropriée. »

Peri se leva d'un bond, n'ayant entendu que ce qu'elle voulait entendre. « Épatant, merci Monsieur. »

Après le départ de Peri, les lèvres du conseiller s'affaissèrent tandis qu'il méditait. La mâchoire encore plus tendue, les narines frémissantes et les doigts noués sous le menton, il resta un moment assis dans son fauteuil, immobile. Pour finir, il haussa les épaules, décidant qu'il avait fait ce qu'il pouvait. Si cette petite idiote voulait embrasser plus qu'elle n'était capable d'étreindre, elle n'aurait de reproches à faire qu'à elle-même.

La jeunesse

Istanbul, 2016

Deniz, debout derrière la chaise de Peri, se pencha en avant, lui donna un rapide baiser sur la joue et lui murmura à l'oreille : « Maman, je veux partir. »

Son visage saisit la lumière du lustre en verre de Murano. Son amie, debout à côté d'elle, enroulait une mèche de cheveux sur son doigt. Les deux adolescentes avaient l'air de s'ennuyer ferme. Même si elles tenaient à être incluses dans le monde des adultes, il était clair qu'elles le trouvaient terne et peut-être prévisible.

« Selim va nous conduire à la maison », ajouta Deniz.

Elle ne demandait pas la permission à sa mère, elle se contentait de l'informer. L'autre adolescente, fille du banquier, venait aussi – invitée à l'improviste à dormir chez eux. Elles avaient fait leurs plans. Elles veilleraient sans doute tard à écouter de la musique, envoyer des textos à leurs amis, grignoter des cochonneries, ricaner en regardant des photos Instagram et des vidéos sur YouTube ; ce qui n'empêcherait pas Deniz de se plaindre, un amas de griefs s'étant accumulé dans son cœur, comme si elle vivait dans un centre de détention et non au foyer de parents aimants.

« D'accord, ma chérie », dit Peri. Elle faisait confiance au chauffeur de son mari, Selim, qui servait la famille depuis de nombreuses années. « Vous pouvez partir devant. Papa et moi nous n'allons pas tarder. »

Les invités sourirent. Certains levèrent les yeux au ciel. C'était un dialogue courant chez quiconque avait des enfants de cet âge.

« Ciao, les filles ! » Depuis son coin, le banquier leur fit au revoir de la main.

« Je vous accompagne dehors, mesdemoiselles », dit Peri, en repoussant son siège.

Adnan se leva. « Non, ne bouge pas, chérie, je vais le faire. »

Ses yeux s'illuminèrent quand il croisa son regard. Il ne semblait plus préoccupé par le polaroïd. Il avait renoncé à poursuivre la question, chose qu'il faisait très bien, sachant quand laisser filer – à la différence de Peri. Sans se forcer, il lui sourit, sourire indiquant qu'il prenait la responsabilité des opérations et remettait tout en ordre. Pondéré, plein de bon sens, Adnan adorait résoudre les problèmes, et s'il ne pouvait les résoudre, il savait comment les gérer. En cela aussi, très différent de Peri. Pour elle, les problèmes étaient comme des piqûres d'insectes : elle les grattait et grattait encore, incapable de les laisser guérir ou de ne pas y toucher. Tandis que lui aimait réparer tout ce qui était brisé, les gens comme les objets. *Comment expliquer autrement son penchant pour l'instabilité*, pensait Peri. *Comment expliquer autrement son penchant pour moi.*

Quand son mari et sa fille passèrent près d'elle, Peri se leva. Elle embrassa Adnan sur les lèvres, alors même qu'elle savait que certains invités trouveraient cela contraire à l'étiquette, et d'autres carrément indécent. « Merci, chéri. »

Parfois, quand elle le remerciait pour des détails du quotidien, elle avait conscience, en réalité, de lui dire merci pour toutes ces choses plus importantes qu'il vaut mieux passer sous silence. Oui, elle lui était reconnaissante, et reconnaissante envers le destin qui le lui avait envoyé. Mais, là encore, elle savait que la gratitude n'est pas l'amour.

Écoute-moi, Souriceau, il y a deux sortes d'hommes : les casseurs et les réparateurs. On tombe amoureuse des premiers, mais on épouse les seconds. Elle avait horreur de penser que la vie, sa vie, avait confirmé la théorie de Shirin.

Les yeux débordant d'affection, Peri sourit à sa fille. Elle allait la serrer dans ses bras mais quelque chose dans l'expression de Deniz lui dit *Maman, non, s'il te plaît, pas devant ces gens-là.*

« Je t'aime », dit-elle doucement.

Deniz hésita une seconde. « Je t'aime aussi. Comment va ta main ? »

Peri retourna le pansement, du sang séché sur les bords. « Bien. Elle sera comme neuve demain.

— Ne recommence jamais ça », chuchota Deniz, comme si c'était elle la mère soucieuse et Peri la fille rebelle. Puis d'un ton gai elle dit aux invités : « Bonne nuit tout le monde. Et défense de fumer. Rappelez-vous, c'est mauvais pour vous.

— Bonne nuit, répondit un chœur de voix.

— Ah, la jeunesse ! dit l'épouse de l'homme d'affaires dès que les adolescentes eurent quitté la pièce. Comme j'aimerais pouvoir remonter le temps. Tu parles, que soixante ans aujourd'hui c'est comme quarante autrefois. Du pipeau, tout ça.

— Parle pour toi, répliqua son époux. Je suis aussi jeune qu'un sou neuf. Fais gaffe, je pourrais divorcer et me trouver un jeune mannequin. »

Le journaliste fit mine de tousser. « C'est un phénomène oriental, pourtant, je veux dire le vieillissement prématuré.

Regardez les Occidentaux. Couverts de rides, les cheveux blancs, ils continuent à faire du tourisme à l'étranger. C'est embarrassant de voir ces vieillards américains envahir notre Sainte-Sophie, et gambader parmi les pierres à Éphèse. Quel nom ils se donnent ? Les panthères grises ? Je n'ai encore jamais vu un septuagénaire du Moyen-Orient visiter la planète. Turcs, Arabes, Iraniens, Pakistanais... Nous avons tous de grandes idées sur l'état du monde – mais nous ne le voyons jamais ! »

L'architecte qui avait étalé ses tendances nationalistes tout au long de la soirée lui lança un regard torve.

L'épouse de l'homme d'affaires, soudain occupée à envoyer des textos sur son mobile, releva la tête, l'air radieux. « Bonne nouvelle, mes amis. Le médium est à dix minutes d'ici, je viens de recevoir son message.

— Superbe, dit la DRP en se laissant aller contre son dossier. Nous avons tellement de choses à lui demander. Les gosses sont partis, nos verres sont pleins – maintenant on peut se déboutonner. J'adorerais déterrer quelques secrets coquins ce soir. »

Ce disant, elle fit un clin d'œil à Peri. Qui ne répondit pas à son signal.

Le pittoresque étranger

Oxford, 2001

N'ayant jamais cherché de travail jusque-là, Peri ne savait trop par où commencer. Pourtant, elle était résolue à trouver un boulot quelconque, malgré les exigences de son emploi du temps, sans même parler de son visa étudiant, qui ne lui autorisait qu'un nombre restreint d'heures de travail par semaine. Elle alla donc tout droit voir son amie exubérante qui avait un avis sur tout – y compris sur les sujets dont elle ne savait rien.

« Il te faut un CV qui montre ton expérience professionnelle », telle était l'opinion de Shirin.

« Mais je n'en ai pas du tout.

— Ben tu l'inventes. Qui va vérifier si tu as travaillé comme serveuse dans une pizzeria d'Istanbul ?

— Tu veux que je mente ? »

Shirin leva les yeux au ciel. « Oh, le pouvoir de la sémantique ! Ça a l'air affreux quand tu le dis comme ça. Utilise ton imagination, c'est tout ce que je dis. Un peu comme si tu maquillais délicatement ta bio. Ne me dis pas que tu as quelque chose contre le maquillage ! »

Pendant un bref instant, elles s'entre-dévisagèrent : l'une fardée, l'autre la peau nue. Ce fut Shirin qui rompit le silence. « Je crois que je ferais mieux de te donner un coup de main. »

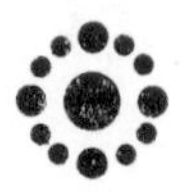

De bonne heure le lendemain matin, Peri trouva une enveloppe glissée sous sa porte. Apparemment, Shirin lui avait déjà rédigé son CV.

Une minute plus tard, Peri frappait à la porte de son amie. Dès qu'elle entendit un vague murmure lui parvenir, elle se rua à l'intérieur en brandissant une feuille de papier. « C'est quoi, ce truc ? je n'ai rien fait de tout ça. »

De la silhouette de Shirin, toujours au lit, la tête enfouie sous un oreiller, lui parvint un son étouffé. « Beurk, je le savais, la gentillesse n'est jamais récompensée.

— J'apprécie ton aide, dit Peri, mais ce papier prétend que j'ai été serveuse à Istanbul dans un bar souterrain à la mode jusqu'à ce qu'il brûle. Un incendie criminel ! Et que j'ai travaillé à la bibliothèque des manuscrits ottomans, comme spécialiste des bouffons et des eunuques du palais ! Oh, et encore celui-ci : pendant l'été je m'occupais d'un poulpe dans un aquarium privé. »

Une Shirin en pyjama de satin rose saumon surgit de sous les draps et releva son masque en gloussant. « Là, le dernier, je me suis peut-être un peu laissée emporter.

— Seulement le dernier ? Tu crois vraiment que ces âneries vont m'aider à trouver un travail à temps partiel ?

— Non, mais elles vont faire de toi une curiosité exotique. Fais-moi confiance, les Anglais cultivés adorent le multiculturalisme. Pas trop, juste une pincée. De gens comme toi et moi, on tolère qu'ils soient un peu… *excentriques.* Ça nous rend divertissantes. Alors tu pourrais aussi bien entrer dans leur jeu, en profiter. Si les étrangers n'apportaient pas un brin de nouveauté – et de bonne nourriture – qui voudrait d'eux en Angleterre ? »

Peri garda le silence.

« Écoute, qu'est-ce que tu crois que le British moyen connaît de nos pays ? Ils supposent que là-bas soit les gens nagent au milieu des dauphins et mangent des calamars, soit ils se baignent en burkini et scandent des slogans islamiques. »

Peri cligna des yeux, envahie par une surabondance d'images.

« Ce que je veux dire c'est qu'ils ont de nous soit une image ensoleillée – plages de sable fin, hospitalité orientale, ce genre de daube. Soit une image glauque – intégrisme musulman, brutalités policières et *Midnight Express*. Quand ils veulent être aimables avec toi, ils te balancent la première image ; quand ils veulent te mettre au défi, la seconde. Même les mieux éduqués ne sont pas imperméables aux clichés. » Shirin se leva pour aller se laver le visage au lavabo fixé au mur. « Que ça te plaise ou non, ma vieille, ce que tu entends de ma bouche, c'est la dure vérité. Il faut que tu t'insurges contre les stéréotypes.

— Et c'est la bonne manière de le faire, en falsifiant les faits ? interrogea Peri avec un coup d'œil au CV qu'elle avait à la main.

— C'est une des putains de manières possibles », dit Shirin en se passant les doigts dans les cheveux, des gouttelettes d'eau accrochées au menton.

Motivée par un sentiment de culpabilité, Peri se mit en campagne avec son CV. Au début, elle chercha des annonces sur les vitrines de commerçants du style « Recherchons assistant ». Il n'y en avait aucune. Prenant son courage à deux mains, elle entra dans une pâtisserie et parla au gérant, qui refusa poliment son offre. Elle tenta sa chance ensuite au pub où elle avait déjeuné avec ses parents. Même résultat. Troisième essai, la librairie dont elle raffolait, Deux Sortes d'Intelligence. Les propriétaires ne furent pas du tout surpris de sa requête. Les étudiants venaient constamment leur demander s'ils auraient un petit boulot pour eux.

« Vous avez déjà travaillé, mademoiselle ? » interrogea le mari.

Peri hésita. « Je crains que non. Mais vous savez que j'adore les livres. »

L'épouse sourit. « C'est votre jour de chance ! Nous cherchions quelqu'un pour nous donner un coup de main pendant les semaines qui viennent. Nous ne pouvons pas vous promettre de vous garder ensuite. Peut-être de temps en temps, quand nous sommes débordés. Qu'est-ce que vous en dites ?

— Ça me semble parfait ! » répondit Peri, qui n'arrivait pas à croire ce qu'elle venait d'entendre.

En quittant la librairie, elle aperçut, posé sur une étagère, les *Rubáiyát* d'Omar Khayyam, le poète chéri de son père. Avec une introduction du traducteur anglais Edward Fitzgerald et de nombreuses illustrations, cette belle édition ancienne était irrésistible. Heureusement, ils lui proposèrent une forte remise.

Dehors, une petite bruine commençait à tomber. Des gouttes fines, tièdes, qui lui réchauffèrent le moral. Elle sourit, glissa le CV à l'intérieur du livre, et regarda sa montre. Une heure encore avant sa séance de tutorat. Elle avait le temps de partir en quête d'Azur et obtenir le programme de son séminaire sur Dieu. D'après tout ce que Shirin lui avait dit à son sujet – sans compter ses sentiments contradictoires en l'observant le soir du débat – elle redoutait un peu de le rencontrer en personne.

Tout en pensant encore au professeur, elle ouvrit au hasard le recueil de poèmes, qui étaient le souffle et l'âme de Khayyam :

Si seulement je contrôlais l'Univers de Dieu,
Ne voudrais-je pas effacer ces Cieux imparfaits,
Et de rien édifier un vrai Paradis
Où toute âme atteindrait le désir de son cœur ?

Elle lut le quatrain soigneusement, lentement. Fallait-il y voir un présage de l'avenir ? Si c'était bien le cas, que pouvait-il bien être ? Si son père la voyait chercher un signe dans les paroles d'un poète qui vivait il y a plus de mille ans, il ne serait pas ravi.

Mais Peri n'avait pas le sentiment d'enfreindre la règle d'or paternelle en consultant Khayyam « C'est pour ça que j'aime tant la poésie, murmura-t-elle en son for intérieur. Je peux toucher, voir, entendre, humer et goûter les poèmes. Tous mes sens travaillent, tu peux me croire, Baba. »

L'heure était venue, donc, d'aller enfin rencontrer face à face ce professeur.

Troisième partie

Le serin

Oxford, 2001

Ne sachant où chercher le professeur Azur, Peri hasarda l'hypothèse qu'elle parviendrait à le trouver quelque part à l'École de théologie. S'il enseignait Dieu, sûrement c'est là qu'il devait être.

Majestueux et modeste, ce bâtiment médiéval était l'édifice le plus ancien d'Oxford qui soit destiné à l'enseignement et l'étude. Avec ses archivoltes, ses portes de bois sculptées et ses arcs-boutants, il paraissait moins la prouesse architecturale qu'il était en fait qu'une délicate aquarelle peinte par un artiste rêveur. Une attente somnolente emplissait l'air, comme si ces vieilles pierres, lasses de tant de décennies paisibles, espéraient quelque chose d'autre – c'était en tout cas l'impression de Peri quand elle s'en approcha ce jour-là.

Elle se sentit attirée à l'intérieur par un je-ne-sais-quoi d'exaltant et de spirituel dans les arêtes de la voûte construite au XVe siècle. Personne ne lui interdit d'entrer, et il n'y avait apparemment personne dans la grande salle éclairée par des fenêtres de style gothique perpendiculaire – hormis un étudiant assis par terre, jambes croisées, qui était plongé dans un livre. Au bruit des pas de Peri, il releva la tête. Sous la lumière oblique d'une fenêtre haute, ses traits se brouillèrent un instant, puis redevinrent visibles – front étroit, cheveux carotte, taches de rousseur. Le jeune homme de garde à l'entrée du débat sur Dieu ; celui qui avait attaqué le professeur Azur devant tout le monde. Elle se rappelait son nom – seulement parce qu'il évoquait pour elle l'ancienne cité turque de Troie.

« Bonjour, dit prudemment Peri.

— Tiens, salut. » Son sourire indiqua qu'il la reconnaissait. « Tu étais au musée, l'autre jour. Tu travailles là-bas ?

— Non. Seulement comme bénévole. Je ne suis qu'un vil étudiant de premier cycle – comme toi. »

Peri s'attendait presque à ce qu'il la réprimande pour s'être faufilée dans la salle du débat, mais soit il ne l'avait pas repérée, soit tout simplement il ne souhaitait pas remettre le sujet sur la table. Au lieu de quoi il bavarda d'un ton nonchalant, lui demanda d'où elle venait et ce qu'elle étudiait. Maintenant qu'il était dépouillé de tout vestige d'autorité, il était abordable, et même affable.

« Je cherche le professeur Azur, dit Peri quand la conversation ralentit. Tu sais où peut être son bureau ? »

Le visage de Troy se figea un instant. Sa voix, quand il reprit la parole, semblait creuse, comme un ballon qui se serait dégonflé. « Tu ne le trouveras pas par ici. Ce sont des bureaux universitaires, maintenant. Tu le cherches pour quoi, d'ailleurs ? »

N'étant pas préparée à cet interrogatoire, Peri bafouilla : « Euh... son séminaire m'intéresse.

— Ne me dis pas que tu vas prendre "Dieu" comme option !

— Pourquoi pas ? Qu'est-ce qu'il y a de mal à cela ?

— Tout. Ce type est un loup déguisé en professeur.

— Tu ne l'apprécies pas ?

— Il m'a viré de son cours. D'ailleurs je le poursuis en justice. Je vais le démolir au tribunal.

— Ouaouh ! je ne savais pas que les étudiants avaient le droit de faire ça ! Enfin, je voulais dire... Désolée d'apprendre que tu as eu un problème.

— Problème ? » Troy lui fit écho avec dédain. « Azur est le diable en personne. Méphistophélès. Tu sais qui c'est ?

— Oui, bien sûr. Dans *Faust.* »

Troy parut agréablement surpris qu'une jeune Turque connaisse Faust. « Écoute, tu as l'air sympa, mais comme tu es étrangère, tu ne pourras pas te rendre compte à quel point ce type est dément. Il faut que tu me croies. Tiens-toi à distance d'Azur.

— Eh bien, merci pour l'avertissement, dit Peri, sentant s'évanouir le mince courant de sympathie qui s'était établi entre eux. Mais je déciderai toute seule. »

Troy haussa les épaules. « D'accord, c'est toi qui choisis. Il a un bureau dans son collège. L'entrée donne sur Merton Street. Traverse la cour carrée et prends le troisième escalier sur ta gauche. À l'entrée tu verras une liste de noms peints en blanc sur fond noir. »

Peri le remercia, bien qu'au fond elle trouve étrange qu'il soit si pressé de la guider vers un homme qu'il considérait comme le démon.

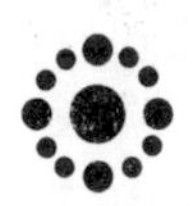

Le collège du professeur Azur était logé au fond d'une vieille allée pavée à l'angle de High Street, à laquelle on accédait par une arche gothique de teinte miel et une cour en pierre.

Peri trouva facilement l'escalier. Écrits à la craie sur les deux côtés du mur extérieur, les résultats de la dernière course en bateau du collège étaient surmontés d'une paire d'avirons. À l'intérieur du porche, elle lut les noms insérés dans les cases d'un panneau : Prof. T.J. Patterson, G.L. Spencer, Prof. M. Litzinger… et Prof. A.Z. Azur, premier étage. Elle suivit le long couloir dallé, sombre et étroit. Là, à droite, il y avait une entrée dont le linteau s'inclinait sous le poids de son grand âge ; sur la porte légèrement entrouverte était épinglé un papier :

Professeur A.Z. Azur
Heures de réception : jeudi 10 h – 12 h / vendredi 14 h – 16 h

Théorie : vous avez une question,
venez la poser pendant les heures de permanence
Contre-théorie : vous avez une question urgente en dehors
des heures de permanence, entrez et voyez ce qui se passe
Choisissez avec soin si c'est la théorie ou la contre-théorie
qui s'applique à votre cas

Puisqu'on n'était ni jeudi ni vendredi, Peri savait qu'elle devrait s'en aller et revenir une autre fois. Pourtant, l'ambiguïté de la note la poussait à l'audace. Elle frappa à la porte – geste inutile puisque, vu le silence qui régnait à l'intérieur, elle était sûre qu'il n'y avait personne pour répondre. Elle frappa une seconde fois, juste pour en avoir le cœur net. Des profondeurs de la pièce lui parvint un son trop suave pour être humain, évoquant, peut-être, un scarabée qui adresserait des trilles à sa compagne ou un papillon en train de se libérer de sa chrysalide. Peri écouta avec attention, le corps tendu. De nouveau, le silence était absolu.

Un flot de curiosité la submergea, cette faim dévorante de tout ce qui est hors de portée. En un éclair, elle décida de jeter un coup d'œil à l'intérieur puis de repartir aussi doucement qu'elle était venue. Elle poussa la porte délicatement. La porte s'entrouvrit en grinçant.

Rien n'avait préparé Peri au spectacle qui l'attendait. Sous une lumière safran diffusée par la haute fenêtre à guillotine entrouverte qui donnait sur un ravissant jardin anglais, se dressaient des colonnes de livres, notes, manuscrits et gravures. Les murs étaient tapissés d'étagères remplies du sol au plafond. Entre les étagères, des cordes de diverses couleurs se croisaient à travers la pièce – comme les cordes à linge où pendait la lessive dans les quartiers pauvres d'Istanbul – chargées de notes et de cartes retenues par des pinces à linge. En face de la porte, un bureau ancien aux pieds griffus, couleur cerise, disparaissait sous d'autres amas de livres. Des bouts de papier rouge sortaient d'entre leurs pages, comme s'ils se moquaient de vous en tirant la langue. Fauteuil, canapé et table basse, jusqu'au tapis écarlate tissé main, étaient tous couverts de livres. S'il existait quelque part un sanctuaire dédié à la parole imprimée, c'était ici.

Mais ce ne fut pas l'abondance de livres ni le désordre de la pièce qui firent freiner net Peri. Il y avait un oiseau, un serin au plumage jaune-vert et à la queue fourchue, piégé à l'intérieur. Il avait dû entrer par la fenêtre et battait des ailes, recherchant frénétiquement la liberté qu'il venait sans doute tout juste de perdre. Peri avança de quelques pas et retint son souffle. Les mains en coupe, elle tenta de capturer la fragile créature le plus délicatement possible, mais l'oiseau, terrifié par sa présence, était en pleine panique. Volant en cercles affolés, il se ruait d'un coin à l'autre et passait parfois à quelques doigts de la fenêtre ouverte, sans parvenir à trouver la sortie.

Avec des mouvements agiles, Peri déposa son exemplaire des *Rubáiyát* sur une pile de livres et tenta d'ouvrir plus grand la lourde fenêtre. Mais le haut du châssis devait être coincé, car il était impossible de le faire bouger. Elle le poussa de toute sa force. L'oiseau, épouvanté par le bruit, la contourna pour se ruer contre la vitre, derrière laquelle, si proche et pourtant si distant, s'étendait le ciel infini. Presque assommé par le choc, il tomba sur une étagère, si près de Peri qu'elle voyait ses yeux comme des petits grains qui luisaient de terreur. Elle jeta un regard plein de compassion sur cette gracieuse créature dont la détresse dans cet environnement inconnu ne lui était que trop familière.

Peri cherchait autour d'elle un instrument qui l'aiderait à décoincer le châssis de la fenêtre. Tandis que ses yeux couraient de droite à gauche, elle détecta une odeur qu'elle n'arrivait pas tout à fait à identifier. À la senteur moisie des livres se mêlait l'arôme doux-amer de pamplemousses qui pourrissaient dans une coupe en bambou, leur éclat pastel contrastant avec les teintes terreuses dominantes de la pièce. Mais derrière il y avait encore une autre odeur. Il ne lui fallut pas longtemps pour en discerner la source. Là, sur un rebord, un bâtonnet d'encens brûlait dans un récipient en bronze où s'était formé un doigt de cendre.

Elle dénicha un coupe-papier en métal dont l'extrémité pointue serait parfaite pour dévisser les broches qui maintenaient la fenêtre. Quand elle eut libéré le châssis de part et d'autre, elle donna une dernière poussée. La vitre glissa jusqu'à mi-hauteur, plus facilement qu'elle ne l'aurait cru. Maintenant il suffisait d'orienter l'oiseau vers cette possibilité accrue d'évasion. Elle retira son pull et l'agita dans l'air.

« Il s'agit d'une nouvelle danse, ou quoi ? » s'enquit une voix derrière elle.

Peri fut si saisie qu'elle en eut le souffle coupé. Quand elle se retourna, elle vit le professeur Azur debout sur le seuil, un bras appuyé au chambranle, qui l'observait, les lèvres chatouillées d'amusement. Vus de près, ses longs cheveux châtains avaient des teintes dorées, comme des fils d'or tissés dans une tapisserie sombre. Il ne portait pas de lunettes aujourd'hui.

« Oh, je suis affreusement désolée, bafouilla-t-elle, faisant un pas vers lui, puis aussitôt un pas en arrière. Je ne voulais pas du tout entrer sans autorisation.

— Alors pourquoi l'avez-vous fait ? demanda-t-il avec l'air de souhaiter sincèrement le savoir.

— Euh, j'ai vu cet oiseau.

— Quel oiseau ? »

Peri indiqua sa gauche, là où le volatile se trouvait à l'instant, mais ne vit plus que le vide. Elle jeta un regard nerveux à la ronde. Le serin avait disparu sans laisser de trace. « Il a dû filer par la fenêtre pendant que nous parlions. »

Il garda le silence une longue minute. De son regard concentré émanait une étrange familiarité, comme si elle était un livre de plus qu'il avait lu autrefois dont il essayait de se souvenir. Enfin, il dit : « C'était de l'ambre, au fait.

— Je vous demande pardon ?

— L'encens que vous regardiez. Le jeudi c'est de l'ambre. Je fais brûler des espèces différentes pour chaque jour. Vous aimez l'ambre ? »

Le cœur de Peri manqua un battement. Oui, elle connaissait les pouvoirs de l'ambre.

« Les femmes romaines portaient des boules d'ambre. Certains disent pour leur parfum, d'autres, pour se protéger contre les sorcières. »

Les yeux de Peri s'agrandirent. Elle ne savait pas si c'étaient les avertissements de Troy, ou quelque chose de particulier chez Azur, mais elle se sentait troublée.

« Ne me dites pas que vous avez peur ? demanda-t-il, devinant son malaise.

— De l'ambre ?

— Des sorcières.

— Bien sûr que non », fit vivement Peri. Une voix intérieure lui disait que s'il l'avait vue regarder le bâton d'encens, il devait être là depuis assez longtemps pour avoir vu l'oiseau. « Encore une fois, Professeur, je suis vraiment désolée d'être entrée dans votre bureau.

— Vous vous excusez toujours autant ? Deux fois en trois minutes, si c'est votre moyenne, c'est trop, vous ne croyez pas ? »

Peri rougit. Il avait raison. Elle s'excusait beaucoup trop – d'être en retard de quelques minutes à un rendez-vous ; d'avoir lâché la porte qu'elle tenait ouverte pour la personne suivante une seconde trop tôt ; de dépasser quelqu'un sur un trottoir ; d'avoir effleuré une cliente avec son chariot au supermarché... Elle disait « désolée » à longueur de temps.

« Voici une hypothèse », dit Azur en repoussant les cheveux qui lui tombaient sur les yeux. « Les gens qui s'excusent sans nécessité ont aussi tendance à remercier sans nécessité. »

Peri avala laborieusement. « Peut-être que ce sont juste des anxieux qui tentent d'avancer. Ils font ce qu'ils peuvent pour se maintenir au niveau des autres mais ils savent qu'il y a toujours un fossé.

— Quel genre de fossé ?

— Comme si nous n'étions pas à notre place. » Peri regretta aussitôt ce qu'elle venait de dire. Pourquoi dévoilait-elle ses sentiments à cet homme qui était non seulement un inconnu mais de plus un professeur, doublement éloigné de son monde à elle ?

Azur contourna Peri, s'assit derrière son bureau, griffonna une note sur un bout de papier et l'accrocha sur la corde à linge au-dessus de sa tête. « Alors vous craignez que les autres étudiants pensent que vous n'êtes pas des leurs ? Un imposteur qui fait semblant de ressembler à tout le monde ? Vous pensez que vous êtes... différente ? Possédée ? Bizarre ? Folle ?

— Je n'ai pas dit cela », protesta Peri. Chaque muscle de son corps se raidit dans l'attente du coup suivant.

Sans prendre garde à sa réaction, il poursuivit : « Dites-moi, qu'est-ce qui vous fait croire que vous ne méritez pas d'être à Oxford ?

— Je n'ai pas dit ça non plus. » Son regard s'arrêta sur le tapis écarlate qui lui rappelait ceux de chez elle. « Les gens d'ici sont si brillants, déclara-t-elle à ses pieds.

« Et pas vous ?

— Si, mais pour ça il faut que je travaille dur. Les autres étudiants, ils s'adaptent facilement à la vie universitaire. Pour moi, c'est plus compliqué. » Peri se rappela soudain la raison de sa venue. « En fait, j'aimerais voir les détails de votre séminaire sur Dieu. Le Dr Raymond a suggéré que je vous demande directement.

— Ah, le Dr Raymond ? »

Azur semblait ne pas avoir une très haute opinion de son « tuteur moral » – son conseiller universitaire – mais il ne s'attarda pas sur ce point. Au lieu de cela, il sortit une note d'un livre à reliure de cuir, la parcourut avec une grimace, en fit une boulette qu'il jeta adroitement dans une corbeille à papier et annonça : « Vous pensiez au prochain trimestre d'automne, je suppose. Le séminaire est complet et il y a une liste d'attente. »

Ça, Peri ne s'y attendait pas. Maintenant qu'on lui disait que le séminaire était hors d'atteinte, elle mourait d'envie d'y entrer.

« Cependant, dit Azur à la vue de sa déception, il y a un étudiant qui sera obligé de partir. Alors nous aurons peut-être une place disponible à un moment. »

Le visage de Peri s'éclaira. Sous son ardeur, elle éprouva un léger malaise à l'idée que l'étudiant auquel il faisait allusion était sans doute Troy.

« Il y avait un garçon –

— Oui… il est en colère et agressif. Les gens en colère et agressifs ne peuvent pas étudier Dieu. »

Le silence s'étendit entre eux, déployé comme un rouleau de parchemin. Depuis son bureau, Azur avait les yeux fixés sur Peri. « Maintenant dites-moi. Pourquoi voulez-vous participer à ce séminaire ?

— Dans ma famille, Dieu est un sujet de division. Mon père est –

— Vos parents ne sont pas ici. C'est vous que j'interroge.

— Eh bien, je me suis toujours sentie ambivalente concernant la foi – et curieuse, aussi. J'ai besoin de clarifier mes pensées.

— La curiosité est sacrée. L'incertitude est une bénédiction, dit Azur, répétant les opinions qu'il avait exprimées lors du débat. Quant à clarifier vos pensées, je suis la dernière personne à Oxford que vous devriez consulter sur ce point. »

À l'extérieur, un oiseau faisait des vocalises, et Peri se demanda si c'était le serin, de retour dans la nature qui, bien que pleine de dangers et de cruauté, n'en était pas moins sa demeure. Elle ne vit pas que pendant ce moment de distraction le professeur tendait le bras vers le livre de poèmes qu'elle avait posé là.

« Aha ! Qu'est-ce que nous avons là ? Ma parole, une édition ancienne des *Rubáiyát* ! » s'exclama Azur.

Avant qu'elle ne puisse réagir, il avait ouvert le livre et trouvé son CV.

« Oh, c'est juste un… », marmonna Peri.

Avec un mélange de plaisir et d'incrédulité, le professeur Azur scruta la page concoctée par Shirin. « Tiens tiens ! Vous avez pris soin d'un poulpe ? »

Peri se figea.

« Des créatures mystérieuses, très intelligentes. Environ deux tiers de leurs neurones sont logés dans leurs tentacules, je suis sûr que vous le saviez. »

N'ayant pas d'autre choix, Peri en convint.

« Pensez-vous que les bras d'un poulpe sont animés d'une volonté propre ? » demanda Azur. Au grand soulagement de Peri, il ne semblait pas attendre de réponse. « Pendant des décennies, on a cru que plus le cerveau d'un animal était gros, plus il devait être intelligent. On associait l'intelligence à la taille du cerveau. Comme c'était sexiste ! Les hommes ont plus de tissu cérébral que les femmes. Et voilà qu'arrive le poulpe splendide, qui déboulonne les mythes avec ses six bras – pas huit, au fait, les gens se trompent souvent en comptant aussi les jambes. Et si, au lieu d'un gros morceau de cerveau centralisé, un réseau complexe de cerveaux multiples représentait l'étape suivante dans la chaîne de l'évolution ? »

Un subtil frisson d'excitation envahit Peri, presque malgré elle. Elle avait plaisir à l'écouter, s'avisa-t-elle.

« Puisqu'il devient plus astucieux en prenant de l'âge, si seulement il pouvait vivre plus longtemps, le poulpe constituerait l'espèce la plus brillante sur terre. Mais Aristote, le plus grand des philosophes, pensait que les poulpes étaient idiots. Alors qu'est-ce que ça nous apprend sur Aristote ? »

Peri avait le sentiment étrange que quelle que soit la direction prise par cet échange, il ne portait plus sur un philosophe et un mollusque, mais sur Azur et elle-même. « Qu'Aristote se trompait, dit-elle, qu'il avait peut-être des préjugés. Il pensait qu'un poulpe n'avait rien d'intéressant, et qu'il en connaissait déjà tout ce qu'il y avait à savoir. Il n'a donc pas vu que cet animal renfermait des merveilles. »

Le professeur sourit. « Tout à fait… Peri, dit-il après un coup d'œil sur le CV. Tout comme le poulpe d'Aristote, Dieu est une énigme qui demande à être explorée.

— Mais c'est différent. Nous n'avons pas besoin de *croire* au poulpe ; nous savons qu'il existe. Mais pour Dieu, nous ne pouvons même pas nous entendre sur le fait qu'il existe ou pas. »

Azur fronça le sourcil. « Mon séminaire n'a rien à voir avec la croyance. Nous sommes en quête de savoir. »

Une note de fermeté dans sa voix. Méditative et impatiente. Peri soupçonna que lorsqu'il se parlait à lui-même, en travaillant tard le soir ou en marchant par des matins humides de rosée, c'est ce ton qu'il devait employer.

« Le séminaire sur Dieu est une réunion d'esprits curieux. Nous venons d'origines très diverses mais nous avons un point en commun : l'esprit d'enquête. C'est un programme qui requiert beaucoup de lectures et de recherches. Ça m'est égal que vous soyez croyante ou pas. Chez mes étudiants, il n'y a qu'un seul péché : la paresse. »

Peri demanda prudemment : « Et le programme ?

— Ah, le sacro-saint programme ! tonna Azur. Le monde académique abomine l'improvisation. Il faut dire aux étudiants de premier cycle ce qu'ils liront chaque semaine, leur donner un mois de préavis. Autrement ils vont paniquer ! »

Sur ces mots, il ouvrit un tiroir, en sortit une feuille de papier, la plaça à l'intérieur des *Rubáiyát* et lui tendit le volume. « Le voilà, si vous y tenez. » Et conserva le CV.

« Merci », dit Peri, même si elle était certaine que ce document était aussi loin de la vérité que le CV rédigé pour elle par Shirin.

« Avant que vous ne partiez, dit Azur, vous avez parlé de confusion et de curiosité, et vous semblez avoir un don pour vous rendre les choses compliquées. Ce sont les trois C indispensables pour entreprendre une honnête étude de la *possibilité* de Dieu.

— Vous voulez dire la confusion et la curiosité… ?

— Et la complication. Certains appellent cela le chaos ! ajouta Azur. Quiconque n'a pas les C nécessaires n'est pas en bonne position pour étudier Dieu. »

Sans garantie que cela voulait dire qu'elle était admise au séminaire, mais se sentant tenue de le remercier malgré tout, Peri sourit et referma doucement la porte sur Azur. Tandis qu'elle traversait la cour, elle jeta un regard en arrière au bâtiment, essayant de repérer la fenêtre qui avait pris le serin au piège. Ses yeux parcoururent la façade érodée et se fixèrent sur un châssis verni, derrière lequel glissa l'ombre du professeur, comme une pensée fugitive. Mais peut-être était-ce juste son imagination.

Le saint programme

PÉNÉTRER L'ESPRIT DE DIEU/DIEU DE L'ESPRIT
École supérieure de philosophie et de théologie

Le jeudi de 14 h à 16 h 30
Salle de conférences, 10 Merton Street

Description du séminaire

Dans ce cours hebdomadaire, nous aborderons des questions d'une pertinence croissante pour nombre de personnes aujourd'hui à travers le monde. Notre but est de nous équiper des outils intellectuels nécessaires pour améliorer notre compréhension et encourager un débat ouvert libre de tout sectarisme ou dogmatisme. Les étudiants doivent être prêts à lire, rechercher, méditer et respecter les opinions qu'ils ne partagent peut-être pas.

Ce séminaire ne fait la promotion d'AUCUNE religion en particulier ni n'adhère à une opinion particulière. Que vous soyez juif, hindou, zoroastrien, bouddhiste, taoïste, chrétien, musulman, bouddhiste tibétain, mormon, bahaï, agnostique, athée, adepte du New Age ou inventeur de votre propre culte, vous aurez un droit égal à la parole. Dans la salle de conférences, nous tenons nos discussions assis en cercle de manière à être équidistants du centre.

Objectifs du séminaire

1. Développer l'empathie, le savoir, la compréhension et la sagesse, *sophos*, dans les domaines relatifs à la notion de Dieu ;
2. Fournir aux étudiants un large éventail de réponses aux questions les plus exigeantes de notre temps ;
3. Encourager les étudiants à réfléchir de manière critique et mesurée à un sujet qui a de l'importance, non seulement en théologie et en philosophie, mais aussi en psychologie, sociologie, politique et relations internationales ;
4. Aborder les dilemmes universels sans répétition mécanique, défaut d'information, fanatisme et crainte d'offenser les autres ;
5. En bref, semer et éprouver la confusion…

Bibliographie du séminaire

Les listes de lecture seront établies individuellement selon votre détermination, votre diligence et vos résultats universitaires. Soyez prêts à vous voir assigner des textes qui contrarient vos propres croyances et à devoir les commenter (par exemple, les étudiants athées pourront avoir à traiter de livres pieux ; les étudiants théistes étudieront des ouvrages écrits par des érudits athées, etc.).

Que peut-on attendre de ce séminaire

Puisque Dieu est notre sujet principal, ce séminaire est sans clôture, sans introduction et probablement sans conclusion. Il appartient à l'étudiant de décider ce qu'il veut retirer de cette expérience et jusqu'où poursuivre le voyage.

a. Les Grues huppées. Ceux qui ne se satisfont pas de voler à moyenne altitude veulent s'élever au-dessus de tous les autres, y compris leur tuteur. Ils vont demander des lectures supplémentaires, discuter les questions, exiger des défis intellectuels, survoler les hauts cols montagneux.

b. Les Hiboux. Moins ambitieux que les Grues, les hiboux sont malgré tout de grands penseurs. Au lieu de dévorer des centaines de pages, ils préfèrent creuser le texte qu'ils ont à disposition, en quête de profondeur. Ils vont mettre en doute le séminaire, les lectures, leur instructeur, et iront jusqu'à douter d'eux-mêmes. Leur contribution au groupe sera immense et unique.

c. Les Martinets alpins. Peut-être moins motivés que les grues, moins intenses que les hiboux, ce sont pourtant les martinets qui voleront le plus loin. Ils vont continuer à lire longtemps après la fin du séminaire, et même longtemps après avoir obtenu leur diplôme.

d. Les Rouges-gorges. Satisfaits du minimum, plus préoccupés de leur classement final que des défis intellectuels qu'ils croiseront en route ; timides et peu désireux de dépasser la réflexion superficielle, ce sont les rouges-gorges qui en toute probabilité retireront le moins de ce séminaire.

Règles de ce séminaire

Toutes les idées sont bienvenues, à condition qu'elles soient étayées par une recherche, une présentation compétente et une ouverture d'esprit. Aucune objection si vous voulez vous alimenter pendant les cours. En vérité, on vous encourage même à apporter de la nourriture (dans des limites raisonnables, ne faites pas d'excès) et des boissons (non alcoolisées, nos cerveaux doivent rester sobres) – pas seulement parce qu'elles améliorent l'humeur et aident l'esprit à se concentrer, mais aussi parce qu'il est difficile d'éprouver de l'hostilité envers quelqu'un avec qui on partage le pain. Ergo, partagez votre nourriture avec vos camarades de cours, en particulier ceux qui cultivent des vues contraires aux vôtres.

Harcèlement, oppression, discours haineux ou conduite malveillante à l'égard d'autres étudiants ne seront pas tolérés (pas plus qu'envers votre tuteur, inutile de le souligner). Se vexer ne sera pas toléré non plus. En acceptant de participer à ce séminaire, vous acceptez tacitement de placer la liberté de parole au-dessus de vos sensibilités personnelles. Si vous ne supportez pas d'entendre des opinions répréhensibles, nous ne pourrons pas en débattre librement. Quand vous vous sentez offensé, ce qui est humain, rappelez-vous ce conseil d'un sage : « Si toute friction t'irrite, comment ton miroir sera-t-il poli [1] ? »

Si vous estimez savoir déjà tout ce qu'il est nécessaire de savoir concernant Dieu et que cela ne vous intéresse pas de vous remplir l'esprit d'informations nouvelles, s'il vous plaît abstenez-vous de venir et « écartez-vous de mon soleil [2] ». Le temps est précieux – le mien comme le vôtre. Ce séminaire est réservé aux Quêteurs. Ceux qui sont « prêts à redevenir des débutants chaque matin [3] ». Si tout cela ressemble trop pour vous à une corvée, rappelez-vous : « La plus haute activité dont soit capable l'être humain, c'est d'apprendre pour comprendre, car comprendre c'est être libre [4]. »

1. Rûmî.
2. Diogène.
3. Maître Eckhart.
4. Spinoza, bien sûr.

La stratégie marketing

Istanbul, 2016

Deux servantes – tenue noire amidonnée, tablier blanc éclatant, expression identique – s'activaient, chargées d'assiettes de cristal garnies de truffes au chocolat.

« Allez, tout le monde, goûtez-les. Ce sont mes bébés », dit l'épouse de l'homme d'affaires.

Ça aussi, on l'avait vu dans les journaux. L'homme d'affaires avait racheté une chocolaterie en faillite. En guise de cadeau d'anniversaire, il avait confié à sa femme la direction de la production et du marketing. Elle avait francisé le nom de la chocolaterie, *L'Atelier* et la marque, *Les Bonbons du Harem.* Les clients turcs n'arrivaient pas à prononcer ce nom en entier, mais sa note française, européenne, exotique, suffisait à rendre le produit désirable, sophistiqué, à la mode.

Maintenant l'hôtesse débordait d'enthousiasme. « Goûtez-en rien qu'un, et je parie que *vous allez vous en lécher les doigts.* »

Les invités se penchèrent pour examiner les friandises, proprement disposées dans leur collerette de papier dentelle.

« Nous leur avons donné des noms de villes du monde. Celui-là avec des framboises c'est Amsterdam. Celui-ci au massepain, Madrid. Berlin est à la bière et au gingembre. Londres, au whisky, dix-huit ans d'âge. Quand on en vient aux ingrédients, rien n'est trop cher.

— Ça, tu peux le dire ! reprit en chœur l'homme d'affaires. Elle a voulu à tout prix un pur malt ! Je cours à la ruine. »

Rires des invités.

Ignorant l'interruption, l'hôtesse dit : « On ne me désigne plus comme l'épouse de l'homme d'affaires. À partir de maintenant je suis femme d'affaires à titre personnel. »

Les invités applaudirent.

Encouragée, la femme d'affaires poursuivit : « Pour Venise, liqueur de cerise. Milan, on a pris de l'amaretto. Zurich, cognac et fruit de la passion. Et Paris, champagne.

— Parle-leur de ta stratégie marketing, dit l'homme d'affaires.

— Nous avons deux collections, dit-elle, pour les picoleurs et les abstinents. Même boîte, produits différents. Vers l'Europe et la Russie, nous exportons des truffes à l'alcool. Vers le Moyen-Orient, les chocolats sans. Astucieux, vous ne trouvez pas ?

— Est-ce que les chocolats halal ont aussi des noms ? interrogea le journaliste.

— Bien sûr, mon cher. » La femme d'affaires les pointa sur les assiettes de cristal. « Médina, aux dates. Dubaï, crème de noix de coco. Amman, caramel et noisettes. Celui-là à l'eau de rose, Ispahan.

— Et pour Istanbul, quel parfum ? demanda Peri.

— A-ha, comment l'oublierait-on ? dit la femme d'affaires. Istanbul devait s'inspirer de contrastes : crème pâtissière à la vanille rencontre poivre noir concassé ! »

Pendant qu'ils bavardaient en dévorant les truffes, les servantes commencèrent à servir des boissons chaudes. La plupart des femmes choisirent de la camomille ou du thé noir, les hommes préféraient du café – espresso, americano. Personne autour de la table ne demanda du café turc, sauf le gestionnaire de fonds spéculatifs, qui était résolu à se guider sur la maxime, « À Rome, fais comme les Romains », même si dans le cas présent les Romains se conduisaient comme s'ils n'étaient pas à Rome.

Désireux de se plier aux coutumes locales, l'Américain demanda : « Est-ce qu'ensuite quelqu'un pourra me lire ma tasse ?

— Ne vous inquiétez pas, dit son hôtesse. Inutile de conserver votre marc de café. Le médium sera là d'un moment à l'autre.

— J'ai hâte de le voir arriver, dit la petite amie du journaliste. J'aurai besoin de passer un bon moment avec lui. »

Peri regarda autour d'elle. Voilà des femmes qui craignaient Dieu, craignaient leur mari, craignaient le divorce, la pauvreté, le terrorisme, la foule, la honte, la folie, dont les maisons étaient d'une propreté immaculée, dont les attentes pour l'avenir étaient on ne peut plus claires. De bonne heure dans la vie, elles avaient fait suivre « l'art d'amadouer le père » par « l'art d'amadouer le mari ». Celles qui étaient mariées depuis assez longtemps exprimaient leurs opinions avec plus de force et d'audace, mais elles connaissaient la ligne à ne pas dépasser.

Peri, elle, ne partageait pas leurs préoccupations ; elle n'avait jamais craint son père, jamais craint son mari, et quant à Dieu, même s'ils n'avaient pas toujours été dans les meilleurs termes, elle était résolue à ne pas Le craindre non plus. La véritable source de son malaise était ailleurs. C'était elle-même, sa propre part d'ombre, qui l'emplissait d'inquiétude.

« Hé, on ne va pas laisser ce médium avoir des entretiens privés avec toutes ces jolies femmes », dit l'homme d'affaires.

À mi-voix, il ajouta une plaisanterie d'assez mauvais goût, à laquelle les invités masculins répondirent par des ricanements et la gent féminine en feignant la surdité.

Peri se rappela avec quelle aisance Shirin jurait en public, en agitant les mains comme pour écraser une mouche qui l'irritait. Elle se rappelait qu'elle aussi avait juré à Oxford, mais une seule fois, lors d'une sortie véhémente contre le professeur Azur qui l'avait bouleversée. Comme c'était facile de haïr un être aimé.

Ici, dans ce pays, il y avait deux espèces de femmes : celles qui se laissaient facilement aller à dire des jurons et se fichaient éperdument d'être stigmatisées comme indécentes (une petite minorité) et celles qui jamais ne feraient rien de tel (la majorité). Les dames de la moyenne-à-haute-bourgeoisie présentes au dîner appartenaient au deuxième groupe. Elles ne disaient jamais de gros mots, sauf quand elles parlaient anglais ou français ou allemand. Allez savoir pourquoi, jurer en langue étrangère n'avait rien d'incorrect. Une obscénité qu'à aucun prix elles ne prononceraient dans leur langue maternelle, elles pouvaient la claironner dans une langue européenne sans le moindre remords. C'était plus facile – et au fond moins agressif – d'émettre l'indicible dans la langue d'un autre, comme à un bal costumé une femme peut baisser sa garde derrière un déguisement et un masque.

Les hommes, en revanche, étaient libres d'user d'explétifs, ce qu'ils faisaient en abondance et pas toujours sous l'effet de la colère. Jurer ne connaissait pas les divisions de classes. Jurer servait de lien à l'ensemble de l'espèce mâle.

« Au fait, il reste quelques truffes que nous n'avons pas encore baptisées, dit la femme d'affaires. Il y en a une au sherry et zeste de citron. Ce soir, Pericim, tu m'as donné une idée. On va l'appeler Oxford ! »

Sur ces mots, la femme d'affaires se leva et chercha la truffe des yeux. « Ah, la voilà. » Le petit doigt élégamment levé, elle prit le chocolat sur l'assiette et le tendit à Peri. « Essaie-la. »

Sous les regards de tous, Peri le jeta dans sa bouche et sentit les saveurs se dissoudre sur sa langue. Derrière la douceur initiale, une amertume citronnée lui mordit le palais, à la fois séduisante et trompeuse dans la même bouchée – comme les séminaires du professeur Azur.

Le baiser mortel

Oxford, 2001

Peri ne retourna pas en Turquie pendant les vacances de Pâques. Elle n'était pas encore habituée à la division trimestrielle de l'année universitaire anglaise. Les longs intervalles entre les cours la déroutaient toujours. Pas seulement parce qu'elle ne pouvait pas rentrer chez elle aussi souvent que les autres étudiants. Pas seulement parce qu'elle n'était ni une extravertie ni une exploratrice, et donc n'avait pas grande envie d'aller à la découverte de son environnement. Mais aussi parce que c'était l'époque où elle ressentait plus fortement le gouffre qui la séparait des autres. Quand tous rédigeaient des essais, suivaient des cours, elle n'avait aucun mal à suivre le courant ; mais elle ne savait comment s'occuper quand on lui disait de se détendre et s'amuser.

Pourtant, cette semaine-là, elle reçut une invitation inattendue. Mona, qui était restée après la fin du trimestre, courant d'une activité sociale à une autre, selon son habitude, recevait la visite de deux cousines d'Amérique. Elles projetaient de se rendre ensemble dans la campagne galloise, où elles avaient loué un *cottage*.

« Pourquoi tu ne viendrais pas avec nous ? proposa Mona. Ça te plaira. Un grand bol d'air frais. »

Peri accepta, et remplit sa valise de plus de livres – dont deux du professeur Azur – qu'elle ne pourrait lire en une semaine. Elle devinait que Mona serait surtout prise par ses parentes, si bien qu'elle-même se retrouverait à la fois seule et en compagnie. Cela semblait supportable.

Elle fut très étonnée quand elle vit pour la première fois des panneaux routiers rédigés en gallois et en anglais. Jusque-là, il ne lui était jamais venu à l'esprit qu'il puisse y avoir plus d'une langue officielle dans un pays. En Turquie, elle n'avait jamais vu d'affichage public en turc et en kurde. Sa surprise était telle que chaque fois qu'elle en repérait un, elle s'arrêtait pour le photographier.

« Tu es folle, disait Mona en riant. Le paysage est à tomber et toi tu photographies des panneaux de signalisation ? »

Les sites étaient en effet magnifiques. Des moutons avec leurs agneaux nouveau-nés paissaient dans les champs aux couleurs somptueuses ; des tapis verts piquetés de lavande violette, de jacinthes et de narcisses. Leur location de vacances, une minuscule maison à colombages blanchie à la chaux, était perchée sur le versant ouest d'une vallée. Le matin, elle était baignée d'un soleil splendide ; l'après-midi d'une ombre profonde de tranquillité. Au loin, la rivière Wye courait comme un fil d'argent sinueux, se faufilant un chemin entre les flancs de collines.

Peri adorait la maisonnette : le fourneau en fonte, les plafonds bas, les bûches empilées dehors, les sols dallés, jusqu'à l'odeur des draps qui étaient toujours glacés quand on se glissait dans le lit. Elle partageait une chambre avec Mona, et les cousines s'installèrent dans la chambre d'à côté. Même si le village voisin n'était qu'à un kilomètre, il y avait tant à faire dans la journée qu'elle n'avait guère le temps de lire. Elle qui avait toujours été une citadine, observait la campagne avec une curiosité ravie, émerveillée des plus petites choses, et on aurait dit que rien ne comptait plus en dehors de ces petites choses. Toujours prompte aux pensées négatives, elle imaginait qu'une catastrophe s'était produite – une bombe atomique – et qu'elles étaient les seules survivantes, loin de la civilisation. Elle savait que sa mère serait scandalisée à l'idée de savoir sa fille ici, quatre adolescentes au milieu de nulle part.

Une nuit, depuis son lit, elle observa Mona qui priait, le visage tourné vers La Mecque. Elles n'avaient à aucun moment parlé de religion, toutes deux évitaient le sujet. Si Shirin était venue avec elles, elle l'aurait sûrement abordé.

Quand Mona éteignit la lumière, un épais silence s'abattit sur la pièce. Peri se retournait dans son lit. « Quand j'étais enfant, j'ai été piquée à la lèvre par une abeille, murmura-t-elle lentement, comme si elle chassait ce souvenir de sa mémoire. Ma bouche a tellement enflé qu'elle ressemblait à une baudruche. Mon père disait que l'abeille était folle amoureuse... de moi. Elle voulait m'embrasser. Je me suis toujours demandé, est-ce qu'elle savait qu'elle mourrait dès qu'elle aurait utilisé son dard ? C'est glauque, non, si elle le sait et qu'elle le fait quand même ? De l'autodestruction. »

Mona bascula sur le côté. Dans le clair de lune qui venait de la fenêtre, sa silhouette ressemblait à une sculpture. « Seuls les humains ont une conscience. C'est l'ordre divin. C'est pour cette raison qu'Allah nous tient pour responsables de notre conduite.

— Mais tu vois bien que les animaux n'ont pas envie de mourir. Ils ont un instinct de survie. Et pourtant ils vont piquer. Ils savent bien qu'ils vont y perdre leur propre vie. Je veux dire, on regarde la nature et on se dit ah ! comme elle est belle et douce. Mais en fait, elle est atrocement cruelle. »

Mona soupira. « Tu n'es pas chargée de diriger le monde, rappelle-toi. C'est Lui qui est responsable de tout, pas toi. Aie foi en Lui. »

Comment Peri pouvait-elle se fier à un système où les abeilles étaient destinées à mourir dès qu'elles tombaient amoureuses ? Et si c'était cela l'ordre divin que les gens admiraient tant, comment pouvaient-ils le trouver juste et saint ? Frissonnant de froid, elle remonta la couverture sous son menton.

Cette nuit-là, Peri hurla dans son sommeil. Les mots qu'elle murmura en turc ressemblaient au bourdonnement de milliers d'abeilles qui tentaient de s'enfuir.

Les cousines, éveillées par le bruit, gloussaient dans la chambre voisine. Mona, sidérée, s'assit dans son lit et pria pour que les démons mystérieux qui harcelaient son amie soient chassés au loin et dispersés. Le lendemain matin, elles repartirent toutes pour Oxford. Chaque fois que Mona et Peri évoqueraient leur excursion au pays de Galles, ce serait avec un sourire allègre – même si toutes deux sentaient, chacune à sa manière, une ombre plus noire tapie sous ces moments privilégiés.

La page vide

Istanbul, été 2001

Sa première année à Oxford terminée, Peri alla passer les vacances à Istanbul. De temps à autre, sa mère mentionnait tel ou tel jeune homme, avec chaque fois une liste identique de traits descriptifs. Pour Selma, les études de Peri n'étaient pas tant un éveil intellectuel ou l'avant-propos à une carrière prometteuse qu'un bref interlude avant les noces. Rien qu'au cours du mois précédent, elle avait visité sept sanctuaires, où elle allumait des bougies, nouait des chiffons de soie, et formulait le vœu que sa fille contracte bientôt un bon mariage.

« De nouveaux voisins ont emménagé depuis ton départ. Famille très correcte, dit Selma tout en écossant le tas de fèves qu'elle préparait pour le dîner. Ils ont un fils. Un si beau garçon, intelligent, honorable…

— Tu veux dire que tu m'as trouvé un mari convenable », soupira Peri. Elle tourna une mèche de cheveux autour de son doigt, tira dessus gauchement. La mèche était bien plus courte que les autres, s'avisa-t-elle, prise du soupçon fort désagréable que sa mère l'avait coupée pendant qu'elle dormait. L'idée que ses cheveux se trouvaient maintenant dans un de ces sanctuaires, enfouis parmi les offrandes de Selma, lui donnait un peu la nausée.

« Laisse cette petite tranquille, Selma, intervint Mensur depuis son fauteuil. Tu lui brouilles les idées. Il faut qu'elle se concentre sur ses cours. C'est un diplôme qu'on cherche, pas un mari.

— Ce garçon a un diplôme, protesta Selma. Il est allé à l'université. Ils peuvent se fiancer maintenant et se marier quand elle aura sa licence. Qu'est-ce qu'elle a à perdre ?

— Seulement ma liberté, ma jeunesse et mon esprit, dit Peri.

— Tu parles exactement comme ton père. » Selma retourna à ses fèves, comme si cela prouvait qu'elle avait raison.

Le sujet fut clos – mais pas pour longtemps.

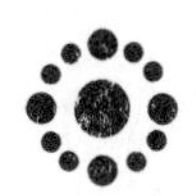

Vers la fin de l'été, un jour où le temps était des plus doux à Istanbul, Peri sortit faire des courses. Un imperméable, des chaussures de sport neuves, un sac à dos… elle devait acheter tout cela avant de repartir pour Oxford. En descendant du bus, près de la place Taksim, elle vit une foule attroupée sur le trottoir, devant une maison de thé fréquentée par les étudiants, fixant par les fenêtres ouvertes une télévision qui braillait à l'intérieur. Des ombres dessinaient les contours de leur silhouette, les visages prenant une teinte abricot quand le soleil caressait leur profil.

Un homme aux larges épaules avait les mains sur le front, le sourcil froncé. Une jeune fille à queue-de-cheval paraissait saisie, le corps rigide. Leur expression intrigua Peri, qui se fraya un chemin parmi eux, curieuse.

C'est alors qu'elle vit ce qu'ils regardaient à la télévision : un avion percutant un gratte-ciel sur un fond si bleu qu'il lui fit presque mal aux yeux. La scène repassait en boucle, comme au ralenti, semblant de moins en moins réelle à chaque passage. Des volutes de fumée montaient du bâtiment. Des feuilles de papier flottaient au gré du vent. Comme catapulté par une fronde, un objet fonça vers le sol, puis un autre… Peri suffoqua quand elle comprit qu'il ne s'agissait pas de simples objets, mais d'êtres humains plongeant vers leur mort.

« Ces Américains, marmonna l'homme auprès d'elle. Voilà ce qui vous attend quand on se mêle des affaires des autres.

— Ça, ils ont cru qu'ils gouvernaient le monde, pas vrai ? dit une femme qui agitait la tête, faisant danser ses boucles d'oreilles. Maintenant ils savent qu'ils sont mortels – comme nous autres. »

Le regard de Peri croisa celui de la fille à queue-de-cheval. Pendant une seconde, on aurait dit qu'elles étaient seules toutes deux à éprouver du chagrin, à ressentir le choc, la terreur. Mais la fille détourna vite les yeux, se refusant à la camaraderie. Troublée par les propos autour d'elle, Peri s'éloigna, la tête bouillonnant de questions. Où qu'elle se tourne, elle voyait des gens prêts à se gaver de théories du complot, comme des abeilles chercheuses en quête de nectar.

Il faut que je téléphone à Shirin, se dit-elle. Désireuse d'entendre la voix assurée de son amie, elle l'appela d'une cabine. Heureusement, Shirin répondit aussitôt.

« Salut, Peri. Foutu monde de merde, hein ! Puissions-nous vivre une époque intéressante.

— C'est tout simplement horrible, dit Peri. Je ne sais pas quoi en penser.

— Des innocents massacrés, l'interrompit Shirin, hurlant presque. Tout ça parce que des salopards dépravés croient qu'ils iront au paradis s'ils tuent au nom de Dieu. Ça va aller de mal en pis, tu verras. Maintenant tous les musulmans vont être honnis. Et d'autres innocents vont souffrir de tous les côtés. »

Peri remarqua un chewing-gum collé sous le téléphone – un geste de hargne, infime mais néanmoins méchant. « Affreux. Atroce. Et si terrifiant. Comment une chose pareille a pu arriver ?

— Ça, je suis sûre que tout le monde va en débattre jusqu'à épuisement. Pendant des mois, voire des années. Journalistes, experts, universitaires. Mais en réalité il n'y a rien à discuter. La religion nourrit l'intolérance qui conduit à la haine qui conduit à la violence. Fin de l'histoire.

— Mais tu ne trouves pas ça terriblement injuste ? Il y a des quantités de croyants qui ne feraient pas de mal à qui que ce soit. Ce n'est pas la religion qui a fait ça. C'était le mal à l'état pur.

— Tu sais quoi, Souriceau, je ne vais pas discuter avec toi. Cette fois je suis aussi larguée que toi. J'ai besoin de parler à Azur, sinon je vais devenir folle. »

Peri sentit une secousse intérieure. « Tu vas aller le voir ? Mais le trimestre n'a pas encore commencé.

— On s'en tape. Je pars pour Oxford demain. Je sais qu'il y est. Change ton billet, viens avec moi.

— Je vais essayer. » Peri s'abstint de préciser que même si elle pouvait obtenir un billet de dernière minute, ce n'était pas dans ses moyens.

De retour à la maison, Peri trouva ses parents aussi égarés qu'elle, occupés à regarder les mêmes scènes qui repassaient sans cesse à la télévision.

« Les fanatiques prennent le contrôle du monde », dit Mensur. Il s'était mis à boire plus tôt que de coutume, et à voir sa mine, il avait déjà éclusé pas mal de verres. Pour la première fois, il semblait hésiter à laisser sa fille partir pour Oxford. « Peut-être qu'on n'aurait pas dû t'envoyer à l'étranger ; on n'est plus en sécurité nulle part. Je n'aurais jamais imaginé que je dirais ça un jour, que peut-être l'Ouest est devenu plus dangereux que l'Est.

— L'Est, l'Ouest, qu'est-ce que ça change ? Personne ne peut échapper à son *kismet*, dit Selma. Si Allah a écrit sur ton front avec Son encre invisible, peu importe que tu sois ici ou en Chine, la mort saura toujours où te trouver. »

Pour toute réponse, Mensur saisit le stylo-bille qu'il utilisait pour faire ses mots croisés et inscrivit en zigzag sur son front le nombre 100.

« Qu'est-ce que tu fabriques ? demanda Selma.

— Je change mon destin ! Je vais vivre cent ans. »

Peri n'attendit pas la riposte de sa mère. Les querelles de ses parents l'insupportaient. Gagnée par un profond sentiment de solitude, elle retourna dans sa chambre et sortit son journal de Dieu. Mais elle avait beau s'efforcer de rédiger quelque chose de sensé, elle était incapable d'écrire. Pas aujourd'hui. Elle avait tellement de questions sur la religion et la foi et Dieu – le genre de Dieu qui autorise de pareilles atrocités et qui continue à exiger l'obéissance. Elle regardait fixement la page, absorbée par le vide du papier. Elle se demanda ce qu'Azur dirait à Shirin quand ils se retrouveraient tous deux dans son bureau. Comme elle aurait aimé pouvoir se glisser secrètement dans la pièce, comme le serin, et les écouter ! Elle aussi, elle avait des choses à demander au professeur. Peut-être que Shirin avait raison d'insister ; Peri avait besoin d'un séminaire sur Dieu – moins pour découvrir des vérités nouvelles sur l'Être suprême que pour trouver un sens aux incertitudes qui mijotaient en elle.

Elle fit alors une chose qu'elle ne confierait à personne. Elle pria pour tous ceux qui avaient péri dans les tours jumelles. Elle pria pour leurs familles et leurs êtres chers. Et avant de conclure sa prière, elle ajouta une petite requête à Dieu : être admise dans le séminaire d'Azur, afin d'en savoir davantage sur Lui, et si possible mettre un peu d'ordre dans le chaos qui menaçait son esprit de l'intérieur comme de l'extérieur.

Le cercle

Oxford, 2001

Au début du nouveau trimestre, Peri se prépara de bonne heure à sa première séance cette après-midi-là de « Pénétrer l'esprit de Dieu / Dieu de l'esprit ». Tout juste quelques jours auparavant, elle avait trouvé dans son casier à la loge une enveloppe émanant du professeur Azur en personne. Le mot à l'intérieur traversait la carte en diagonale légèrement descendante, visiblement écrit à la hâte :

> Chère Ms Nalbantoğlu,
>
> Si vous êtes toujours intéressée par mon séminaire, il commence jeudi prochain à 14 h précises. Apportez de l'ambre si vous en avez besoin – mais pas d'excuses.
> *Le poulpe attend.*
>
> *A.Z. Azur*

Depuis qu'elle avait reçu ce mot, entre les séances de tutorat et son travail à la librairie, elle n'avait pas eu l'occasion de se demander dans quoi elle s'aventurait. À présent, en se dirigeant vers la salle de réunion avec un cahier serré contre sa poitrine, elle était surprise d'éprouver une telle anxiété.

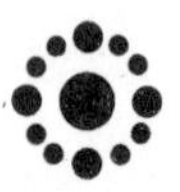

En entrant dans la pièce, Peri compta de tête les étudiants : cinq garçons, cinq filles. À sa stupeur elle aperçut parmi eux Mona, qui l'accueillit avec la même surprise.

Peri examina les autres étudiants, enregistrant leurs sourires gauches, et la façon dont ils étaient assis à distance polie les uns des autres, soulagée de voir qu'elle n'était pas la seule à paraître nerveuse. Certains des présents étaient plongés dans leurs pensées, tandis que d'autres bavardaient à voix basse ou lisaient la description du séminaire, probablement pour la énième fois ; l'un des garçons, la tête appuyée sur son bloc-notes, paraissait endormi.

Peri se percha sur une chaise près de la fenêtre et contempla un chêne aux branches déployées, ses feuilles sèches couleur or et rubis chatoyant. Elle se demanda si elle ne devrait pas aller faire un tour aux toilettes, mais la crainte de revenir alors que le séminaire aurait commencé la retint fixée à son siège. Dehors, le ciel s'était couvert, et même s'il était encore tôt, on se serait cru au crépuscule.

À l'heure exacte, la porte s'ouvrit et le professeur Azur fit son entrée, chargé d'une pile de dossiers, une grande boîte de crayons de couleur et un objet qui pouvait être un sablier. Il portait une veste en velours côtelé bleu marine avec des pièces de cuir aux coudes. Sa chemise blanche était immaculée, mais sa cravate dénouée comme si ça l'ennuyait trop de faire le nœud, et il avait les cheveux en bataille. Soit il avait dû marcher en luttant contre un vent âpre, soit il s'était passé maintes fois les doigts au travers.

Rapide comme l'éclair, il lâcha tout sur le bureau et plaça le sablier sur un pupitre, le retournant aussitôt – des particules de sable descendirent en mince filet du bulbe supérieur à celui du dessous, comme de minuscules pèlerins accomplissant un voyage pieux. Il prit place devant le tableau blanc, silhouette haute et mince, et dit avec une vivacité qui bouscula la léthargie ambiante :

« Bonjour, tout le monde ! Shalom Alekhem ! Salam Alaykum ! La paix soit avec vous ! Namaste ! Jai Jinendra ! Sat Sri Akal ! Je vous salue sans ordre de préférence ou de préséance particulier, au cas où vous vous poseriez la question.

— Aloha », répondit quelqu'un.

D'autres se lancèrent dans une myriade de formules, un charivari de voix et de rires.

« Parfait, dit Azur en se frottant les mains. Je vois que vous débordez de confiance téméraire. C'est toujours un signe prometteur – ou la recette du désastre. Nous verrons lequel des deux. »

Derrière ses lunettes noires et écaille de tortue, ses yeux luisaient comme des fragments de verre de mer. Sa voix montait en vagues d'enthousiasme, comme un explorateur revenu de contrées lointaines prêt à partager ses aventures avec des amis. Il les félicita tous d'avoir eu la curiosité et l'audace de s'enrôler dans son séminaire, et ajouta avec un clin d'œil qu'il comptait trouver chez eux l'endurance nécessaire pour parcourir tout le chemin jusqu'au bout. Vu l'aisance et la rapidité de son discours, il était difficile, voire impossible, de déterminer quand il plaisantait et quand il était sérieux.

« Comme vous l'avez peut-être déjà remarqué, vous êtes onze – dix aurait été trop parfait, et la perfection est ennuyeuse. » Azur regarda autour de lui et claqua de la langue. « Je vois que nous avons du travail en perspective... Vous avez disposé vos chaises comme si vous craigniez d'attraper une pneumonie. Alors si vous voulez bien prendre la peine, mesdames et messieurs, de tous vous mettre debout ? »

Surpris, amusés, les étudiants obtempérèrent.

« Quelle obéissance ! La plus haute vertu aux yeux du Seigneur, dit-on. Maintenant voulez-vous replacer vos chaises en cercle – la forme la plus convenable pour parler de Dieu. »

Différents sujets nécessitaient des arrangements de sièges différents, expliqua Azur. Pour parler politique, éparpillés sans rigueur ; pour la sociologie, un triangle précis ; pour les statistiques, un rectangle ; et pour les relations internationales, un parallélogramme. Mais Dieu devait être discuté en cercle, chacun au bord de la circonférence équidistant du centre, chacun s'entre-regardant.

« À partir de maintenant, chaque semaine quand j'arriverai, je veux vous voir assis en rond. »

Il leur fallut plusieurs minutes, quelques raclements de chaises et quelques bousculades, pour accomplir la tâche. Quand ils eurent fini, la forme ébauchée ressemblait plus à un citron pressé qu'à un cercle bien tracé. Le professeur Azur, sans être pleinement satisfait, les remercia de leurs efforts. Ensuite, il leur demanda de se présenter en quelques phrases, de résumer leur parcours et dire, en particulier, pourquoi ils s'intéressaient à Dieu, « alors qu'il y a sûrement des sujets plus divertissants pour des jeunes gens par ici ».

La première à parler fut Mona. Elle dit qu'après la tragédie du 11 Septembre, elle était très préoccupée par la manière dont l'Occident percevait l'islam. Choisissant ses mots avec précaution, elle dit qu'elle était fière d'être une jeune musulmane, qu'elle aimait sa foi de tout son cœur, mais qu'elle était frustrée par l'amas de préjugés qu'elle devait affronter presque quotidiennement. « Les gens qui ne savent rien de l'islam font des généralisations grossières à propos de ma religion, mon Prophète, ma foi. » Elle se hâta d'ajouter : « Et mon foulard. » Elle dit qu'elle était venue ici pour entamer un débat honnête sur la nature du Tout-Puissant, puisque tous avaient été créés par Lui, et tous créés différents pour une raison. « Je respecte la diversité, mais j'attends aussi du respect en retour. »

Le jeune homme assis à côté de Mona, quand vint son tour de parler, redressa le dos et s'éclaircit la gorge. Il s'appelait Ed. Issu d'un milieu scientifique, il dit qu'il abordait Dieu « avec une prudence objective et une neutralité intellectuelle ». Il estimait possible de marier science et religion, vraisemblablement, mais qu'il fallait nettoyer la religion de ses éléments irrationnels, qui étaient nombreux. « Mon père est juif, ma mère protestante, tous les deux non pratiquants, ajouta-t-il. Comme Mona, je suppose, mais de manière différente, je m'intéresse à l'identité et à la foi à l'époque moderne – même si Dieu n'a jamais été un problème pour moi, à dire vrai.

— Alors pourquoi tu es ici ? interrogea un blond musclé un peu boutonneux, en faisant tourner un crayon entre ses doigts. Je croyais que tout le monde dans ce groupe avait un problème avec Dieu ! »

Peri vit Ed lancer un regard au professeur Azur, qui lui fit un signe de tête presque imperceptible. Quelque chose passa entre eux – un message qu'elle ne pouvait déchiffrer.

Azur se tourna vers le blondinet. « Normalement, je m'attends à ce que les étudiants commentent les propos des autres et je les y encourage, mais pas à ce stade précoce. Nous sommes des poussins en train d'éclore. Commençons par sortir la tête de la coquille. »

La suivante à prendre la parole, Róisín, était une jolie fille dotée d'un fort accent irlandais. Elle avait de grands yeux bruns, une chevelure sombre et soyeuse, dont une mèche vint se coller à ses lèvres quand elle commença à parler. Elle dit qu'elle avait été élevée dans la religion catholique et assistait tous les dimanches à la messe. Elle avait la chance d'être entourée de gens merveilleux à la Société catholique d'Oxford, mais aimerait élargir son champ de vision. « Je pensais que ça serait intéressant de suivre ce séminaire. Juste pour voir comment on parle de Dieu à l'extérieur de ma zone de confort. Alors... » Elle laissa la phrase inachevée, comme si elle se fiait aux autres pour la finir.

« Je suppose que c'est mon tour, se lança le garçon blond en faisant tourner son crayon encore plus vite. Je m'appelle Kevin, suis titulaire d'une bourse Rhodes, originaire de Fresno, Californie. » Son large visage parcouru de convulsions, il déclara qu'Ernest Hemingway, qui avait toujours raison sur tout, avait tapé dans le mille en disant que tous les gens qui pensent sont des athées. Il était lui-même un athée fervent. « Je ne crois pas à toutes ces conneries, c'est pour ça que je suis ici. Je veux participer à des débats constructifs sur la science, l'évolution et tout ce que vous, les mecs, vous appelez Dieu. Je suis sûr que je vais vite vous mettre tous en colère. »

Quelqu'un renifla, de dérision ou de pitié, c'était impossible à dire.

« Salut, tout le monde. Je m'appelle Avi. J'appartiens à la Société Chabad d'Oxford. Je travaille aussi à temps partiel à la bibliothèque Samson Judaica, qui est la plus grande bibliothèque judaïque de la région. Certains d'entre vous ignorent peut-être qu'Oxford a un important héritage juif. »

Avi affirma qu'il y avait assez de haine dans le monde pour projeter l'humanité dans la Troisième Guerre mondiale. Le fantôme de l'Histoire hantait le temps présent. Il dit que les êtres humains étaient capables d'atrocités ignobles, comme l'avaient démontré la Shoah et la destruction des tours jumelles. La nécessité de nouer un véritable dialogue entre les religions était aujourd'hui de première urgence. Contre les penchants violents d'*Homo sapiens*, il n'y avait pas meilleure force de dissuasion que la crainte de Dieu. À l'époque moderne, on avait besoin de Dieu plus que jamais auparavant.

Avi semblait prêt à en dire plus, mais la jeune fille brune à côté de lui intervint avec énergie et agitation. Elle s'appelait

Sujatha. Elle évoqua les différences entre la philosophie orientale et son équivalent occidental – « ou moyen-oriental, devrais-je dire, puisque les religions abrahamiques viennent toutes de la même région. Il faut être un étranger pour remarquer à quel point elles sont similaires ».

Étant Britannique d'origine indienne, précisa Sujatha, elle avait pris pour devise : « Ton idée de toi crée ta réalité. » À ses yeux, Dieu n'avait pas d'attributs. Elle ne voulait offenser personne, mais elle trouvait le Dieu d'Abraham trop sévère, sermonneur, distant. « Moi je dis : tout est Dieu. Alors que vous dites : tout est à Dieu. Cette petite lettre fait une énorme différence. »

Tout à la fois conciliante et défiante, Sujatha conclut en affirmant qu'elle se réjouissait de pouvoir discuter longuement de ces disparités philosophiques.

À chaque intervention, Peri se renfonçait un peu plus dans son siège, rapetissant à vue d'œil. Elle aurait aimé disparaître complètement. Il lui semblait de plus en plus évident que le professeur Azur avait sélectionné les étudiants moins selon les mérites de leur bilan académique qu'en fonction de leurs histoires et ambitions personnelles. Il n'y avait pas deux étudiants venus d'horizons similaires, et les divergences entre eux étaient si manifestes qu'elles pouvaient facilement tourner à la bagarre. Peut-être était-ce cela que cherchait Azur : un conflit – ou quantité de conflits. Peut-être qu'il expérimentait sur les étudiants sans que ceux-ci en aient conscience, comme s'ils étaient une portée de souris qui s'agitaient et grattaient fébrilement entre les murs de son laboratoire mental. Si c'était le cas, que voulait-il donc tester – une idée nouvelle de Dieu ?

Autre chose encore troublait Peri. Si chacun ici avait été choisi pour composer une Babel en miniature, pourquoi l'avoir choisie elle ? Qu'est-ce qu'Azur pouvait bien savoir à son sujet quand elle lui en avait dit si peu ? Plus elle se creusait la cervelle, plus elle se sentait déstabilisée. Les paroles du

Dr Raymond lui tintèrent aux oreilles : *Ses méthodes d'enseignement sont peu orthodoxes. Elles ne conviennent pas forcément à tout le monde. Ce séminaire divise les étudiants – certains l'apprécient énormément, d'autres y deviennent très malheureux.*

« Salut, moi c'est Kimber, dit une fille dont la chevelure était si frisée que ses bouclettes sautillaient de haut en bas chaque fois qu'elle remuait la tête. J'ai une réponse longue et une réponse courte.

— Commencez par la longue », dit le professeur Azur.

Kimber expliqua que son père était prêtre dans l'Église de Jésus-Christ des saints des derniers jours. Ils étaient mormons. Toute sa famille et ses amis étaient mormons. Elle s'intéressait à ce séminaire parce que Dieu donnait du sens à sa vie et qu'elle avait l'intention d'approfondir sa connaissance de Lui. Elle ajouta que les jeunes gens aujourd'hui ne s'intéressaient qu'à la drague ou à leurs examens ou à la recherche d'un boulot rapportant plus qu'argent qu'ils n'en pourraient jamais dépenser. Mais elle pensait que la vie devait apporter plus que cela. « Nous avons tous une destination distincte sur terre. Je cherche toujours la mienne.

— Et la réponse courte ? » interrogea Azur.

Kimber gloussa. « J'ai fait un pari avec mon amie. Elle a dit que vous étiez le tuteur le plus vache quand il s'agissait de noter les essais. Moi je suis abonnée aux mentions très bien. Jamais échoué à aucun examen depuis la maternelle. Alors j'ai relevé le défi. »

Un sourire serein passa sur les lèvres d'Azur. « La vérité est une chose si rare que c'est un délice de la dire. »

Peri, la bouche à moitié dissimulée derrière sa main, ne put s'empêcher de murmurer : « Emily Dickinson. »

« Bien, avançons. Suivant ! » ordonna le professeur.

Adam. Nez rond, fossette au menton et sourcils hauts qui donnaient l'impression que le monde ne cessait de le surprendre. Il dit qu'il était anglican de culture mais qu'il ne pratiquait pas. Ce n'était pas nécessaire d'aller à l'église, ajouta-t-il puisque selon lui Dieu était Amour et Dieu l'aimait tel qu'il était. « Je crois au principe universel de "Vis, Aime, Apprends", avec chacun une lettre majuscule. C'est tout.

— C'est mon tour ? demanda la fille à côté de lui. Je m'appelle Elizabeth. Native de l'Oxfordshire, jamais partie très loin de chez moi. Ma famille est fière de son héritage quaker. Je n'ai pas de problème avec Dieu mais j'ai un problème avec un Dieu masculin. »

Elizabeth expliqua que les humains avaient perdu le contact avec la nature et avec la Déesse Terre. Tout au long de l'histoire, la féminité avait été réprimée. Le prix se payait en guerres, effusions de sang et violence. Elle-même s'intéressait aux religions anciennes, shamanisme, wicca, bouddhisme tibétain. « Tout ce qui nous aide à renouer le contact avec notre Mère la Terre. » Elle les pressa tous de cesser de penser à Dieu comme à un Il, et de s'entraîner sans tarder à dire Elle.

Maintenant il ne restait plus que Peri et son voisin. Peri fit un geste de la main pour l'inviter à parler le premier et il fit un geste pour lui dire de commencer. Elle céda.

« D'accord. Je m'appelle Peri...

— Et cette citation était bien d'Emily Dickinson, bravo », intervint Azur.

Peri savait qu'elle rougissait. Elle ne s'était pas rendu compte que le professeur l'avait entendue. « Je viens d'Istanbul et... » Elle perdit le fil de sa réflexion, bégaya, en se trouvant stupide d'avoir cité la ville où elle était née au lieu de dire quelque chose de plus substantiel comme l'avaient fait les autres. « Euh... je ne suis pas... je ne suis pas sûre... de savoir pourquoi je suis ici.

— Alors laisse tomber, dit Kevin avec toupet. Comme ça, on sera de nouveau dix. Moi je veux le nombre parfait. »

Une vague de rires parcourut le cercle. Peri baissa les yeux. Comment avait-elle pu trébucher sur une simple présentation quand tous les autres, malgré leurs différences visibles, avaient traversé la leur sans encombre ?

Le dernier à parler s'appelait Bruno. Il dit qu'il n'était pas marxiste ni rien de ce genre, mais sur le fait que la religion était le poison du peuple, il était d'accord avec Marx – et avec l'ancien despote albanais Enver Hodja, dont il avait lu les opinions jadis et trouvait qu'elles étaient remarquables de clarté sur le chapitre de la religion.

« C'est très bien, jeune homme, dit Azur, mais quand on cite des auteurs, en particulier des philosophes et des poètes pour qui les mots sont importants, il faut le faire avec précision. Ce que Marx a dit en réalité c'est : "La religion est le soupir de la créature opprimée, la chaleur d'un monde sans cœur, comme elle est l'esprit de conditions sociales d'où l'esprit est exclu. Elle est *l'opium* du peuple."

— D'accord. C'est la même chose », répartit Bruno, masquant mal son irritation d'être interrompu sur un sujet qui lui inspirait des sentiments passionnés. Le menton en avant comme s'il se préparait à prendre un coup, il dit que Mona avait souhaité des discussions honnêtes et il allait être honnête jusqu'à la brutalité. Il était conscient que certains n'avaient peut-être pas envie d'entendre ce qu'il avait à dire, mais il pensait que ce séminaire attachait de l'importance au libre débat. Il avait un problème avec l'islam. Pour être juste, ajouta-t-il, il aurait pu avoir un problème avec toutes les religions monothéistes, mais le christianisme et le judaïsme étaient réformés, alors que l'islam ne l'était pas.

Bruno déclara que la manière dont l'islam traitait les femmes était inacceptable, et si lui-même était une femme née dans cette foi, il la renierait à la vitesse de l'éclair. L'islam devrait être foncièrement modifié avant de pouvoir s'adapter au monde actuel, mais vu les circonstances c'était inconcevable, car le Livre saint et les hadiths passaient pour absolus, sans équivoque.

« Si le changement est interdit, comment pouvons-nous améliorer cette religion ? »

De son coin, Mona lui lança un regard glacial et un échantillon de son opinion. « Qui dit que j'ai besoin de *toi* pour améliorer ma religion ?

— Magnifique, vous tous ; excellent début, s'interposa Azur. Merci d'avoir partagé vos idées avec tant d'éloquence. Après vous avoir écouté vous haranguer mutuellement à propos de la religion, au lieu de Dieu, qui est notre sujet, je dois vous expliquer, en termes on ne peut plus clairs, sur quoi va porter ce séminaire. »

Marchant en rond au milieu du cercle des étudiants, le professeur se déplaçait avec assurance et parlait avec ardeur. « Nous ne sommes pas ici pour nous concerter sur l'islam ou le christianisme ou le judaïsme ou l'hindouisme. Nous aborderons peut-être ces traditions, mais seulement dans la mesure où notre sujet central le requiert. Notre propos, c'est une enquête scientifique sur la nature de Dieu. Vos croyances personnelles ne doivent pas venir se mettre en travers. Quand vous cédez à l'émotion sur un sujet, n'importe quel sujet, rappelez-vous ce que disait Russell : "Le degré de notre émotion varie en proportion inverse à notre connaissance des faits." »

La lumière à l'intérieur de la pièce s'assombrit tandis que le soleil passait derrière un gros nuage. Les yeux d'Azur étincelèrent : « Nous sommes tous bien d'accord sur ce point ?

— Oui », répondirent les élèves en chœur enthousiaste.

Puis, quelques secondes plus tard, doucement. « Non. » C'était Peri.

Azur s'interrompit. « Qu'est-ce que vous avez dit ?

— Désolée… c'est… je ne peux pas croire que ce soit mal de réagir à ses émotions. » Peri agitait les deux mains. « Nous sommes des êtres humains. Ça veut dire que nous sommes conduits par les émotions plus que par la raison. Alors pourquoi rabaisser les émotions ? » Elle jeta un coup d'œil au professeur, redoutant l'expression qu'elle risquait de voir sur son visage.

Il se montra calme, encourageant, et même impressionné par son objection. « C'est bien, mademoiselle d'Istanbul, continuez à résister. »

Azur dit que si à la fin de leurs années d'Oxford ils parlaient, pensaient et écrivaient encore comme ils le faisaient en arrivant à l'université, ils auraient gaspillé leur temps et l'argent de leur famille. Autant rentrer chez eux tout de suite. « Soyez prêts à changer, tous autant que vous êtes. Seuls les blocs de roche ne changent pas – et en fait si, même eux changent. »

Ils étaient réunis là, dans la plus vieille université du monde anglophone, dit Azur. Oxford n'était pas seulement depuis des siècles un centre d'études académiques et de recherche scientifique, elle avait été aussi au cœur des débats théologiques et des controverses religieuses.

« Vous avez de la chance. Vous êtes exactement au bon endroit pour parler de Dieu ! »

Tandis que le professeur Azur continuait son discours, tout son comportement changeait. Son visage, jusque-là au repos, traduisait maintenant une forte animation. Son timbre n'était plus prudent et maîtrisé, il avait un tranchant, lame d'acier que d'ordinaire il gardait dans l'ombre mais qu'il ne faisait plus aucun effort pour cacher. Il rappelait à Peri les chats de gouttière d'Istanbul, non pas l'espèce timide et cabossée qui se tenait à bonne distance des humains, mais un de ces félins indépendants qui rampaient le long des plus hauts murs, pleins d'aplomb arrogant, examinant le voisinage comme si c'était leur royaume secret.

« Bien, voici une question. Si un homme de l'âge de bronze surgissait et vous demandait de décrire Dieu, que lui répondriez-vous ?

— Il est miséricordieux, dit Mona.
— Autosuffisant, ajouta Avi.
— Pas Lui mais Elle, dit Elizabeth.
— Ni Lui ni Elle, dit Kevin. Tout ça ce sont des mensonges. »

Le professeur Azur fronça le sourcil. « Bravo, vous venez tous d'échouer magistralement au test.

— Pourquoi cela ? protesta Bruno.

— Parce que vous ne partagez pas la même langue, rappelez-vous, vous et votre ancêtre velu. » Il produisit une liasse de feuilles et une boîte de crayons de couleur qu'il demanda à Róisín de distribuer. « Oubliez les mots. Expliquez avec des images.

— Quoi ? s'exclama Bruno. Vous voulez qu'on dessine ? Est-ce qu'on est des gosses ?

— J'aimerais bien, dit Azur. Vous auriez plus d'imagination, et vous saisiriez mieux la complexité. »

Mona leva la main. « Monsieur, l'islam interdit les idoles. Nous ne peignons pas Dieu. Nous croyons qu'Il est au-delà de notre perception.

— Très bien. Dessinez ce que vous venez de me dire. »

Pendant les dix minutes suivantes, ils se trémoussèrent sur leur siège avec force soupirs et plaintes, mais peu à peu, se mirent à produire tout un étalage de travaux. Une image de l'Univers – étoiles, galaxies, météores. Une grappe de nuages blancs transpercés par un éclair. Une image du Christ les bras grands ouverts. Une mosquée aux dômes dorés sous le soleil. Le seigneur Ganesh avec sa tête d'éléphant. Une déesse aux seins rebondis. Une chandelle dans l'obscurité. Une page délibérément laissée blanche. Chacun se représentait Dieu à sa manière. Quant à Peri, après une brève hésitation, elle dessina un point, qu'elle transforma ensuite en point d'interrogation.

« Votre temps est écoulé », dit le professeur Azur. Il distribua une nouvelle liasse de feuilles. « Vous avez esquissé ce qu'est Dieu, j'aimerais que vous illustriez ce que Dieu n'est pas.

— Quoi ? »

Le professeur Azur haussa le sourcil. « Cessez de réagir à tout, Bruno, et mettez-vous au travail. »

Un démon aux yeux jaunes de serpent. Un horrible masque de fer. Un marais fétide. Un pistolet fumant. Un couteau taché de sang. Feu. Destruction. Un fragment d'enfer… Bizarrement, imaginer ce que Dieu n'était pas se révéla plus dur que le contraire. Seule Elizabeth semblait trouver la tâche facile. Elle dessina un homme.

« Merci de votre coopération, dit le professeur Azur. Voudriez-vous lever vos deux dessins côte à côte ? Montrez-les à chaque membre du cercle. »

Ce qu'ils firent, inspectant mutuellement leurs travaux.

« Maintenant, tournez ces images face à vous. D'accord ? Épatant. Nous sommes sur le point d'examiner une question soulevée tout au long de l'histoire par les philosophes, les érudits et les mystiques : quelle est la relation entre les deux images ?

— Hein ? » Cette fois Bruno ne fut pas le seul.

« Est-ce que le premier dessin – de ce qu'est Dieu – englobe ou exclut le second ? » Azur se mit à marcher de long en large. « Par exemple, si Dieu est omnipotent et omniprésent, toute puissance et toute bienveillance, cela signifie-t-il qu'Il – ou Elle – incarne aussi le mal, ou cela signifie-t-il que le mal Lui est extérieur – une force étrangère qu'Il/Elle doit combattre ? Quelle est la relation entre ce-que-Dieu-est et ce-que-Dieu-n'est-pas ? »

Azur poursuivit. « Vous avez fait deux dessins. Dites-moi comment ils sont liés. Rédigez un essai. Dans n'importe quel style, pourvu qu'il soit brave, audacieux, honnête et soutenu par une recherche rigoureuse ! »

Personne ne dit mot. Tant qu'ils dessinaient, ils prenaient l'exercice à la légère, sans trop y croire. S'ils avaient su qu'on leur demanderait de mettre par écrit la relation entre les deux images ils auraient été plus réfléchis. Mais c'était trop tard.

« Retournez aux philosophes, mystiques, érudits du passé. Restez à distance d'aujourd'hui. Restez à distance de votre propre esprit.

— À distance de notre propre esprit ? répéta Kevin.

— C'est le travail qui vous est fixé pour la semaine prochaine. Faites de votre mieux. Impressionnez-moi ! » Azur reprit ses dossiers, les crayons de couleur, le sablier où le dernier grain de sable venait de glisser dans le bulbe inférieur. « Mais je vous préviens, je ne suis pas facile à impressionner. »

Le spectacle d'ombres

Oxford, 2001

Ce vendredi soir, alors que les étudiants se rendaient en majorité dans les pubs et les clubs pour y prendre un peu de bon temps bien gagné, Peri resta à lire dans la bibliothèque du collège. À mesure que les derniers lecteurs partaient, le silence à l'intérieur du bâtiment s'épaissit, délivré des toux et chuchotements, du bruissement des pages. Remplacer l'étude par le plaisir, ce serait comme remplacer un régime de diète par un banquet, et Peri se désola une fois de plus de son inaptitude aux relations sociales. Mais elle était heureuse au milieu des livres, qui lui donnaient un sentiment de liberté inégalé. Elle tenta de ne pas s'attarder au fait que presque toutes ses lectures ces temps-ci étaient associées au professeur Azur. Plusieurs fois au cours des dernières semaines, elle s'était surprise à rêvasser, cherchant ce qu'elle pourrait dire d'inattendu au séminaire, une idée brillante qui le clouerait sur place et lui ferait voir Peri sous un jour nouveau.

Sur la table à côté d'elle était posé le polaroïd pliant qu'elle venait d'acheter. Pendant ses courses solitaires, elle rencontrait souvent les ciels les plus stupéfiants – aurores rose corail, couchers de soleil orageux, prairies encroûtées de glace – qu'elle voulait saisir sur la pellicule. Elle l'avait payé cher, mais il valait son prix. Elle avait dépensé aussi beaucoup trop d'argent en livres, et envisageait de s'équiper d'un ordinateur. *Au diable les économies*, se dit-elle, *je n'aurai qu'à travailler plus dur.*

Elle se leva, étira les jambes. Elle était seule dans cette section – avec l'impression d'être seule dans tout le bâtiment. En arpentant les travées, elle perçut un mouvement soudain, aussi muet qu'une ombre. Vivement, elle se retourna. C'était Troy.

« Salut, voulais pas te faire peur.

— Tu n'es pas en train de me suivre, n'est-ce pas ?

— Non – enfin, si. T'inquiète, je ne vais pas te mordre. » Troy sourit et montra le livre qu'elle avait en main. « Qu'est-ce que tu lis ? *L'Athéisme en Grèce ancienne.* C'est pour Azur ?

— Oui, dit Peri, un peu mal à l'aise.

— Je t'ai dit que cet homme était le diable, mais tu ne m'as pas pris au sérieux.

— Pourquoi tu le détestes tant ?

— Parce qu'il ne connaît pas ses limites. Je sais que ça peut te paraître une bonne chose, mais ce n'est pas le cas. Un prof devrait se comporter comme un prof. Point final.

— Et tu trouves qu'il ne le fait pas ? »

Troy poussa un soupir. « Tu rigoles ? Ce mec n'enseigne pas Dieu. Il se prend pour Dieu.

— Ouh là, tu es très sévère.

— Attends de voir. » Troy fit un pas en arrière, comme s'il avait révélé plus qu'il ne le voulait. « Bon, faut que j'y aille, de toute manière. Des amis qui m'attendent au Bear. Tu veux te joindre à nous ?

— Merci, mais j'ai encore du travail, dit Peri, surprise par son invitation.

— D'accord. Passe un bon week-end. Et pense à ce que je t'ai dit. »

Le temps que Peri quitte la bibliothèque, le ciel avait pris une teinte bleu-noir, hormis les reflets fantomatiques des réverbères, et paraissait si proche qu'elle aurait pu le tirer à elle et s'en couvrir les épaules comme d'un châle indigo. Elle garda la tête levée en marchant, observant les gargouilles et les sculptures grotesques penchées sur elle depuis les remparts de la cour carrée, comme si elles gardaient les secrets des siècles enfuis. À cet instant, elle fut frappée par le souvenir des anciennes querelles théologiques de la ville, ses ossements scolastiques douloureux qui continuaient de hanter ses habitations. Elle remonta la fermeture de sa veste jusqu'au menton : bientôt elle aurait besoin d'un manteau d'hiver. Elle économisait dans cette intention.

Au détour d'un coin de rue, elle fut surprise de voir des gens qui tenaient des bougies allumées dans la pénombre. Une veillée. Elle s'approcha, regarda les rangées de photos et de fleurs disposées sur le pavé. Une pancarte disait RAPPELEZ-VOUS SREBRENICA.

Peri passa au crible les visages des défunts – fils, pères, époux ; l'un d'entre eux ressemblait à son frère Umut à l'époque de son arrestation.

Au sein du groupe qui participait à cette veillée, Peri aperçut Mona, un foulard bordeaux drapé autour de la tête et des épaules. Elle aussi avait vu Peri et elle s'approcha pour lui parler, une bougie à la main.

Peri tendit le doigt vers les visages des photos. « C'est tellement triste.

— C'est pire que triste, dit Mona. C'est un génocide. Nous ne devons jamais oublier. » Elle fit une pause, observa Peri avec un intérêt neuf. « Pourquoi tu ne te joindrais pas à nous ?

— Euh, oui, bien sûr. » Peri saisit une bougie et la photo du garçon qui lui rappelait son frère et prit place sur le trottoir. La nuit l'enveloppa comme un fleuve en crue.

« Il n'y a que des étudiants musulmans qui participent ? demanda Peri.

— Eh bien, c'est le Conseil des étudiants musulmans qui a organisé la veillée, mais d'autres sont venus apporter leur soutien. Il y a des gens du séminaire d'Azur. Regarde, Ed est là. »

En effet. Peri alla lui parler lorsque Mona, occupée avec ses camarades organisateurs, la laissa seule.

« Salut, Ed.

— Ah, Peri, salut. On dirait que je suis le seul juif ici. Ou demi-juif. »

Comme si l'allusion à sa religion était une transition logique, Peri questionna : « Ça t'embête si je te demande pourquoi tu as choisi le séminaire sur Dieu ?

— C'est à cause d'Azur. Ce type a changé ma vie.

— Vraiment ? » Peri se rappela le regard échangé entre Ed et le professeur.

« L'année dernière il m'a aidé énormément. J'allais rompre avec ma petite amie.

— Et il t'a dit de ne pas le faire ?

— Pas exactement. Il m'a dit d'essayer d'abord de la comprendre. Elle et moi, on était ensemble depuis le lycée. Mais elle a changé. Elle a viré religieux – hop, comme ça. Je ne la reconnaissais plus. » Entre elle qui avait décidé de suivre à la lettre la Torah et lui qui se vouait à la science, le gouffre divisant leurs priorités respectives s'était creusé de manière irréparable. « Je suis allé voir Azur, je ne sais pas pourquoi. J'aurais pu consulter un rabbin ou quelqu'un d'autre, mais Azur me semblait la bonne personne.

— Qu'est-ce qu'il t'a dit ?

— C'était zarbi. Il m'a dit d'écouter tout ce qu'elle disait pendant quarante jours. Un mois et dix jours. Pas trop dur, si on aime quelqu'un. Il a dit, passez le Shabbat ensemble. Tout ce qu'elle voulait me montrer, que je la laisse m'entraîner dans son monde à elle. Sans objection, sans commentaire.

— Et tu l'as fait ?

— Oui. C'était dur, tu n'imagines pas. Quand j'entends des sornettes – pardon, mais c'est vraiment ça – tous ces discours religieux, mon esprit se rebelle. Azur a dit, laisse le jugement aux juges. Les philosophes ne jugent pas. Ils comprennent. » Ed émit un petit rire. « Mais ce n'est pas tout.

— Quoi d'autre ?

— Au bout de quarante jours, Azur m'appelle et me dit, bravo, maintenant c'est au tour de ton amie. Pendant quarante jours, tu parles, elle écoute. Ça lui fera une cure de désintoxication religieuse.

— Et elle l'a fait ?

— Bien sûr que non. » Ed secoua la tête. « On a rompu. Mais j'ai compris ce qu'Azur essayait de faire. Et ça m'a donné de l'affection pour lui. »

Son enthousiasme agaçait Peri, cette confiance sans réserve d'un disciple envers son maître. « Mais nous ne sommes pas des philosophes, nous sommes des étudiants novices.

— C'est bien ça le truc. Tous les profs nous donnent de l'espace – sauf Azur. Il nous mène à la dure. D'après lui, quelle que soit notre vocation dans la vie, nous devons tous être des philosophes.

— Est-ce que ce n'est pas trop demander à des étudiants ordinaires ? »

Ed la dévisagea. « Tu n'es pas ordinaire. Personne ne l'est. »

Peri serra les lèvres.

« Qu'est-ce qui ne va pas ? Tu ne l'aimes pas ? interrogea Ed.

— Si, c'est juste que… (Peri déglutit.) Je me demande s'il se sert de nous pour faire des expériences, et ça me met mal à l'aise.

— Peut-être que oui, mais qu'est-ce que ça peut faire ? Il a changé ma vie. En mieux. »

Il se mit à pleuvoir – une petite bruine qui menaçait à tout moment de tourner en averse. Il fallait différer la veillée. On remballa les affiches, les bougies et les photos. Mona courait de toute part, veillant à tout.

Peri tendit la main à Ed. Ignorant son geste, il l'attira vers lui et la serra chaleureusement dans ses bras. « Prends soin de toi. Et fais confiance à Azur, c'est un type formidable. »

Seule dans l'obscurité, Peri repartit vers la cour de son bâtiment parmi les arômes mêlés de la terre et de l'ondée qui embaumaient l'air. Ça ne la gênait pas d'être mouillée. Elle contempla les bâtiments qui avaient été témoins pendant des siècles de débats passionnés ; de voisins changés en ennemis, d'idées réduites au silence, de penseurs persécutés… tout cela au nom de Dieu.

Qui était dans le vrai, Troy ou Ed ? En une soirée, elle avait entendu deux opinions opposées sur le professeur ; et l'ennui, c'est qu'elle avait le sentiment qu'elles pouvaient toutes deux être justes. Comme dans un vieux spectacle d'ombres ottoman, un rideau la séparait de la réalité, et elle se retrouvait à courir derrière des images. Azur était le montreur de marionnettes derrière l'écran – présent et en position de contrôle permanent, pourtant toujours invisible, toujours hors d'atteinte.

Les opprimés

Istanbul, 2016

Le dernier des « Bonbons du harem » venait juste de disparaître de la table quand un chien franchit le seuil de la salle à manger, agitant la queue avec une vigueur démesurée par rapport à sa silhouette menue. Un loulou de Poméranie à tête minuscule, des yeux profonds et un pelage touffu couleur de feuilles d'automne fanées.

« Pom-Pom, mon chéri, tu t'ennuyais de moi ? » s'écria la femme d'affaires.

Saisissant la bestiole, elle l'installa sur ses genoux. De son perchoir, l'animal observait les invités, clignant des yeux, ses traits de renard exprimant une passivité qui pouvait à tout moment se transformer en rictus hostile.

« Vous savez quand je me suis rendu compte que ce pays avait changé ? lança la femme d'affaires à la cantonade. Quand j'ai emmené Pom-Pom chez le véto le mois dernier. »

D'habitude, le vétérinaire venait régulièrement faire ses visites, expliqua-t-elle, mais il y a quelques semaines, il s'était blessé à la jambe et bien qu'il continue à travailler comme avant, il ne pouvait plus venir à domicile. Prenant Pom-Pom sous le bras, elle s'était rendue à son cabinet. Autrefois, les propriétaires de chiens se ressemblaient tous – modernes, citadins, sécularisés, occidentalisés. Comme les musulmans conservateurs jugeaient les chiens *makrooh*, détestables, ils étaient peu enclins à partager leur espace de vie avec des espèces canines.

« Je n'ai jamais compris ce que ces gens reprochent aux chiens. Toutes ces âneries sur les anges qui refusent d'entrer dans une maison où il y a un chien, dit la femme d'affaires. Ou une maison où il y a des tableaux.

— C'est un hadith d'al-Bukhari », dit un magnat de la presse qui venait tout juste de se joindre à la tablée. Sa chemise sans col, d'un blanc éclatant, mettait en relief ses cheveux sombres coupés au bol. Il était rasé de frais, sans barbe ni moustache. Seul parmi les convives, il appartenait à la nouvelle bourgeoisie musulmane. Malgré son vif désir de fréquenter l'élite occidentalisée du pays, jamais il n'aurait amené sa femme, qui portait le foulard, dans un tel dîner. *Elle serait mal à l'aise parmi eux*, c'est l'argument qu'il se donnait. En réalité, c'est lui qui aurait été mal à l'aise avec elle dans les parages. Bien sûr, il l'appréciait comme épouse – Allah savait quelle mère généreuse elle était pour leurs cinq mômes – mais en dehors de la maison, surtout en dehors de leur cercle, il la trouvait dépourvue de raffinement, inconvenante, même ; il surveillait ses moindres mouvements et écoutait chacun de ses commentaires le sourcil dressé. Mieux valait qu'elle reste chez eux.

Maintenant il se calait dans son siège : « Le hadith ne dit pas, d'ailleurs, n'importe quel tableau. Il met en garde contre les portraits, pour prévenir l'idolâtrie.

— Eh bien dans ce cas, nous sommes foutus », dit l'homme d'affaires. Avec un rire satisfait, il ouvrit les bras et désigna les œuvres d'art accrochées aux murs. « Nous avons un chien et une quantité de portraits. Même des nus. Peut-être que cette nuit il va nous pleuvoir des pierres sur la tête ! »

En dépit du ton jovial, ses propos perturbèrent visiblement une partie des invités, qui eurent un sourire gêné. Sentant la tension, Pom-Pom gronda, les crocs luisant de salive.

« Chhhuut, maman est là, dit la femme d'affaires à la miniature, puis à son mari sur un ton moins affectueux : Ne tente pas le sort, un malheur est toujours possible. » Elle but d'un trait son verre d'eau, comme si son irritation l'avait déshydratée. « Voyons, où en étais-je ? Alors quand je suis allée chez le véto, j'ai été surprise de voir des femmes voilées avec des chiens assis à leurs pieds ! Des chihuahuas, des shih tzus, des caniches. Elles étaient plus accros à la gent canine que vous et moi ! De toute évidence, les pieux musulmans sont en train de changer.

— Je ne dirais pas qu'ils *changent*, dit le magnat de la presse. Vous comprenez, nous autres gens religieux nous n'avons jamais eu la liberté dont vous jouissiez. Nous avons été opprimés pendant des décennies par une élite moderniste comme la vôtre – sans vouloir vous offenser.

— Même si c'était vrai, ces temps-là sont révolus. Maintenant, c'est vous qui avez tous les pouvoirs », marmonna Peri, la voix tremblante, comme si elle répugnait à exprimer son opinion mais une fois encore, ne pouvait s'en empêcher.

Le magnat de la presse protesta. « Je ne suis pas d'accord. Opprimé un jour, opprimé toujours. Vous ne savez pas ce que c'est, d'être opprimé. Nous sommes obligés de nous cramponner au pouvoir, sinon vous nous l'arracheriez de nouveau.

— Oh, allons donc ! », s'écria l'amie du journaliste dont le seuil de tolérance à l'alcool était connu pour être très bas. Elle pointa le doigt en direction du magnat. « Vous n'êtes pas opprimé. Votre femme n'est pas opprimée. Moi je suis opprimée. » Elle se frappa la poitrine. « Moi avec mes cheveux blonds, ma minijupe et mon maquillage, ma féminité, mon verre de vin… c'est moi qui suis piégée dans cette culture despotique. »

Les yeux du journaliste s'écarquillèrent d'inquiétude. Craignant que son amie ne s'attire les foudres du magnat, et lui fasse perdre son emploi, il tenta de lui envoyer un coup de pied sous la table, son pied fouettant l'air sans résultat.

« Eh bien, nous sommes tous opprimés, dit la femme d'affaires, tentant maladroitement de réduire la tension.

— C'est simple, dit le chirurgien esthétique. Dès que les gens gagnent plus d'argent, ils rêvent d'une vie plus confortable. J'ai beaucoup de patientes qui portent le foulard. Mais quand elles ont les seins qui pendent et le cou ridé, les musulmanes pieuses ne sont pas différentes des autres femmes. »

L'homme d'affaires approuva chaleureusement. « Ça ne fait que confirmer ma théorie : le capitalisme est le seul remède à nos problèmes. L'antidote à ces tordus de djihadistes, c'est le marché libre. Si seulement le capitalisme pouvait suivre son cours sans obstacle, il finirait par conquérir même les esprits les plus résolus. »

Sur quoi il ouvrit une boîte à cigares en loupe de noyer ciré, ornée sur le couvercle d'un portrait de Fidel Castro, et la fit passer au journaliste avec un clin d'œil. « Édition limitée, boutique hors taxes de Beyrouth. Prenez-en un. Prenez-en deux. »

Les invités masculins, non sans un regard timide en direction de leur hôtesse, farfouillèrent dans le coffret et prirent chacun un cigare.

« Ne vous inquiétez pas de mon épouse, dit l'homme d'affaires. On pratique la liberté dans cette maison. Le laisser-faire ! »

Il y eut un rire général. Pom-Pom, dérangé par le bruit, émit un aboiement coléreux.

Saisissant l'occasion, Peri prit une cigarette. Elle remarqua que la soubrette qu'elle avait vue tout à l'heure à l'entrée venait sur la pointe des pieds disposer des cendriers. Elle se demanda ce que cette femme pouvait penser d'eux tous. Mieux valait sans doute ne pas savoir.

« Notre chère Peri est bien pensive, ce soir, dit la femme d'affaires.

— La journée a été longue », dit Peri, détournant le commentaire.

Son mari se pencha en avant comme pour partager un secret. Il buvait toujours son café noir et fort, avec un morceau de sucre dans la bouche. Tandis que le sucre fondait sur sa langue, Adnan dit : « J'ai parfois l'impression que Peri préfère les gens dans les romans à ceux de la vraie vie. Au lieu d'envoyer des tweets à ses amies, elle préférerait accrocher ses poèmes favoris sur des cordes à linge à travers notre chambre. »

Peri sourit. C'était encore un rituel qu'elle avait appris du professeur Azur.

« Je vous envie, dit la décoratrice d'intérieur. Je ne trouve jamais le temps de lire.

— Oh, j'adore la poésie, dit la DRP. J'ai envie de tout abandonner et d'aller vivre dans un village de pêcheurs. Istanbul corrompt nos âmes !

— Venez à Miami, nous venons d'acheter une maison au bord de l'océan », dit l'homme d'affaires.

Sa femme haussa les sourcils. « Le toupet de cet homme. Pas la moindre sensibilité artistique. Nous disons poésie, il répond Miami.

— Qu'est-ce que j'ai encore fait ? » protesta l'homme d'affaires.

Personne n'émit de critique. Il était trop riche pour qu'on le critique en sa présence.

C'est alors que retentit la sonnette d'entrée, une, deux, trois fois – mélange de frustration, d'excuse et d'impatience.

« Ah, enfin ! » La femme d'affaires bondit sur ses pieds. « Le médium est arrivé.

— Hourra ! » fut le cri général.

Pom-Pom se rua vers la porte, jappant et aboyant furieusement.

Au milieu du tohu-bohu, Peri entendit un bip tout proche. Elle tendit le bras vers le portable de son mari, vérifia l'écran. C'était un message détaillé de sa mère, alors qu'elle lui avait demandé d'écrire simplement, « Appelle-moi » : « Trouvé le numéro, manqué mon émission TV. » Puis l'information requise : « Shirin, 01865… » Le numéro dansa devant les yeux de Peri, une combinaison de chiffres permettant d'ouvrir un coffre-fort verrouillé depuis trop longtemps.

L'oniromancien

Oxford, 2001

Le professeur Azur entra dans la salle de cours, les bras chargés de livres. Quelqu'un le suivait – qui s'avéra être un concierge – poussant une brouette où étaient disposés un poêle, des rouleaux de papier noir, un lecteur CD et plusieurs oreillers comme ceux qu'on fournit dans les avions. Les deux hommes avancèrent au milieu de la pièce et déchargèrent leur matériel.

Comme au théâtre, pensa Peri. *Lui, l'acteur sur la scène ; nous, le public.*

« Merci pour le coup de main, Jim, je vous en dois une, dit Azur au concierge.

— Pas de problème, monsieur.

— N'oubliez pas de revenir à la fin du cours. »

L'homme fit un oui de pure forme et sortit.

Azur examina les jeunes visages brillants de curiosité qui formaient un cercle autour de lui. Dans la lumière crue, ses yeux semblaient las – d'un vert plus sombre – une anse forestière agitée par des courants tourbillonnants. « Comment allez-vous tous ce matin ? »

Les réponses se bousculèrent en un chœur animé.

« Eh bien, si vous avez du sommeil à rattraper, chose impossible, c'est scientifiquement prouvé, voici une occasion. Voulez-vous faire passer ces oreillers, je vous prie ? »

Chaque étudiant en prit un. Pendant ce temps, le professeur s'activait devant le poêle.

« Monsieur, est-ce qu'on va mettre le feu au collège ? lança Kevin.

— Comment avez-vous deviné mes plans maléfiques ? Non, on ne va rien brûler. »

En quelques secondes, le poêle électrique commença à rougeoyer.

« Bien. Les filles et les garçons, vous êtes tous, faisons semblant, bien au chaud dans votre chambre confortable ; dehors il fait un froid glacial. Que pouvez-vous faire d'autre sinon dormir ! »

Les étudiants échangèrent des regards.

« Gardez la tête sur l'oreiller », ordonna Azur.

Ils s'exécutèrent. Tous sauf Peri, qui resta assise raide, les yeux grands ouverts, pleins de soupçon.

« Bon réflexe, Peri. Toujours se méfier. On ne sait jamais, j'ai peut-être farci ces oreillers de chats en colère. »

Peri rougit, et cette fois elle obéit.

Azur prit ensuite le papier noir et sortit de sa poche un rouleau de scotch. Il commença à recouvrir les fenêtres. Privée de lumière extérieure, la pièce sombra dans une semi-obscurité. Il mit en route le lecteur de CD : le bruit d'un feu crépitant parvint à leurs oreilles.

« Qu'est-ce qu'on fait, monsieur ? » C'était Kevin, une fois de plus.

« Nous allons dans un endroit auquel René Descartes a souvent rendu visite. Un lieu de songes ! »

Quelqu'un réprima un rire, mais le reste du groupe semblait intéressé.

« Il avait à peu près votre âge, ce grand philosophe. L'un d'entre vous a-t-il déjà accompli quelque chose d'important ? »

Personne ne répondit.

« Descartes avait de grandes ambitions. Les vôtres sont encore plus grandes, j'en suis sûr. Mais les siennes se fondaient sur une enquête méthodologique et philosophique.

— Les nôtres aussi », dit Bruno.

Azur roula des yeux. « Nous allons visiter les visions de Descartes. Lors de la première, le jeune philosophe gravit une colline. Il craint de tomber. Il sait qu'il doit faire de plus grands efforts pour atteindre ses objectifs, mais il pense qu'il ne peut rien réussir sans l'aide d'une puissance supérieure – Dieu. »

La tête sur l'oreiller, les yeux mi-clos, Peri écoutait.

« Au loin il aperçoit une église – la Maison de Dieu. Le vent le soulève et l'emporte avec une telle force qu'il est précipité contre l'un des murs.

— Je vous l'avais bien dit, que Dieu ne valait rien, fit Kevin.

— Il se lève et s'époussette. Il entre dans une cour où il voit un homme qui veut lui donner un melon – un fruit venu d'un pays étranger.

— C'est bizarre », murmura Ed, qui était assis à côté de Peri. Il avait apporté une boîte de biscuits faits maison qu'il ouvrit alors et offrit à la ronde.

Azur poursuivit. « Descartes s'éveille perclus de douleur, en sueur. Il est préoccupé par la pensée que ce songe émane peut-être du démon. D'où viennent les idées mauvaises – du dehors ou du dedans ? Il implore la protection de Dieu. Mais qu'est-ce que Dieu ? Une source externe ou un produit de notre esprit ? C'est cette question qui le conduit au deuxième songe lorsqu'il parvient à se rendormir. »

Azur passa au deuxième enregistrement sur le CD. Un roulement de tonnerre emplit la pièce. « Une tempête se déchaîne autour du philosophe. L'orage approche. Pourquoi endurons-nous des malheurs au cours de notre vie ? demande-t-il. Comment Dieu peut-Il le permettre s'Il est qui Il est ? Descartes est troublé. Seul. Plein de rancœur. Ce rêve est sombre, déprimant. »

Peri pensa à son frère Umut, non pas l'homme qu'il était aujourd'hui, penché sur une table où il fabriquait des carillons en coquillages pour les touristes qu'il ne connaîtrait jamais, mais le jeune idéaliste qui voulait changer le monde autrefois et redresser tous les torts. Elle se rappela les conversations avec son père, essayant de comprendre pourquoi Dieu les avait abandonnés. Sa gorge lui faisait mal. La douleur qui s'abattit sur elle était si aiguë que ses yeux s'emplirent de larmes. Elle ne savait pas en quoi elle croyait. Peut-être Dieu était-il un jeu auquel seuls pouvaient jouer ceux qui avaient eu une enfance heureuse.

Pour détourner l'afflux de sentiments négatifs, elle se hâta de dire : « Et le troisième rêve, monsieur ? »

Azur lui jeta un regard étrange. « Eh bien, c'est le plus important. Descartes voit un livre sur la table, un dictionnaire. Puis il aperçoit un autre livre, un recueil de poésies. Il l'ouvre au hasard et lit un poème d'Ausone.

« Qui ? demanda Bruno, perplexe.

— Decimus Magnus Ausonius. Poète romain, grammairien, rhétoricien. » Azur pointa le doigt vers Peri. « Vous saviez qu'il s'était rendu dans votre ville – Constantinople ? »

Peri fit non de la tête.

« Le premier vers du poème dit : *Quelle route suivrai-je dans la vie ?* reprit Azur. Un homme apparaît et demande à Descartes ce qu'il en pense. Mais le philosophe ne peut répondre. Déçu, l'homme disparaît. Descartes se sent embarrassé. Il est empli de doutes – comme tous les gens intelligents. Maintenant lequel d'entre vous aimerait interpréter ce rêve ?

— Eh bien, ce melon me paraît louche, dit Bruno. Peut-être que Descartes cachait ses penchants. Il en pinçait pour ce Monsieur N. – qui que ce soit.

— Peut-être, soupira Azur. Ou alors le dictionnaire représentait la science et le savoir. La poésie symbolisait la philosophie, l'amour, la sagesse. Descartes pensait que Dieu lui disait de les rassembler par un travail de la raison et de créer une "science admirable". Voici une question : pouvez-vous créer une science admirable de votre cru pour étudier Dieu ?

— Comment on fait ? demanda Mona.

— Soyez des polymathes, répliqua Azur. Tissez ensemble différentes disciplines, synthétisez, ne vous focalisez pas seulement sur la "religion". En fait, tenez-vous à distance de la religion, elle ne fait que diviser et brouiller l'esprit. Allez vers les mathématiques, la physique, la musique, la peinture, la poésie, les arts, l'architecture... Approchez Dieu par des canaux insolites. »

Peri éprouva une immense excitation. Pouvait-elle créer sa propre science admirable ? Ce serait tellement merveilleux ! Pouvait-elle jeter dans le brouet son amour des livres, sa passion pour la science, le savoir et la poésie, sa mélancolie tenace, ajouter aussi l'esprit brisé et la chair lacérée de son frère aîné, les blasphèmes et les excès de boisson de son père, les prières et les mains ensanglantées de sa mère, la colère sourde de son autre frère, et faire de tout cela quelque chose de solide, de fiable, de complet ? Était-il possible de tirer un mets délicieux d'aussi médiocres ingrédients ?

Azur dit : « Le troisième songe m'incite à me demander si le philosophe redoutait le jugement des autres. Pour nous il est le grand René Descartes ! Mais lui se voyait petit, insignifiant. Si l'un de vous éprouve jamais le sentiment de ne pas être exceptionnel, rappelez-vous, même Descartes l'éprouvait parfois aussi. »

Peri baissa les yeux. Elle comprenait ce que faisait Azur, qui lui inspirait en même temps de l'amour et de la haine. Il lui disait à elle, et à elle seule, de se faire davantage confiance. Il n'avait pas oublié leur conversation dans son bureau.

Quand il eut fini le cours, Azur leur fit écouter le troisième enregistrement de son CD. « Beethoven, *Missa solemnis*. Plongez-vous dans la musique. Rendormez-vous. »

La tête sur l'oreiller, ils savourèrent le morceau. Personne ne parla.

« Le cours est fini », annonça le professeur, en appuyant sur le bouton d'arrêt.

Simultanément, on entendit frapper à la porte. « Entrez, Jim, lança Azur. Pile à l'heure, comme toujours. »

Le concierge se dirigea droit vers le poêle pour le remporter.

« Très bien, vous autres, dit Azur. À la lumière de notre discussion aujourd'hui, écrivez-moi un essai sur Descartes, sa quête de Certitude et de Dieu. Avant de poser le stylo sur le papier, assurez-vous d'avoir bien fait vos recherches. La spéculation sans connaissances n'est que du fatras complaisant. Compris ?

— Oui, monsieur », répondirent en chœur les étudiants.

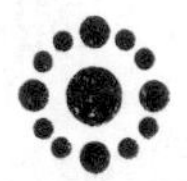

Quand Peri sortit, elle avait la tête qui bourdonnait. Le vent et la force des choses hors de tout contrôle ; la dualité du bien et du mal ; le besoin d'extraire un sens du chaos ; les codes enfouis dans les songes et la dimension onirique de la vie ; la solitude d'un jeune philosophe en quête de vérité ; le premier vers d'un poème ancien et sa question toujours pertinente : *Quelle route suivrai-je dans la vie ?* Un déplacement s'était effectué en elle tandis qu'elle écoutait Azur – un changement si subtil qu'il était presque imperceptible, et irréversible, laissant un vide qu'elle n'osait sonder tant elle redoutait ce qu'elle pourrait y découvrir. Sous la surface de son moi habituellement réticent, une fissure s'était ouverte, dévoilant son cœur affolé. Elle aimerait qu'il continue à parler des jours entiers, à elle et à elle seule.

Quand le professeur parlait de Dieu et de la vie et de la foi et de la science, ses mots s'agglutinaient comme des grains minuscules de riz vapeur, prêts à nourrir des esprits affamés. En compagnie d'Azur, Peri se sentait accomplie, entière, comme s'il y avait après tout une autre manière de voir les choses – différente de l'approche de son père comme de celle de sa mère. Dans les mots d'Azur, elle trouvait une issue à l'épuisante dualité qu'elle avait subie enfant puis adolescente dans la maisonnée des Nalbantoğlu. Près d'Azur elle pouvait étreindre les diverses facettes de la personne qu'elle était et être encore bienvenue. Elle n'avait pas besoin de supprimer, contrôler ou cacher une part d'elle-même. L'univers d'Azur était étranger aux dichotomies rigides, Bien et Mal, Dieu et Shaitan, ombre et lumière, superstition et raison, théisme et athéisme. Lui-même était au-dessus de toutes les querelles que Mensur et Selma se livraient depuis des années et avaient on ne sait comment transmises à leur fille. Peri sentait au plus profond de son âme, même si elle le nierait le plus longtemps possible, qu'elle était éprise de son professeur. Il y avait quelque chose d'affreusement dangereux dans le fait d'attendre de quelqu'un qu'il ait la réponse à la plupart de nos questions, et que cette personne incarne un raccourci vers tout ce qui était resté non résolu jusqu'ici.

Le manteau

Oxford, 2001

« Trouvez de nouveaux récits, toujours pluriels. Nous essayons souvent de réduire notre compréhension de Dieu à une seule réponse – une formule. Grossière erreur ! »

Le professeur Azur marchait rapidement de long en large, les mains dans les poches.

Il y a encore quelques décennies, disait-il, les chercheurs les plus brillants étaient certains que d'ici le XXIe siècle la religion aurait disparu de la surface du globe. Au lieu de quoi, la religion a fait un retour spectaculaire au cours des années 1970, comme une diva qui remonte sur scène, et depuis elle semble bien partie pour rester, sa voix enflant un peu plus chaque année. « Les débats passionnés de notre époque portent sur des questions de foi. »

Ce siècle serait forcément plus religieux que le précédent – au moins sur le plan démographique, car les gens pieux ont tendance à faire plus d'enfants que les adeptes de la laïcité. Mais en nous focalisant sur les conflits religieux, politiques et culturels, nous passons à côté d'une énigme cruciale : Dieu. Alors que les philosophes de jadis – et leurs élèves – sondaient l'idée de Dieu plus que la religion, maintenant c'est le contraire. Même les débats entre théistes et athées, qui sont devenus très populaires dans les cercles intellectuels des deux côtés de l'Atlantique, portent plus sur la politique, la religion et l'état du monde que sur la possibilité de Dieu. En émoussant notre aptitude cognitive à formuler des questions existentielles et épistémologiques sur Dieu, et en coupant notre lien avec les philosophes du passé, nous perdons la faculté divine d'imaginer.

Peri vit que la plupart des étudiants prenaient des notes, résolus à capturer chaque mot. Elle se contentait d'écouter.

« Trop de gens souffrent de M.D.C. Quelqu'un sait ce que c'est ? »

Kevin se risqua : « Mouvement Démocratique de Clonage ?

— Machisme des Cinglés » ? essaya Elizabeth.

Azur sourit comme s'il s'attendait à ce genre de réponses : « Maladie de la Certitude. »

La certitude était à la curiosité ce que le soleil était aux ailes d'Icare. Si l'une brillait à plein régime, l'autre ne pouvait survivre. Avec la certitude venait l'arrogance ; avec l'arrogance, l'aveuglement ; avec l'aveuglement, l'obscurité ; avec l'obscurité, encore plus de certitude. Phénomène qu'il appelait *nature contraire des convictions*. Pendant ces cours, ils ne seraient sûrs de rien, pas même du programme du séminaire, qui était, comme tout le reste, sujet au changement. Ils étaient des pêcheurs lançant d'immenses filets dans l'océan du savoir. Au bout du compte, peut-être qu'ils attraperaient un espadon ; ou qu'ils reviendraient les mains vides.

Ils étaient des voyageurs aussi, des compagnons de route, loin encore d'atteindre une quelconque destination, et peut-être n'y arriveraient-ils jamais. Simplement, ils s'y efforçaient, ils cherchaient. Car dans un monde d'une complexité fuyante, seul ce point était clair : la diligence valait mieux que l'oisiveté, l'entrain était préférable à l'apathie. Les questions comptaient plus que les réponses ; la curiosité était supérieure à la certitude. Ils étaient, en un mot, « Les Apprenants ».

La Maladie de la Certitude, bien qu'il soit impossible de s'en délivrer une fois pour toutes, pouvait s'imaginer comme une cape dont il était possible de se dévêtir. « Une métaphore, j'en conviens, mais ne traitez pas les métaphores à la légère – elles altèrent l'orateur. Après tout le mot vient du grec *metaphorá*, "transférer". »

Désormais, dit Azur, il aimerait qu'avant d'entrer dans la salle de cours chacun se dévête de ce manteau. Y compris lui-même, car lui aussi avait tendance à en porter un. « Pensez-y comme à un vieux pardessus, accrochez-le à une patère. J'en ai mis une juste à l'extérieur de la porte. Vous pouvez aller vérifier. »

Il fallut une bonne minute aux étudiants pour comprendre qu'il était sérieux. Sujatha fut la première à se lever. Elle traversa la pièce, ouvrit la porte et s'avança dans le hall. Son visage s'éclaira quand elle vit qu'il y avait bel et bien un portemanteau. Faisant comme si elle avait une cape sur les épaules, elle la retira, la suspendit et revint dans la salle, la mine triomphante. Un par un les autres suivirent son exemple. Dernier à sortir, le professeur Azur. À en juger par la façon dont il agitait les bras en l'air, sa cape devait être particulièrement lourde. Une fois qu'il s'en fut délivré, il revint et battit des mains. « Superbe. Maintenant que nous nous sommes débarrassés de nos egos, ne serait-ce que de manière symbolique, en route.

— Pourquoi on a fait ça ? interrogea Bruno en secouant la tête.

— Les rituels sont importants, ne les sous-estimez pas, dit Azur. Les religions le savent bien. Mais les rituels n'ont pas besoin d'être religieux. Nous aurons nos propres pratiques que nous partagerons dans ce séminaire. »

Il prit un feutre et écrivit sur le tableau : DIEU EN TANT QUE VERBE.

« La civilisation telle que nous la définissons aujourd'hui est vieille d'environ six mille ans. Mais les êtres humains existent depuis bien plus longtemps – il y a des crânes vieux de 290 millions d'années. Ce que nous savons sur nous-mêmes est minime comparé à ce qu'il reste encore à découvrir. Les fouilles archéologiques montrent que pendant des millénaires les hommes se représentaient un dieu ou des dieux sous des formes variées – un arbre, un animal, une force de la nature, ou une personne. Puis, quelque part au cours de l'histoire, l'imagination a fait un bond. De Dieu en tant qu'élément tangible, les humains sont passés à Dieu en tant que verbe. À partir de là, plus rien n'a été pareil. »

Azur jeta un regard à la ronde et vit que Peri était la seule à ne pas prendre de notes. « Vous me suivez, mademoiselle d'Istanbul ? »

S'efforçant de ne pas rougir sous son examen, Peri se redressa sur son siège. « Oui, monsieur. »

Le regard d'Azur, ouvert et confiant, s'attarda sur elle quelques instants comme s'il s'attendait à la voir répondre différemment, et qu'en ne le faisant pas elle l'avait déçu. Il adressa la remarque suivante à l'ensemble du groupe. « Si je vous informais que derrière cette porte Dieu attend, vous ne pouvez pas Le voir – ou La voir – mais vous pouvez entendre Sa voix, que souhaiteriez-vous qu'Il vous dise ? Pas vous en tant que représentant générique de l'humanité, mais vous en personne – vous et vous seul.

— J'aimerais l'entendre dire qu'Il m'aime, répondit Adam.

— Ouais, qu'Il m'aime et qu'Il est heureux que je L'aime, dit Kimber.

— L'amour, répétèrent plusieurs étudiants en usant de leurs propres termes.

— Qu'Il est d'accord avec moi – tout ce qu'on raconte sur Lui c'est de la daube, dit Kevin.

— Attendez un peu, Dieu ne peut pas vous dire ça à moins qu'Il n'existe, dit Azur. Vous vous contredisez. »

Kevin fronça le sourcil. « J'essaie juste de jouer à ce jeu idiot. »

C'était le tour de Mona. « J'aimerais entendre de la bouche d'Allah que le paradis est réel... et que les bons y entreront et que l'amour et la paix prospéreront, inshallah. »

Azur se tourna vers Peri, si vivement qu'elle n'eut pas le temps de détourner le regard, et s'aperçut qu'il lui était impossible de détacher les yeux des siens.

« Et vous ? Qu'aimeriez-vous entendre Dieu vous dire – Peri ?

— J'aimerais qu'Il présente des excuses. » Elle n'avait pas la moindre idée d'où ces mots lui venaient, mais ne fit aucun effort pour les rattraper.

« Des excuses..., dit Azur. Pour quoi ?

— Pour toute l'injustice.

— Vous voulez dire l'injustice faite à vous ou au monde ?

— Les deux », répondit Peri, plus bas qu'elle n'en avait l'intention.

Dehors, une feuille solitaire du vieux chêne ondula dans le vent une dernière fois et tomba au sol. À l'intérieur, les étudiants étaient si attentifs que le silence était presque tangible.

Dans ce suspens, Azur dit : « La justice ! Quel mot extravagant. La justice selon qui et quoi ? Les pires bigots de l'histoire commettent les pires injustices au nom de la justice. »

Le ton de sa voix se durcit. « Comme vous le voyez, deux façons d'aborder Dieu ont jailli de notre discussion – nous sommes reconnaissants à Kevin de jouer le jeu. Les premiers associent Dieu à l'amour. En cherchant Dieu, ils cherchent l'amour. Puis nous avons la démarche de Peri, qui cherche la justice. »

Peri déglutit laborieusement. Elle avait ouvert son cœur et voilà qu'Azur prenait un scalpel et le découpait devant tout le monde. S'il ne tolérait pas ses opinions, pourquoi l'encourager à parler ? De plus, comment pouvait-on l'accuser de fanatisme potentiel ? Elle, la fille de son père, aucun risque qu'elle devienne une bigote !

Azur n'entendit aucune de ces protestations muettes. Il pointa le doigt vers Peri. « Vous devriez prendre des précautions avec cette puissante "justice". Il est très possible que des gens qui partagent vos idées soient en train de rendre ce monde encore plus mauvais. Tous les fanatiques ont un point en commun : ils vivent dans le passé. Comme vous ! »

Le cours se termina peu après. Peri n'entendit pas les dernières minutes. Son esprit était ailleurs, sa tête vibrait. Elle ne pouvait ni bouger ni regarder quiconque de peur qu'on ne voie sa souffrance. Une fois tout le monde sorti, y compris Azur, elle se retrouva seule avec Mona.

« Hé, Peri, dit Mona en lui posant une main sur l'épaule. Je sais qu'il a été impoli avec toi. Franchement, ignore-le. »

Peri baissa le visage, sentant les larmes monter. « Je ne comprends pas. Je le trouvais admirable. Shirin dit tout le temps qu'il l'est. Mais il se montre si...

— Condescendant », offrit Mona, serviable.

Elles sortirent ensemble. « Tu peux laisser tomber le séminaire, tu sais, dit Mona. S'il te tape sur les nerfs, je veux dire.

— Oui, renifla Peri. C'est probablement ce que je vais faire. Je le hais ! »

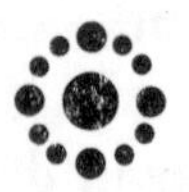

Cette nuit-là, Peri dormit mal. Son esprit, encombré pendant toutes ces années de tant d'inquiétudes et de craintes, se fixait sur une pensée et une seule. Elle avait beau s'appliquer, elle ne pouvait cesser de penser à Azur. Avait-elle entrevu un aspect horrible de sa personnalité qu'il dissimulait, attendant le moment de frapper, ou était-ce sa manière de lui montrer qu'il tenait à elle et à son développement intellectuel ?

Le lendemain matin, elle vit Mona et Bruno dans un café, assis aux deux extrémités d'une table, le visage tendu par une sorte d'animosité mutuelle. Azur leur avait demandé de travailler ensemble pour le prochain devoir, et de passer une soirée à la bibliothèque pour le préparer. *Partagez les aliments, partagez les idées.* Il agissait de propos délibéré : forçant Bruno, qui n'avait jamais caché son aversion pour les musulmans, à faire équipe avec Mona, qui était toujours sensible sur le chapitre de sa foi. Mais Azur ne semblait pas se rendre compte que son plan pour les encourager à construire une relation, si noble qu'il paraisse, ne marchait pas. Les deux étudiants étaient en plein désarroi.

À ce stade, Peri n'en doutait plus, rien dans le séminaire d'Azur n'était accidentel. Tout avait été méticuleusement planifié et orchestré. Chaque étudiant était un pion sur l'échiquier mental d'un jeu qu'il ne jouait que contre lui-même. Elle sentit ses joues la brûler au simple soupçon qu'elle aussi n'était qu'un pion. Elle le détestait rien que d'y penser.

Le jour suivant, elle trouva une autre lettre dans son casier.

À Peri.

La fille qui lit Emily Dickinson et Omar Khayyam et qui prend tout tellement au sérieux ; la fille qui ne peut pas laisser son pays derrière et qui l'emporte partout avec elle ; la fille qui se querelle, pas tant avec les autres qu'avec elle-même ; la fille qui est son critique le plus virulent ; la fille qui attend des excuses de Dieu mais qui passe son temps à s'excuser sans raison devant ses frères humains –

Vous pensez sans doute que je suis un être abominable et vous envisagez de quitter le séminaire. Mais si vous abandonnez maintenant, vous ne saurez jamais si vos soupçons sont fondés. La quête de la Vérité n'est-elle pas une incitation suffisante à continuer ?

Peri, ne renoncez pas. Rappelez-vous, oser "te connaître" signifie oser "te détruire". D'abord, il nous faut nous démembrer. Ensuite, avec les mêmes morceaux, nous assemblerons un nouveau Moi.

Ce qui compte c'est de croire à ce que nous faisons.

La note enfouie dans sa poche, Peri enfila son survêtement et sortit courir. Respirant à fond, elle ferma son sweatshirt jusqu'au menton et se mit en route. Ses muscles étaient douloureux ; ses articulations, raides et courbatues, se lamentaient. Tandis qu'elle fendait l'air matinal, qui charriait des odeurs de terre humide et de feuilles d'automne, elle proféra une malédiction. Quel salopard arrogant ! Il se prenait pour qui ? Qu'il aille se faire foutre !

Oui, pour la première fois de sa vie, Peri jura à pleine bouche, chaque mot un grain de sel sur sa langue dans le vent froid, si froid. Pourquoi n'avait-elle jamais fait cela avant ? Jurer et courir, quelle excellente combinaison ! Délicieuse. Stimulante.

La prédiction

Istanbul, 2016

Un silence électrique enveloppa la table tandis que les invités guettaient l'entrée du médium. Par la porte ouverte, ils entendirent leur hôtesse l'accueillir, la voix tintant comme des carillons de verre.

« Où étiez-vous passé ?

— Les embouteillages ! Un cauchemar, éructa une voix masculine haut perchée et nasillarde.

— À qui le dites-vous ! Venez, mon cher, nos amis meurent d'envie de vous rencontrer. »

Quelques secondes plus tard, le médium apparut, vêtu d'un pantalon noir, d'une chemise blanche et d'un gilet en brocart turquoise à motifs cachemire d'une ère révolue. Il était imberbe, avec des touffes de poils clairsemées qui auraient pu pousser pendant le trajet. Des petits yeux rapprochés, un visage angulaire accentué par un nez étroit et pointu, et un menton presque inexistant, tous éléments qui lui donnaient l'air d'un renard fureteur.

« Tous ces invités ! s'exclama-t-il en entrant. Il va falloir que je campe ici si vous voulez tous que je vous lise votre avenir.

— Volontiers, dit la femme d'affaires.

— Seulement les femmes », dit l'homme d'affaires depuis son coin. Pour sa part, rien ne pouvait être plus ennuyeux que d'entendre raconter la fortune promise à d'autres. Il préférait construire sa propre fortune. Il voulait avoir un entretien privé avec le banquier pendant que sa femme s'occupait à ces âneries. « Pourquoi ne pas vous installer sur les canapés, mesdames ; ce sera plus confortable », proposa-t-il.

Obéissante, son épouse guida le médium et les femmes vers les canapés de cuir. Elle fit signe à une servante : « Apportez à notre nouvel invité un –

— Un thé chaud, ça sera très bien, dit le médium.

— Quoi ? Vous plaisantez. Il faut que vous preniez un verre. J'insiste.

— Quand j'aurai fini mon travail, dit le médium. Pour l'instant mon verre doit être clair, comme mon esprit. »

Peri, qui écoutait cet échange, pensa tout bas : *Le thé n'est pas vraiment clair. Pas plus que cet homme.* Entre-temps, les hommes s'étaient rassemblés sous une installation – une sculpture murale représentant un poisson préhistorique géant aux lèvres rouges, coiffé d'un fez ottoman. Enfin libérés de la compagnie polie, ils pouvaient jurer à tout-va et ne plus s'inquiéter de la direction suivie par la fumée de leur cigare. L'homme d'affaires fit un signe à la même servante : « *Evladim* [1], apporte-nous du cognac et des amandes. »

Peri avait quitté la table avec les autres mais s'attarda au milieu du salon. Comme toujours, elle se sentait partagée dans ce genre de situation. Elle détestait la ségrégation par sexe courante dans les réunions mondaines d'Istanbul. Dans les familles conservatrices, la séparation était si marquée qu'hommes et femmes pouvaient passer la soirée entière sans échanger un mot, isolés dans des parties éloignées de la

---

1. *Evladim* : mon enfant.

maison. Les couples se divisaient en arrivant et se retrouvaient à la fin de la réception avant de franchir le seuil.

Même les cercles libéraux n'excluaient pas cette pratique. Après le dîner, les femmes se rassemblaient comme si elles avaient besoin les unes des autres pour se donner un peu de chaleur, de réconfort, d'assurance. Elles bavardaient de toutes sortes de sujets, l'humeur variant par tandem : vitamines, compléments alimentaires et produits sans gluten ; les enfants et l'école ; méthode Pilates, yoga, mise en forme ; scandales publics et ragots privés... Elles discutaient de célébrités comme si c'étaient leurs amies, et de leurs amies comme si c'étaient des célébrités.

Quant à Peri, elle préférait de loin la conversation masculine, même si les sujets abordés étaient souvent plus graves. Jadis elle allait automatiquement rejoindre les hommes et se mêler à leurs badineries quel qu'en soit le sujet : économie, politique, football... Ils n'avaient pas d'objection à sa présence, la voyaient presque comme l'un des leurs, même s'ils ne parlaient jamais de sexe en sa présence. La conduite de Peri attirait l'attention, parfois l'ire, des autres femmes. Elle avait remarqué, à sa stupeur, que certaines étaient mal à l'aise si elle s'asseyait à côté de leur mari. Graduellement, elle abandonna sa petite rébellion – un sacrifice de plus sur l'autel des conventions.

Pour l'instant, elle ne souhaitait de compagnie ni féminine ni masculine, juste rester seule. Sans bruit, elle se glissa sur la terrasse. Un vent glacé, montant de la mer, la fit frissonner. Elle sentit l'odeur de la marée basse. De l'autre côté du Bosphore, sur le bord asiatique de la ville, le ciel avait pris une teinte bleue des plus sombres. Des traînées de brouillard, tels des lambeaux de mousseline, s'accrochaient à la surface de l'eau. Au loin, un bateau de pêche s'apprêtait à mettre les voiles. Elle pensa aux pêcheurs, austères et taciturnes, la voix étouffée pour ne pas effrayer le poisson, le regard fixé sur les ondes qui leur fournissaient leur pain quotidien. Une part d'elle aurait voulu être là-bas, sur ce bateau, dans cette quiétude pleine d'espoir.

Au même instant, comme pour se moquer de ses souhaits, des sirènes de police retentirent du côté européen. Tandis qu'elle buvait le paysage, quelqu'un se faisait tabasser, quelqu'un tuer, quelqu'un violer... et, oui, à cet instant, quelqu'un tombait amoureux à Istanbul.

Elle tenait dans la paume gauche le téléphone de son mari. Serrant son étreinte autour du cadre métallique, Peri prit sa décision. Cela faisait des années qu'elle n'avait pas parlé à Shirin. Son numéro avait peut-être changé, pour ce qu'elle en savait. Et même s'il était exact, rien ne garantissait que Shirin voudrait lui parler. Mais l'envie d'essayer, peu importe le résultat, était trop forte pour ne pas y céder. Maintenant qu'elle avait permis au passé d'infiltrer le présent, elle était inondée de regrets.

Tout en jouant avec le téléphone, Peri déroula la liste des contacts. Son pouce s'arrêta sur une fiche familière : Mensur. À côté du nom, « Baba ». Les rituels du mariage – les parents de votre époux devenaient automatiquement vos parents, comme si le passé d'un individu, toutes ces années d'amour, de malentendus, de frustrations pouvaient en un seul jour et d'une simple signature, être transféré. Adnan n'avait pas effacé le nom de Mensur après sa mort soudaine. Peut-être était-ce le premier signe de vieillissement – permettre aux amis et parents défunts de continuer une existence virtuelle en ne les effaçant pas de son carnet d'adresses. Parce qu'un jour vous aussi vous deviendrez un nom et un numéro comme ceux-là.

Peri composa le numéro qu'elle avait obtenu de sa mère. Elle attendit, le silence du téléphone se prolongea ; cette seconde de suspense, quand on ne sait pas si on va entrer en communication ou tomber sur une sonnerie « occupé » ; le doute fugitif qui précède tous les appels internationaux.

« Peri, tu viens ? »

Elle se retourna, le mobile toujours pressé contre son oreille. Adnan avait passé la tête dehors, penché au-dessus du seuil, un verre d'eau à la main. Même si depuis leur mariage, Peri était presque toujours soulagée de voir qu'il n'était pas et ne deviendrait jamais alcoolique, il lui arrivait de souhaiter parfois qu'il perde le contrôle – une fois de temps en temps, et commette des fautes qu'il regretterait le lendemain.

« Les gens se demandent où tu es », dit Adnan.

Le téléphone se mit alors à sonner, à des terres et des mers de distance, en Angleterre, dans une maison qu'elle imaginait si différente de celle-ci.

« Je te rejoins dans une minute », dit Peri.

Adnan hocha la tête, une ombre sur le visage. « D'accord, chérie. Ne tarde pas. »

Elle le regarda faire demi-tour et rejoindre la foule, qui semblait plus gaie et plus bruyante depuis qu'elle les avait quittés. Elle compta : un, deux, trois... Un déclic. Son cœur manqua un battement tandis qu'elle se préparait à entendre la voix de Shirin. C'était bien sa voix, mais en version froide, mécanique. Le message de son répondeur :

« Bonjour, vous êtes bien sur le téléphone de Shirin. Désolée, je ne suis pas là pour le moment. Si vous avez des choses agréables à dire, laissez-moi un message après le signal sonore avec vos nom et numéro. Autrement, parlez avant le signal et ne rappelez pas ! »

Aussitôt Peri raccrocha. Elle détestait les répondeurs, leur ton amical factice. Et aussitôt elle refit le numéro. Cette fois elle laissa un message.

« Salut, Shirin... c'est moi, Peri. » Elle entendit une note de faiblesse dans sa voix. « Tu n'as peut-être pas envie de me parler, je ne te blâme pas. Ça fait des années... » Elle déglutit, la bouche sèche comme de la craie. « J'ai besoin de parler à Azur, d'avoir de ses nouvelles, savoir s'il m'a pardonnée – »

Un bip. L'écran s'éteignit. Peri resta immobile, réfléchissant aux implications des mots qui avaient coulé de sa bouche comme mus par une volonté propre. Bizarrement, elle se sentit soulagée d'un poids. Son esprit n'était plus un orchestre d'anxiétés, de regrets, de secrets et de désirs réprimés. C'était fait. Elle avait appelé Shirin. Quel que soit le résultat, elle était prête à l'affronter. La nuit lui parut non plus une force extérieure mais une énergie qui grandissait dans sa poitrine, lui brûlait les poumons, envahissait ses veines, avide de se manifester. *Il n'existe pas de sentiment de légèreté*, se dit-elle, *comparable à celui qu'on éprouve après avoir vaincu une peur ancienne.*

La limousine

Oxford, 2001

Au cœur de l'hiver, Shirin entra dans la chambre de Peri, tirant une valise à roulettes rose. Elle repartait dans sa famille pour les vacances de Noël. Tout le monde rentrait chez soi : étudiants, enseignants, personnel administratif du collège. Tout le monde sauf Peri, qui, ayant largement dépassé son budget du trimestre, avait attendu trop longtemps pour acheter un billet d'avion à prix réduit et devait se résigner à passer à Oxford cette période de congé.

« Tu es sûre que tu ne veux pas venir à Londres avec moi ? demanda Shirin peut-être pour la dixième fois.

— Sûre. Je serai très bien ici. »

En réalité, elle ne serait pas exactement « ici ». À Oxford, l'usage voulait que les étudiants vident leur chambre durant les vacances pour permettre aux collèges d'accueillir des congressistes ou des touristes. À ceux qui étaient obligés de rester, comme elle, on fournissait des chambres de remplacement, provisoires et plus petites.

Shirin se rapprocha d'un pas, regarda Peri droit dans les yeux. « Écoute, Souriceau, je suis sérieuse. Si tu changes d'avis, appelle-moi. Maman adorerait te rencontrer. Elle est ravie quand des amis viennent séjourner chez nous – elle peut se plaindre de moi pendant des heures. C'est une famille paumée. On s'entre-déchire, mais on est bons avec les étrangers. On sera très gentils avec toi.

— Je promets de t'appeler si je me sens trop seule.

— D'accord Nestor. N'oublie pas, quand je reviens, on déménage. Il est grand temps de prendre une maison à nous. »

Peri espérait que Shirin aurait oublié ce projet, mais visiblement il n'en était rien. D'innombrables étudiants d'Oxford avaient suivi le même parcours : démarrer dans le cocon intime de la vie de collège, où tout était relativement facile avec ses domestiques, réfectoire, bibliothèque et salles de séjour communes ; trouver cela suffoquant à la longue ; rassembler un petit groupe de coturnes potentiels et déménager au cours de la deuxième année. Nombre d'entre eux n'avaient d'ailleurs pas le choix car les collèges n'avaient pas assez de chambres pour loger tous leurs étudiants.

Jusqu'ici, chaque fois que Shirin abordait le sujet, Peri refusait poliment et fermement. Mais Shirin, comme toujours, était opiniâtre, sa passion presque contagieuse. En lui montrant des photos de maisons envoyées par un agent immobilier, elle affirma à Peri que pour elle, ça ne faisait pas de différence de payer un peu plus chaque mois. En retour, Shirin y gagnerait un espace privé et la paix de l'esprit. Comme elle détestait la solitude, et n'aurait jamais pris un appartement seule, si Peri acceptait sa proposition, Shirin lui serait redevable, et pas l'inverse.

« J'y réfléchirai, dit Peri, avec un léger malaise.

— Y a rien à réfléchir. La vie de collège, c'est pour les première année. Les seuls qui restent ici ce sont les trop timides pour bouger… et les tarés.

— Ou ceux qui n'ont pas assez d'argent.

— D'argent ? » dit Shirin avec la note de dédain qu'elle réservait aux gens odieux et aux ennuis inévitables, comme un égout qui éclate ou une grève des ramasseurs d'ordures. « Ça devrait être le cadet de tes soucis. Laisse-moi m'en charger. »

De temps en temps, Shirin laissait entendre, sans jamais le dire ouvertement, que sa famille était riche. Bien sûr elle avait connu dans sa vie son lot d'épreuves, mais le manque d'argent n'en faisait pas partie. Peri supposait que la maison délabrée de Londres dont elle disait sans cesse pis que pendre n'était pas en si mauvais état. Shirin était prête à payer la totalité du loyer. Peri n'aurait rien d'autre à faire que mettre ses livres et ses vêtements dans des cartons et la suivre dans cette nouvelle aventure.

« Bon, ma chérie, faut que j'y aille. » Shirin embrassa Peri sur les deux joues, l'enveloppant dans un nuage de parfum. « Heureuse Nouvelle Année ! J'ai hâte d'être en 2002 ! J'ai l'impression que ça va être le meilleur moment de notre vie. »

Peri saisit la bouteille d'eau posée sur son bureau et accompagna son amie jusqu'à la loge d'entrée.

Le portier en chef montait la garde près du seuil. Cet ancien officier semblait connaître tous les étudiants par leur nom. « Passez d'excellentes vacances, Shirin, à l'année prochaine, cria-t-il avec entrain. Vous aussi, Peri. »

Peri crut détecter une note de chaleur ajoutée dans sa voix quand il la salua. Il était sans doute désolé pour elle. La seule étudiante qui ne repartait pas dans sa famille.

Une limousine noire avec chauffeur attendait dehors. Tout en regardant Shirin qui vacillait un peu sur ses talons hauts en traînant sa valise, Peri se sentit tiraillée par des émotions contradictoires. Partager un logement avec Shirin risquait d'aggraver sa timidité face à la forte personnalité de son amie. En outre, avait-elle envie d'être endettée auprès de Shirin – ou de quiconque ? Et pourtant, ne serait-ce pas génial d'avoir un logement à elles ?

Quand la voiture s'éloigna, Peri jeta l'eau dans son sillage, suivant une vieille tradition turque. *Pars comme l'eau, reviens comme l'eau, mon amie.*

Le flocon de neige

Oxford, 2001

La saison des fêtes approchait avec frénésie. Habituée aux célébrations de Nouvel An plus calmes d'Istanbul, Peri fut d'abord ahurie, puis amusée d'observer ces préparatifs élaborés – les rues décorées d'arches lumineuses, d'éclairages miroitants, les magasins débordant de victuailles, les chorales de chants de Noël et leurs lanternes qui luisaient comme des libellules dans l'obscurité.

Oxford sans étudiants semblait perdre son âme. Être seule à Noël était doublement aliénant, même pour Peri, qui était habituellement très heureuse de sa solitude. Chaque jour, elle prenait ses repas seule dans un restaurant chinois où il n'y avait que trois tables. La nourriture était bonne, mais anarchique. Peut-être que le cuisinier était bipolaire, imagina Peri, que ses sautes d'humeur se reflétaient dans ses plats. Certains jours, elle se sentait malade en sortant de table.

Elle reprit son emploi à temps partiel aux Deux Sortes d'Intelligence. Les propriétaires disaient que pendant des années ils avaient essayé diverses idées de vitrine pour attirer la clientèle pendant la période des fêtes – un bonhomme de neige assis dans un fauteuil en train de lire, des colliers d'alphabets suspendus au plafond. Cette fois ils voulaient quelque chose de différent.

« Pourquoi pas un arbre de Noël de livres interdits ? » suggéra Peri. Sur le modèle de l'Arbre de la connaissance qui portait des fruits défendus, leur arbre porterait des livres censurés dans une partie du monde.

L'idée leur plut assez pour qu'ils lui en confient la réalisation. Absorbée, Peri dressa un arbre argenté au centre de la vitrine. Sur ses branches, elle suspendit *Alice au pays des merveilles*, *1984*, *Catch 22*, *Le Meilleur des mondes*, *L'Amant de Lady Chatterley*, *Lolita*, *Le Festin nu*, *La Ferme aux animaux*... La liste des livres interdits en Turquie à elle seule était déjà si longue qu'il fallut lui consacrer plusieurs branches et ça ne suffisait toujours pas. Kafka, Bertolt Brecht, Stefan Zweig et Jack London rencontraient Omar Khayyam, Nazim Hikmet et Fatima Mernissi. Sur toutes les branches elle répartit les cartes phosphorescentes qu'elle avait préparées : « Interdit », « Censuré », « Brûlé ».

Pendant qu'elle s'activait, son esprit vagabondait, revenu à un autre Noël – elle devait avoir dix ou onze ans – où Mensur avait rapporté à la maison un sapin en plastique. Aucune autre maison du quartier n'en avait un comme ça, même si quantité de boutiques et de supermarchés exposaient le leur.

Pendant qu'on le transportait depuis le seuil jusqu'au coin assigné, l'arbre répandit des aiguilles de plastique, comme l'enfant du conte de fées qui répand des miettes de pain pour retrouver son chemin jusqu'à la maison. Sans s'arrêter à ce détail, Peri et Mensur le décorèrent avec application : guirlandes dorées, bleues, argent. Quand ils furent à court de bibelots, ils en fabriquèrent de leur cru : noix peintes, pommes de pin, capsules de bouteille et animaux en écorce. Tout sur leur arbre était bon marché et mal assorti ; pourtant ils en raffolaient.

Quand Selma revint de ses courses, son visage se décomposa. « On a vraiment besoin de ce truc ?

— Une nouvelle année approche, dit Mensur, au cas peu probable où sa femme l'ignorerait.

— C'est une coutume chrétienne, objecta Selma.

— Est-ce que nous n'avons pas droit à une goutte de plaisir ? » Mensur roula des yeux. « Tu penses qu'Il ne m'aimerait plus si je m'amusais un peu ?

— Pourquoi Allah t'aimerait si tu ne fais rien pour Lui être agréable ? »

Consciente que son père avait acheté ce conifère conflictuel pour lui faire plaisir, Peri se sentait responsable de la tension qui régnait. Il fallait qu'elle trouve un moyen de rétablir l'harmonie. Cette nuit-là, elle attendit que tous soient endormis et elle mit son plan en action, veillant jusqu'au petit jour.

Le lendemain matin, quand ils entrèrent dans le séjour, les Nalbantoğlu trouvèrent un sapin bizarrement costumé. Les chapelets chéris de Selma, des chats en porcelaine et des foulards de soie déchirés en lanières décoraient ses branches. Au sommet de l'arbre, une petite mosquée en cuivre et à côté un livre de hadiths se tenaient en équilibre délicat.

« Vous voyez, il n'a plus rien de chrétien », dit Peri, rayonnante.

Le monde sembla s'immobiliser tandis qu'elle attendait la réaction de sa mère. La mâchoire de Selma se décrocha, en proie à une incrédulité horrifiée, apparemment au bord d'émettre un son. Mais avant qu'elle ne parle, Mensur, debout derrière elle, se mit à glousser, les épaules convulsées. Au bruit de cet amusement, l'expression de Selma s'assombrit. Elle sortit.

À ce jour, Peri ne savait toujours pas ce qu'aurait dit sa mère ni ce qu'elle pensait réellement de son sapin de Noël islamique.

La veille de la Saint-Sylvestre, Peri était retournée à la librairie. Hormis une vieille femme en quête de chaleur plus que de littérature, il n'y avait aucun client. Les propriétaires étaient allés rendre visite à un ami, et le reste du personnel prenait un jour de congé.

Peri épousseta les étagères, fit du café, balaya le plancher, redisposa les Sacco, vérifia le stock ; à l'aise dans un lieu qu'elle avait pris en affection. Ses tâches terminées, elle sortit un livre de A.Z. Azur et se nicha dans un fauteuil, environnée de coussins. Elle avait rassemblé sa liste complète de publications : neuf ouvrages aux titres séduisants et aux couvertures à motifs géométriques. Les bilans montraient qu'ils se vendaient bien. Ce jour-là elle lisait l'un de ses premiers livres : *L'Art de rester perplexe.*

La vieille femme vint en traînant les pieds s'asseoir en face d'elle, paupières tombantes, tête inclinée. Bientôt elle s'endormit. Peri alla prendre une couverture sous la caisse et l'en couvrit doucement. Le temps s'étira, ralentit, un mystère gluant comme la résine de pin des conifères d'Anatolie. L'impression que le monde était riche de possibilités lui parcourait l'esprit comme une drogue enivrante. Entourée de livres, qu'elle voulait tous lire, accompagnée par les écrits d'Azur – mi-provocants, mi-apaisants – elle éprouvait une sérénité qu'elle n'avait pas ressentie depuis des années. Certes, elle était toujours en colère contre lui, mais ne pouvait pas en vouloir à ses livres. Et elle pensait sans arrêt à son séminaire. Impossible de ne pas y penser.

Elle venait de terminer un chapitre quand la porte s'ouvrit, faisant tinter la clochette de bronze de l'entrée. Une bourrasque de vent froid pénétra en compagnie du professeur Azur en personne, vêtu d'un long manteau sombre et d'une écharpe safran qui aurait sûrement fait envie à un moine bouddhiste. Un fédora en velours qui peinait à mater ses boucles rebelles complétait sa mise élégante.

« Pouvons-nous entrer ? » demanda-t-il à la cantonade.

Quand Peri se leva et fonça vers la porte, se coinçant l'orteil dans une crevasse du plancher, elle comprit pourquoi ce « nous ». À ses côtés, il tenait en laisse un colley à poil long, épais pelage ébène, acajou et blanc, museau pointu.

Les sourcils d'Azur se haussèrent. « Salut, Peri. Quelle surprise ! Qu'est-ce que vous faites ici ?

— Je travaille à la librairie à temps partiel.

— Splendide. Alors, qu'est-ce que je dois faire de Spinoza ?

— Je vous demande pardon ?

— Mon chien. Il fait trop froid dehors.

— Oh, pas de problème, faites-le entrer, dit Peri, avant de se rappeler que les propriétaires ne voulaient pas de chiens dans la boutique, et se raviser. Peut-être qu'il… Spinoza… pourrait vous attendre dans l'entrée. »

Mais le professeur Azur était déjà à l'intérieur, son chien en remorque, tous deux tête levée, le regard fixe, comme deux hiéroglyphes égyptiens.

« Je ne suis pas venu depuis un moment, dit Azur, en examinant la pièce. L'endroit a changé. Il a l'air plus grand – et plus lumineux.

— On a déplacé quelques objets et viré les meubles encombrants », dit Peri. Elle surveillait Spinoza, qui reniflait les alentours puis s'installa sur le siège le plus confortable, sa fourrure retombant en éventail jusqu'au sol.

Si le professeur Azur remarqua sa gêne, il n'en montra rien. La voix ondulant à sa manière particulière, il était déjà passé à un autre sujet. « J'adore l'Arbre Interdit de la vitrine, au fait. Superbe idée. »

Peri rayonna de fierté. Elle avait envie de lui dire que c'était sa création, mais ne voulait pas lui donner l'impression qu'elle se vantait. Au lieu de quoi, elle dit la première chose qui lui passait par la tête. « Vous cherchiez un livre en particulier ?

— Pas pour l'instant. Mon agent m'a demandé de venir signer quelques exemplaires. Je lui ai promis que je le ferais. » Son regard tomba sur le fauteuil où s'était installée Peri. « Je le reconnais, celui-là. Vous étiez en train de le lire ? »

Peri contempla ses pieds. « Oui, juste commencé. »

Il attendit qu'elle comble le silence. Elle attendait aussi, comme si le langage qui leur permettrait de communiquer vraiment restait encore à découvrir. À la fin elle dit en désignant la table : « Voulez-vous vous asseoir ? Je vais chercher vos livres. »

Il y en avait tellement ! Sept livres en stock ; deux autres en commande. Avec dix à quinze exemplaires de chaque, il y avait de quoi construire une petite tour. Le professeur Azur tira un siège à lui, ôta son manteau, sortit un stylo-plume et commença à signer diligemment. Elle lui servit du café et s'affaira dans un coin d'où elle pouvait l'observer.

À mi-hauteur de la pile, Azur s'interrompit et lui lança un regard interrogateur par-dessus ses lunettes. « Pourquoi n'êtes-vous pas partie célébrer le Nouvel An en famille ?

— Je n'étais pas en mesure de voyager, dit Peri avec un geste désinvolte de la main comme si Istanbul l'attendait derrière la porte. Mais ça va très bien, Noël pour nous n'est pas si important. »

Il lui jeta un long regard pénétrant. « Vous me dites que ça ne vous chagrine pas de passer les fêtes loin de vos parents ?

— Ce n'est pas ce que je voulais dire. » Elle le connaissait depuis des mois, mais elle avait toujours l'impression qu'il refusait délibérément de la comprendre. « C'est juste que cette période compte plus pour les étudiants chrétiens. » Elle fit une pause. Avait-elle dit quelque chose de travers ? Elle était toujours très attentive aux mots qu'elle employait, comme si elle marchait sur de la glace et s'arrêtait pour vérifier de temps en temps que la croûte sous ses pieds n'avait pas craqué – pas encore.

Il l'examinait, une lueur étrange dans les yeux qui semblait la traverser. « Vos parents sont musulmans pratiquants ?

— Ma mère et un de mes frères, oui. Mais pas mon père ni mon autre frère.

— Ah, quelle scission, dit Azur, la mine triomphante de celui qui vient de trouver le morceau de puzzle manquant alors qu'il l'avait sous les yeux depuis le début. Laissez-moi deviner. Vous êtes proche de votre père et de votre frère aîné. »

Elle avala péniblement. « Euh, oui, c'est vrai. »

Avec un hochement de tête, il retourna à ses livres.

« Et vous ? se risqua Peri. Je veux dire, vous célébrez les fêtes en famille ? »

Il parut ne pas entendre, continua à signer, et elle n'osa pas répéter la question. Pendant un laps de temps qui dura plusieurs minutes, lui semblait-il, on n'entendit plus que les grognements du colley, les ronflements de la vieille dame, le tic-tac d'une horloge à pendule et le grattement de la plume. Elle le vit serrer la mâchoire, le regard soudain vague. Tout autour de lui paraissait transitoire, évanescent, en mouvement. Ni passé, ni avenir, seulement cet instant présent, déjà fugace et enfui.

Il prit une gorgée de café. « C'est Spinoza ma famille, maintenant. »

Maintenant. À la façon dont il prononça le mot, Peri sentit qu'elle avait forcé un couvercle qu'elle n'avait pas le droit de toucher et entrevu la tristesse à l'intérieur. « Je suis désolée », dit-elle.

Le stylo s'immobilisa. « Passons un accord, vous et moi », dit Azur. « Vous avez déjà demandé pardon tellement de fois qu'à partir de maintenant, même si vous faites une chose horrible, je ne veux plus vous entendre présenter des excuses. Promis ? »

Elle sentait son cœur lui marteler les côtes, sans trop savoir pourquoi ; l'impression d'un pacte vaguement illicite. Pourtant elle n'hésita pas. « Promis. »

« Bien ! » Ayant terminé ses signatures, il se leva. « Merci pour le café.

— Je mettrai des étiquettes sur les livres, dit-elle. Exemplaire autographié.

— Merci. » Il lui adressa un sourire.

Ils se dirigèrent vers la porte, le professeur à cheveux longs et le colley à poils longs, leurs deux corps en harmonie policée par des années d'amitié. En posant la main sur la poignée de la porte, Azur s'arrêta, fit demi-tour et la regarda. « J'y pense, nous avons prévu un dîner informel avec quelques vieux amis, quelques collègues, des assistants dont l'un a à peu près votre âge, ça sera peut-être agréable, peut-être ennuyeux. Mais vous ne devriez pas rester seule une veille de Nouvel An. L'Angleterre a une façon étrange d'infliger aux étrangers un sentiment réjouissant de liberté et une solitude déprimante. Aimeriez-vous vous joindre à nous ? »

Avant même qu'elle trouve une réponse, il avait sorti son carnet, arraché une page et écrit dessus l'adresse et l'heure.

« Tenez, pensez-y, aucune obligation. Si ça vous tente, passez nous voir. N'apportez rien. Pas de fleurs, pas de vin, pas de loukoums, rien que vous. »

Il ouvrit la porte et fit un pas dehors. La neige commençait à tomber. Des flocons virevoltaient au hasard, chassés par le vent, comme s'ils montaient en spirale du sol au lieu de tomber du ciel. Oxford prenait l'allure d'une ville dans une boule de verre.

« Fabuleux, dit Azur à son chien, à lui-même ou à Peri.

— C'est si beau », dit-elle doucement, depuis le seuil.

Puis elle eut une impulsion tout à fait inattendue. Alors qu'il était tard, qu'il faisait froid, qu'Azur était sur le point de partir, qu'elle frissonnait bras croisés dans son pull, elle se mit à lui parler de son livre, incapable de s'arrêter, son souffle formant des nuages de vapeur. « Vous dites que notre vie n'est qu'une des vies possibles que nous aurions pu mener. Et tout au fond je crois que nous le savons tous. Même dans les mariages heureux et les carrières réussies, il y a toujours un doute. On ne peut pas s'empêcher de se demander à quoi nos vies auraient ressemblé si nous avions choisi un autre chemin – ou des chemins, toujours au pluriel. Et vous nous dites que notre idée de Dieu n'est qu'une parmi nombre d'autres. Alors à quoi bon être dogmatique à propos de Dieu – qu'on soit théiste ou athée ?

— C'est exact. » Azur observa le visage de Peri, surpris et satisfait de l'entendre se livrer à une telle sortie.

« Mais il faut que vous sachiez que beaucoup de gens dans ce monde, comme ma mère, puisent un sentiment de sécurité dans leur foi. Ils sont persuadés qu'il n'existe qu'une seule interprétation de Dieu : la leur. Ces gens ont déjà beaucoup à surmonter, et vous voulez leur retirer leur seule protection : leur certitude. Ma mère... parfois je la regarde et je vois chez elle tant de chagrin qu'elle serait devenue folle si elle n'avait pas pu se cramponner à sa foi. »

Le silence s'ouvrit entre eux aussi délicatement qu'un éventail de soie.

« Je comprends. Mais l'absolutisme sous toutes ses formes est une faiblesse, dit Azur. Le théisme absolu comme l'athéisme absolu. À mon sens, Peri, ils sont également problématiques. Ma tâche consiste à injecter aux incroyants une dose de foi et aux croyants une dose de scepticisme.

— Mais pourquoi ? »

Le regard d'Azur la transperça. « Parce que je ne suis pas un puriste. Cela entrave la progression intellectuelle. » Un flocon vint se poser sur son chapeau, un autre sur ses cheveux. « Voyez-vous, certains chercheurs ont tendance à diviser et catégoriser, d'autres à fondre et unir. Les trancheurs et les amalgameurs. Moi je veux que tous mes sens soient en éveil – comme votre poulpe prodigieux. Ne restons pas dépendants d'un cerveau central. Introduisons de la poésie dans la philosophie et de la philosophie directement dans nos vies quotidiennes. Le problème aujourd'hui, c'est que le monde attache plus de valeur aux réponses qu'aux questions. Mais les questions devraient compter bien davantage ! Je crois au fond que je veux faire entrer le diable à l'intérieur de Dieu et Dieu à l'intérieur du diable.

— Je… nous… comment on peut faire ça ?

— Partout où nous percevrons une dualité, nous la pulvériserons en petits morceaux. Nous transformerons la singularité en pluralité, et la simplicité en complexité.

— Qu'est-ce que ça signifie ?

— Ça signifie que nous allons mettre les choses en pagaille, estomper les lignes. Mettre ensemble les idées irréconciliables et les gens incompatibles. Imaginez, un islamophobe s'amourache d'une musulmane… ou un antisémite devient ami intime d'un juif… et ainsi de suite, jusqu'à ce que nous prenions les catégories pour ce qu'elles sont : des fruits de notre imagination. Les visages que nous voyons dans le miroir ne sont pas vraiment les nôtres, mais de simples reflets. Nous ne pouvons découvrir notre être véritable qu'à travers le visage de l'Autre. Les absolutistes vénèrent la pureté, nous l'hybridité. Ils veulent nous réduire tous à une identité unique. Nous travaillons à produire le contraire : multiplier chacun en une centaine de propriétés, un millier de cœurs battants. Si je suis humain, je devrais avoir l'esprit assez vaste pour être ému par des gens de tous horizons. Considérez le cours de l'histoire. Observez la vie. Elle évolue de la simplicité vers la complexité. Pas l'inverse, ce serait une régression.

— Mais ce n'est pas trop difficile ? Les gens ont besoin de simplification.

— Sottise, ma chère. Nos cerveaux sont équipés pour les torsions et les tournants. »

Puis il n'y eut plus rien à dire. Il leva la main en guise d'au revoir et elle lui fit un signe de tête. Ainsi s'enfoncèrent-ils, homme et chien, dans l'obscurité qui s'ouvrait devant eux. Peri sentait son estomac se nouer, sa respiration devenir haletante ; elle était à la fois euphorique et terrifiée, à la lisière de l'inconnu. Elle les suivit du regard jusqu'à ce qu'ils tournent l'angle. Cela, pour elle, n'était pas un moment ordinaire. On sait toujours l'instant précis où l'on tombe amoureux.

Le médium

Istanbul, 2016

Le mélange âcre d'arômes de café, cognac et cigares d'un côté, parfums coûteux de l'autre, assaillit Peri dès qu'elle revint dans la pièce. Elle pensait encore au message qu'elle avait laissé sur le répondeur de Shirin quand elle aperçut le médium à quelques pas de là. Un sourire fat étalé sur le visage, il était assis sur une méridienne, entouré par l'adulation de femmes à genoux comme un sultan dans une fantaisie orientaliste grotesque. Le gestionnaire de fonds américain était là aussi, attendant patiemment qu'on lui lise son marc de café.

Peri se dirigea vers le cercle des hommes, négligeant les règles de bonne conduite en société. Elle s'assit au milieu du groupe, à côté de son mari, sous les nuages de fumée gris-bleu qui montaient de multiples cigares.

Adnan posa une main sur son épaule et la serra doucement. Une fois, deux fois. Un code entre eux. « Tu t'ennuies ? » Elle lui prit la main, la serra, une seule fois. « Tout va bien. »

« Notez bien ce que je dis, la carte du Moyen-Orient va être redessinée, déclarait l'architecte à son entourage. C'est clair, les puissances occidentales ont un grand projet.

— Ça, c'est certain. Ils ne nous laisseront jamais prospérer, nous autres musulmans, approuva le magnat de la presse. Les croisades n'ont jamais pris fin.

— Oui, mais la Turquie n'est plus la Turquie d'avant, dit l'architecte nationaliste. Nous ne sommes pas des agneaux dociles. Et nous ne sommes plus l'homme malade de l'Europe. C'est l'Europe qui a peur de nous maintenant – et elle fera tout pour fomenter l'agitation. »

Le magnat opina. « Ça, ils savent s'y prendre pour semer le chaos. Une main invisible presse un bouton et tout s'embrase de nouveau, les effusions de sang et la violence. Nous devons rester sur le qui-vive. »

Les autres hommes écoutaient attentivement – certains hochaient la tête, d'autres restaient immobiles.

À travers la fumée de leur cigare, Peri les observait. « Pour moi, tout ça me semble de la pure paranoïa, dit-elle doucement. Les Européens... les Occidentaux... les Russes... les Arabes... Si vous aviez l'occasion de les rencontrer, pas en tant que catégorie, mais individuellement, vous verriez que nous sommes tous, plus ou moins, semblables de chair et d'esprit. » Elle fit une pause. « Nous ne pouvons nous reconnaître qu'à travers le visage de... l'Autre. »

L'architecte et le magnat la regardèrent bouche bée. Adnan lui adressa un clin d'œil. « Bien dit, ma chérie. »

Souriant à son mari, Peri s'excusa et se leva. Elle traversa la pièce et rejoignit le cercle des femmes.

En la voyant, la DRP se pencha et murmura quelque chose à l'oreille du médium. L'homme écouta, les sourcils levés. Il leva les yeux et dévisagea Peri. Il sourit. Elle pas. Le sourire s'élargit. Comme tous ceux qui sont habitués aux flatteries et à l'adulation, il était intrigué par la seule personne qui tentait de l'éviter.

« Pourquoi votre invitée ne vient-elle pas nous rejoindre ? » demanda-t-il à l'hôtesse, qui était assise en face de lui, Pom-Pom niché sur ses genoux.

Implacable, la femme d'affaires bondit sur ses pieds. Une main sous le ventre de Pom-Pom, de l'autre elle prit le coude de Peri et la guida gentiment mais fermement vers l'invité d'honneur.

« Avez-vous rencontré notre amie Peri ? demanda-t-elle au médium. Elle est arrivée en retard, comme vous. Elle a eu un accident en route.

— On dirait que vous avez eu une journée difficile, fit l'homme, prenant note de sa main bandée et de sa robe déchirée.

— Rien de grave, dit Peri.

— Vous avez droit à un cadeau. Aimeriez-vous que je vous lise votre avenir ? » Il se leva et ajouta avec un sourire : « C'est gratuit. »

Ce qui déplut fort à l'amie du journaliste et à la DRP qui étaient assises de part et d'autre du médium, attendant leur tour.

Peri fit non de la tête. « Vous avez suffisamment à faire.

— Ne vous inquiétez pas, je suis là pour tout le monde. » Un sourire lent se glissa sur son visage, comme s'il allait dire quelque chose puis avait décidé de le garder pour lui.

« Je crois que je vais sauter mon tour pour cette fois. »

Il gloussa, mais lui lança un regard d'acier. « Je fais cela depuis vingt-cinq ans, et je n'ai encore jamais rencontré une femme qui ne souhaite pas connaître son avenir. »

La DRP sauta sur l'occasion. « Et son passé ?

— Mais non… C'est juste pas son *truc*, dit le médium, gardant les yeux sur Peri et lui tendant la main. C'était un plaisir de vous rencontrer, n'empêche. »

Peri, par pur réflexe, tendit la main gauche. Au lieu de la serrer, il saisit son poignet, sans lâcher prise. Un courant passa de lui à elle, un picotement, un éclair de chaleur.

Retenant toujours sa main, il lui dit : « Méfiez-vous des charlatans, mais pas d'un vrai médium.

— Oh, c'est lui le meilleur, rien à voir avec les autres, confirma la femme d'affaires.

— Peut-être une autre fois », dit Peri en reculant.

À peine avait-elle fait un pas que la voix du médium la rattrapa. « Quelqu'un vous manque. »

Peri le regarda par-dessus son épaule. « Qu'est-ce que vous avez dit ? »

Il se rapprocha. « Quelqu'un que vous aimiez. Vous l'avez perdu. »

Peri se ressaisit rapidement. « Vous pourriez dire la même chose à la moitié des femmes – et des hommes – du monde. »

Il rit, un entrain factice dans la voix. « Cela, c'est différent. »

D'un geste involontaire, elle croisa les bras sur sa poitrine, résolue à éviter tout contact.

« Je vois la première lettre de son nom, dit-il d'un ton confidentiel juste assez fort pour que toutes les femmes l'entendent. C'est un *A*.

— La plupart des noms masculins commencent par un *A*, dit Peri sans réfléchir. Celui de mon mari, par exemple.

— Vous savez quoi, je ne vais pas vous embarrasser davantage devant tout le monde. Je vais vous l'écrire sur une serviette.

— *Kizim* [1], glapit la femme d'affaires tout en émoi. Apporte-nous un stylo, dépêche-toi.

La DRP dit malicieusement : « Si c'est une histoire ancienne, pourquoi ne pas la partager ?

— Qui a dit qu'elle était ancienne ? intervint le médium. C'est une histoire qui vit, qui respire. »

Peri parvint à garder son calme alors qu'une tempête se déchaînait en elle. Elle voulait juste qu'il la laisse tranquille.

1. *Kizim* : ma fille.

Pas seulement lui mais toutes ces femmes et tous ces hommes, et cette ville en chaos permanent.

La servante revint avec l'objet demandé, si vite qu'on aurait dit qu'elle n'attendait que ce moment. Le médium prit force précautions pour écrire sans que les autres puissent voir, plia la serviette – chaque geste d'une lenteur et d'une solennité pénibles.

« C'est mon cadeau pour vous, dit-il en l'offrant à Peri.

— Parfait, merci. »

Elle s'éloigna du groupe des femmes, passa devant les hommes et ressortit sur la terrasse. La barque de pêcheurs n'était plus là, l'eau s'étendait à l'infini, plus sombre que les pires regrets. Une voiture dévala la rue, moteur grondant et musique à plein régime – une romance en anglais – crachée par les vitres ouvertes. Peri plissa les yeux, essayant d'imaginer l'homme – toujours un homme – qui pouvait écouter un air comme celui-ci à pareille heure et avec autant de décibels.

Prudemment, elle ouvrit son poing gauche – la main qu'elle utilisait pour écrire, la main qui chez elle était la plus forte. Là, sur la serviette froissée, le médium avait dessiné trois silhouettes féminines – comme les trois singes de la sagesse. *Toutes les trois.*

Sous la première il avait écrit : « Elle a vu le Mal. » Sous la deuxième : « Elle a entendu le Mal. » Et sous la troisième s'étalaient ces mots : « Elle a fait le Mal. »

Quatrième partie

La graine

Oxford, 2001

Le soir de la Saint-Sylvestre, Peri était trop excitée pour faire la moitié des choses qu'elle avait prévues. Le matin elle alla courir, mais elle n'arrivait pas à tenir le rythme, et la crampe de son mollet était si douloureuse qu'elle dut s'arrêter tôt. Une fois assise à son bureau pour lire, elle s'aperçut qu'elle était incapable de se concentrer, les mots couraient sur la page blanche comme des fourmis en quête de nourriture. Elle se sentait tout aussi affamée. Ayant tendance à céder aux « aliments de réconfort », elle craignait, si elle avalait ne serait-ce qu'une bouchée dans son état fiévreux, de ne plus pouvoir s'arrêter. Au lieu de quoi, elle grignota des pommes. Et écouta la radio. Qui l'aida un peu, le bruit régulier lui calmait les nerfs. Elle se brancha sur les nouvelles du monde, les nouvelles locales, des débats politiques, et un documentaire de la BBC sur l'Empire aztèque. Mais un documentaire – même sur les puissants Aztèques – ne pouvait durer indéfiniment. Elle avait beau essayer de chasser la soirée de son esprit, celle-ci s'imposait sans cesse à ses pensées. À la fin, ce fut un soulagement quand vint l'heure de se préparer. Aucun dîner avec le professeur Azur ne pourrait être pire que son anticipation.

Peri mit du mascara, de l'eye-liner noir et du brillant à lèvres, et s'en tint là. Elle examina son visage dans le miroir, trouvant le nez hérité de sa mère trop gros. S'il existait des cosmétiques appropriés pour le faire paraître plus mince, elle n'en avait pas la moindre idée. Si Shirin était là, elle lui aurait demandé conseil. Mais voilà, si Shirin était là, Peri n'irait probablement pas dîner chez Azur. *Vous ne devriez pas rester seule une veille de Nouvel An*, voilà ce qu'il avait dit. Il ne l'avait pas invitée par pitié, espérait-elle.

Comment s'habiller, la décision était difficile. Non qu'elle ait l'embarras du choix. Mais avec les quelques vêtements qu'elle possédait, elle inventa de multiples combinaisons qu'elle essaya toutes, une par une. La jupe en toile noire avec le chemisier ample, le chemisier avec son jean, le jean avec sa jaquette verte… Elle ne voulait pas avoir l'air d'une étudiante, ou pire, l'air de ne pas vouloir avoir l'air d'être une étudiante. Enfin, parmi une pile de vêtements étalés sur le lit, elle se décida pour une jupe de velours et un pull bleu céruléen – si doux qu'on aurait dit du cachemire. Elle compléta sa tenue par un collier bleu profond de perles mauvais œil.

Même s'il avait dit avec insistance qu'elle ne devait rien apporter, elle avait appris de sa mère qu'on ne doit jamais arriver les mains vides. Elle acheta huit tartelettes chez un traiteur de Little Clarendon Street, ce qui était stupide parce qu'elles coûtaient plus cher qu'un gâteau entier.

Elle marcha jusqu'à l'arrêt d'autobus et attendit. En moins de cinq minutes, le bus arriva. Elle regarda les portes s'ouvrir et se refermer. Puis elle regarda le bus repartir sans elle, tandis qu'elle retournait chez elle se changer. Une longue robe noire et de grosses bottes. Beaucoup mieux.

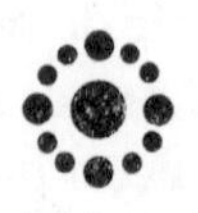

Azur vivait juste à l'extérieur de la ville, à environ vingt minutes de bus en suivant Woodstock Road, dans le village de Godstow. Au printemps, l'endroit serait drapé dans la verdure luxuriante de la campagne anglaise, avec une vue dégagée à travers Port Meadow jusqu'aux clochers rêveurs d'Oxford, mais à présent l'obscurité les couvrait. Quand elle descendit du bus, il s'était remis à neiger – de gros flocons laineux sur ses cheveux, sur son manteau. Il n'y avait pas d'autre maison en vue, ce qui ne la surprit pas. Elle avait plus d'une fois soupçonné son tuteur d'être secrètement un misanthrope.

C'était une maison imposante, ceinturée de pierre, à double baie, qu'il était difficile de dater, un peu comme son propriétaire, et qui semblait encore habitée par son passé – une maison chargée d'histoires. Peri avança lentement, prenant garde à ne pas glisser, sur un sentier sinueux bordé de chênes nus des deux côtés. Le vent traversait l'étoffe de son manteau. Elle frissonna, autant par un effet de ses nerfs que du froid. Elle jeta un regard en arrière sur l'arrêt du bus, comme si elle s'inquiétait de ne pas le retrouver plus tard dans la soirée. Comment allait-elle rentrer ? Il y avait sûrement des invités qui habitaient Oxford et l'un d'eux pourrait la ramener chez elle. C'était typique de sa part de se faire du mauvais sang pour la fin d'une soirée avant même qu'elle ne commence.

Des lumières se répandaient par les fenêtres du rez-de-chaussée, chaudes et dorées comme du miel. Serrant la boîte de pâtisseries contre son cœur, Peri se tint devant la porte, écoutant le bruit qui venait de l'intérieur – bavardage joyeux, éclats de rire et, en arrière-fond, des flots de musique. Le genre de musique qu'aucun de ses amis n'écoutait, pas plus qu'elle. La musique, comme les lumières, était à la fois attirante et intimidante.

Tandis qu'elle avançait, Peri entendit un chuintement, comme le bruit d'une voiture au loin. Mais il n'y avait rien sur la route. Pas de bus, ni de moto, et sûrement pas de bicyclette par un temps pareil. Entre-temps, une autre zone de son cerveau, plus lente et plus sage, l'avertit que le bruit était bien plus proche. Elle regarda autour d'elle et vit une haute haie à sa droite. Rien ne bougeait, pas même le vent, et pourtant elle était certaine cette fois que quelque chose ou quelqu'un l'observait.

Instinctivement elle appela : « Qui est là ? »

Dans l'épaisseur des ténèbres, Peri crut distinguer une silhouette qui se faufilait derrière les buissons. Elle avança d'un pas. « Troy ! C'est toi ? »

L'adolescent émergea, l'air pâle et embarrassé.

« Mon Dieu, qu'est-ce que tu m'as fait peur, dit Peri. Tu me suivais ?

— Pas toi, idiote, dit Troy avec un signe en direction de la maison. C'est au diable que j'en ai. » Il fit une pause. « Qu'est-ce que tu fabriques ici ? »

Elle refusa de répondre. « Tu espionnes le professeur !

— Je t'ai dit, je le poursuis en justice. Besoin de preuves à montrer au tribunal. »

Tu es obsédé par cet homme, pensa Peri. C'était étrange que parmi les diverses formes d'obsession, la haine et l'amour soient de nuances si proches, comme des teintes voisines sur la palette d'un artiste.

Une onde de rires monta de la maison. Troy fonça derrière la haie. « S'il te plaît, ne lui dis pas que je suis ici. »

Peri fronça le sourcil. « Tu n'as pas le droit de faire ça. Je vais entrer et attendre dix minutes. Ensuite je ressortirai vérifier. Si tu n'es pas parti d'ici là, je le dirai à Azur. Et s'il n'appelle pas la police, moi je le ferai.

— Holà, calme-toi, dit Troy, les mains en l'air. Ne tire pas. »

Elle se dirigea vers la porte d'entrée, qui était ornée d'un vitrail : ambre, olive, et rouge cramoisi. Elle sonna vivement la cloche. Un chant d'oiseau perça l'air. Pas un aimable canari ni un rossignol, mais plutôt le cri rauque d'un perroquet qui se moquerait du visiteur malchanceux. Les bruits à l'intérieur cessèrent un instant puis reprirent tout aussi vite. Derrière le vitrail, une ombre se profila. Elle entendit des pas approcher. Elle avait oublié de remettre du brillant à lèvres, mais c'était trop tard.

La porte s'ouvrit.

Une femme bloquait l'entrée. Une grande blonde, tonique, souple et jolie. Elle examina Peri de haut en bas, un sourire figé sur les lèvres, qui aurait pu être amical n'était son air impérieux. Elle savait qu'elle était séduisante ; la robe bleu nuit sans bretelle qui moulait son corps dessinait une silhouette en forme de sablier. *Sûrement pas un professeur*, pensa Peri. Heureusement qu'elle n'avait pas mis son pull. Elle ne voulait rien avoir de commun avec cette femme. Pas même une nuance de bleu.

À en croire Azur, son chien Spinoza était sa seule famille, mais cela ne voulait pas dire qu'il n'avait pas une compagne. Ou même une épouse. Il ne portait pas d'alliance, mais les maris ne se sentaient pas tous tenus d'en arborer une. Comment n'avait-elle jamais imaginé qu'il puisse avoir quelqu'un dans sa vie ? Bien sûr que oui. Comme tout le monde à son âge.

« Salut, joli minois, dit la femme, en s'emparant de la boîte de pâtisseries. Vous devez être la jeune Turque. »

À ces mots, sur un bruit de pas rapides, Azur apparut, tenant une bouteille non débouchée qu'il braqua sur elle comme le canon d'un vaisseau miniature. Il portait un pull à col roulé gris métallique et une veste rouge bourgogne en laine et cachemire.

« Peri, vous êtes venue ! s'exclama-t-il, le front luisant sous la lumière. Ne restez pas là dans le froid. Entrez, entrez. »

Elle le suivit – les suivit – vers le séjour. Le long du couloir, les murs étaient couverts de photos encadrées. Des portraits de gens de tous les coins du monde la dévisageaient, lointains et plongés dans leurs pensées, comme s'ils savaient déjà quelque chose qu'elle devait encore découvrir.

« Fascinantes, ces photos. Qui les a prises ? »

Azur lui fit un clin d'œil. « C'est moi.

— Oh, vraiment ? Vous avez dû beaucoup voyager.

— Un peu. Vous savez que je suis allé en Turquie.

— À Istanbul ? »

Il fit non de la tête. Pas à Istanbul où tout le monde se rendait, mû par le sentiment qu'il fallait le faire un jour. Non. Azur avait visité d'autres endroits – le mont Nemrut, avec ses têtes géantes de divinités anciennes ; le monastère byzantin de Sumela, niché sur une falaise abrupte ; et le mont Ararat, où l'arche de Noé s'était posée. Peri déglutit, redoutant qu'il l'interroge sur ces sites alors qu'elle n'en connaissait aucun.

Dans le séjour, des étagères de livres montaient du sol au plafond sur deux murs opposés. Debout entre les deux, un groupe de gens élégants bavardaient avec entrain, une flûte de champagne ou un verre de vin à la main.

Se tournant vers les invités assemblés, Azur appela un jeune homme. « Darren, venez par ici. Je veux vous présenter à une de mes meilleures étudiantes », et dès qu'il le vit approcher, il disparut.

Peri apprit que Darren avait une licence de physique. Il lui apporta une flûte de champagne, ses manières polies et policées. Il la félicita de son accent « exotique », un compliment qu'elle semblait avoir mérité. Il l'interrogea sur son parcours, mais il avait surtout envie de lui raconter le sien, en parlant comme s'il courait contre la montre. Oui, il était intelligent, ambitieux – et avide d'affection. Il essaya de la faire rire, aligna une série de blagues, ayant sans doute lu quelque part que les femmes ont un faible pour les hommes dotés d'un grand sens de l'humour. Il roulait des yeux chaque fois, comme si même lui ne trouvait pas sa prestation très amusante. Brave type, cependant. *Le genre d'homme qui aimerait et respecterait sa compagne n'entrerait pas en compétition avec elle*, pensa Peri.

Mais elle savait qu'il n'y aurait jamais plus qu'une faible étincelle entre eux. Pourquoi fallait-il que les choses se passent ainsi ? Pourquoi ne se sentait-elle pas attirée par ce garçon, qui était gentil et avenant, proche de son âge et probablement parfait pour elle ? Au lieu de quoi c'est pour le professeur qu'elle se languissait en secret – un homme non seulement vieux, inconnu et engagé ailleurs, mais de plus sûrement mauvais pour elle. C'était un sujet d'étonnement sans fin pour Peri que le bonheur – ce mot magique au centre de tant de livres, d'ateliers, et de spectacles télévisés – ne l'intéresse pas, ne l'ait jamais intéressée. Elle ne souhaitait pas être malheureuse. Bien sûr que non. Simplement, ça ne lui venait pas à l'idée que la quête du bonheur puisse être un but valable dans l'existence. Comment sinon pourrait-elle s'autoriser à porter son cœur en écharpe pour un individu comme Azur ?

Elle prit une profonde inspiration. Une audace dont elle ne se serait jamais crue capable l'envahit, comme un parfum entêtant. D'autres pouvaient-ils, eux aussi, sentir qu'elle changeait de l'intérieur ? Au-delà de tous les mots aimables et les sourires contraints de la vie mondaine, il y avait une frontière qui séparait les individus responsables des inadaptés en mal de conflit et des boucaniers en quête d'aventures. Une ligne aussi fine qu'un murmure, qui tenait les jeunes Turques modestes à l'écart de toutes sortes d'ennuis et de péchés. Quel effet cela ferait-il de s'approcher de cette ligne de partage, assez près pour sentir la fin de la terre solide sous ses pieds et le début du vide au-delà, puis soudain se laisser tomber, légère et indolente ?

Alors qu'elle n'était ni brave ni excentrique, une graine d'hétérodoxie semée dans son cœur au cours de l'adolescence avait germé sans être vue, prête à percer la couche d'humus. Nazperi Nalbantoğlu, toujours convenable et prudente et équilibrée, rêvait de transgresser, rêvait de pécher.

« C'est l'heure de dîner », lança Azur avec un sourire alléchant depuis l'autre bout de la pièce, brandissant une grande fourchette de service comme si c'était une sagaie destinée à un invité sans méfiance.

La nuit

Oxford, 2001/2

Peri suivit les autres jusqu'à une grande table de réfectoire en chêne qui aurait pu servir d'accessoire dans un spectacle médiéval. Elle l'imaginait entourée de seigneurs et de chevaliers, chargée de viandes rôties à la broche, de paons farcis et de gelées luisantes. Sauf que sur celle-ci il n'y avait ni plats en argent ni gobelets en or, juste de la vaisselle ordinaire.

Derrière la table, une cheminée bordée de tuiles de majolique était surmontée par une photographie en noir et blanc dans un cadre. Peri s'approcha du feu crépitant, attirée par la danse des flammes. Chacune des tuiles semblait représenter un personnage différent – des hommes pour la plupart, mais aussi quelques femmes, aux vêtements d'une autre époque, l'expression grave. Des images de prophètes, de messagers et de saints. Sur certaines des tuiles, leur nom était gravé : le roi Salomon, saint François, Abraham, Bouddha, sainte Thérèse, Ramananda… Ces personnages portaient de l'eau, écrivaient sur un parchemin, parlaient à leurs disciples ou marchaient seuls dans un paysage désertique. Ils semblaient disposés sans ordre particulier. De les voir tous côte à côte, comme s'ils assistaient eux-mêmes à un banquet, lui faisait une impression bizarre. C'était plus facile d'imaginer ces figures sacrées séparément. Peri chercha des yeux le prophète Mahomet, se demandant s'il était inclus. Et le voilà, montant vers le ciel sur un coursier, le visage voilé, la tête ceinte de flammes comme dans les miniatures persanes et turques d'autrefois. La Vierge Marie était là aussi avec l'Enfant Jésus, la peau aussi pâle que la neige dehors, escortée d'anges ailés. Elle vit Moïse pointant vers le sol une baguette dont la partie haute s'était changée en serpent.

Pourquoi donc Azur avait-il placé ces images autour de sa cheminée ? Si ce n'était pas pour une raison esthétique, était-ce l'expression de son système de croyance, et si oui, que croyait-il exactement ? Elle avait lu plusieurs de ses livres, mais il restait pour elle une énigme. Incapable de répondre aux questions qui lui harcelaient l'esprit, elle se concentra sur la photo au-dessus de la cheminée.

C'était un cliché de la maison, pris manifestement il y a plusieurs années. Le chêne qu'elle avait vu en marchant depuis l'arrêt de bus y figurait, ainsi que le sentier sinueux. On apercevait aussi un jardin planté de fleurs en abondance et de gros nuages épais si proches qu'ils semblaient toucher le toit. La maison paraissait différente, plus petite ; peut-être avait-elle connu des extensions au fil des ans. Alors que l'image montrait le printemps et la nature à son sommet, elle faisait à Peri l'effet d'une Arcadie perdue, un temps de joie insouciante impossible à retrouver.

Les invités étaient maintenant tous rassemblés autour de la table, verre en main, attendant patiemment d'être guidés vers leur place.

« Azur, comment voulez-vous qu'on s'assoie ? interrogea un homme maigre aux joues creuses, éminent professeur de physique quantique, apprit plus tard Peri.

— Comme s'il allait se montrer aussi directif ! S'asseoir est une affaire de choix personnel dans cette maison », dit un autre au tour de taille considérable. Professeur à la faculté de théologie et de religion, c'était un vieil ami d'Azur et un de ceux qui le connaissaient le mieux. Pour appuyer sa remarque, il tira un siège à lui et s'assit.

Suivant son exemple, les autres invités, un par un, se placèrent autour de la table. Dès que Peri eut trouvé une chaise, Darren prit la place à côté d'elle. La belle blonde était assise en face, à côté d'Azur.

Le professeur de théologie se laissa aller en arrière, absorbant la musique qui continuait à jouer en sourdine. Au bout d'un moment, il leva son verre. « J'aimerais que nous portions un toast à notre généreux hôte. Nous le remercions de nous réunir – nous autres pauvres âmes abandonnées et désolées d'Oxford, consumés par la froideur de la nuit. »

Regardant par-dessus un chandelier de fer chargé de trois bougies allumées dont les ombres se chevauchaient sur les murs, Azur retourna le compliment avec un sourire.

Peri jeta un coup d'œil à ses compagnons de table – un mélange disparate de chercheurs et d'étudiants de diverses disciplines. À son entrée dans la pièce, elle s'était dit que tous ces gens, en dépit de leurs différences, partageaient tous le même don : l'intelligence. Ils devaient être de qualité pour appartenir au cercle intime d'Azur, avait-elle décidé, plus érudits et plus sensibles que la moyenne. Quelle présomption de sa part ! Ce qu'ils avaient en commun c'est que chacun d'entre eux, pour une raison ou une autre, allait célébrer le Nouvel An seul – avant qu'Azur n'intervienne et ne les collecte, comme des coquillages éparpillés sur une plage lointaine.

« Il y a une autre raison pour laquelle je souhaiterais que nous lui portions un toast, poursuivit le professeur d'âge mûr. Parce qu'il nous passe du Bach en permanence. Si tout le monde écoutait Bach dix minutes par jour, je vous garantis que le nombre de croyants augmenterait. »

Azur secoua la tête. « Attention, John. Tu le sais mieux que moi, Bach est un champ de mines théologique. C'est vrai, sa musique passe pour être l'instrument sublime de la voix de Dieu. Mais plus on l'écoute, moins Dieu semble nécessaire à sa création. Tu finiras par comprendre que ses œuvres sont l'expression la plus haute de l'esprit humain. Bach pourrait faire de toi un croyant – ou un véritable sceptique. »

Il y eut des rires parmi les convives.

« Je vous en prie, servez-vous », dit Azur en ouvrant les mains.

Aussitôt les invités tournèrent leur attention vers la nourriture. Trois grands plats étaient posés au milieu de la table. Le premier contenait des haricots vapeur. Le deuxième du riz noir. Le troisième une grosse dinde rôtie dorée à point. Et une carafe de vin rouge rubis. C'était tout. Il n'y avait ni sauce ni condiments. C'était d'une simplicité telle qu'elle frisait l'affectation. Peri sourit intérieurement en pensant à sa mère. Selma préférerait mourir que convier des invités à une table aussi modeste. Elle avait dit à sa fille que le secret d'un dîner réussi c'était de « t'assurer que tu offres deux plats raffinés par personne. Pour quatre invités, il t'en faut huit ; pour cinq, il te faut dix plats ». Ce soir il y avait vingt personnes et trois plats. Sa mère aurait été consternée.

Les invités commencèrent à se servir de chaque plat avant de le passer à leur voisin. Quand vint son tour, Peri se servit des portions généreuses, s'avisant soudain qu'elle n'avait pas mangé de la journée.

La blonde sans nom se pencha vers Azur. « Vous avez fait tout cela vous-même ? »

Peri se ragaillardit. Si elle avait besoin de lui poser la question, ce n'était sûrement pas sa femme.

« Oui, ma chère, voyons si ça vous plaît, dit Azur, puis s'adressant à tous, il ajouta en français : Bon appétit. »

Dans la lueur dansante des bougies, ses yeux prenaient un ton vert forêt, ses cils brillaient et ses lèvres, que Peri n'avait jamais osé examiner jusqu'ici, semblaient d'une couleur aussi vive que le vin qu'il buvait.

Azur inclina la tête et jeta un regard de biais à Peri derrière ses paupières baissées, avec une expression de légère surprise. Elle rougit, horrifiée en se rendant compte qu'elle l'avait dévisagé trop longtemps. Aussitôt, elle se tourna vers Darren, reconnaissante de sa présence.

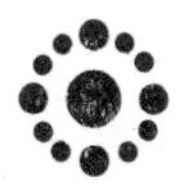

Pour dessert, il y avait un pudding de Noël. Azur versa une rasade de cognac sur le pudding encore chaud et le fit flamber avec une allumette. Des flammes bleues jaillirent sur toute la surface, et virevoltèrent gaiement avant d'exhaler le dernier soupir de leur courte vie innocente. D'une main experte, Azur découpa le pudding et servit à chacun une part généreuse recouverte de crème anglaise. Les invités, qui s'étaient tus pendant qu'ils regardaient la performance, une fois savourée la première bouchée, félicitèrent leur hôte pour ses talents culinaires.

« Vous devriez écrire un livre de cuisine, suggéra le professeur de physique. C'est délicieux. Comment vous faites ça ?

— Eh bien, on apprend », murmura Azur.

À Peri, ces mots offraient un indice sur sa vie privée. Il devait vivre seul, en déduisit-elle. Elle espérait que quelqu'un pousserait l'enquête plus loin, mais personne ne le fit. Au lieu de cela, ils se mirent à discuter l'invasion de l'Afghanistan. L'énergie autour de la table changea lorsque certains des invités exprimèrent leur mécontentement à l'égard de Tony Blair, louant la rébellion de l'arrière-ban du Parti travailliste. Tout de même, il y avait dans leur ton une sorte de calme que Peri associait difficilement avec la politique. En Turquie, tous les débats politiques de sa courte expérience, ceux entre les amis de son père, ou ceux auxquels elle avait pris part, étaient cernés par les trois *R* majuscules : Ressentiment, Rage et Résignation. Quand les sujets étaient graves, que les émotions montaient, que l'espoir de voir la situation s'améliorer diminuait, le style était le premier sacrifié de la conversation. Alors qu'ici la façon de parler plaçait le style avant le contenu. Son esprit était si pénétré de ces comparaisons culturelles qu'elle perdit le fil de la discussion autour de la table, et quand elle s'avisa que tout le monde la regardait, elle ne saisit pas immédiatement pourquoi.

Le professeur âgé vint à son aide. « Nous disions justement combien votre pays est intéressant. »

Se rappelant les avertissements de Shirin à propos du mot « intéressant », Peri lança un coup d'œil à son professeur. Mais Azur, qui l'observait par-dessus le bord de son verre, semblait curieux d'entendre ce qu'elle allait dire.

« Qu'en pensez-vous ? La Turquie aura-t-elle jamais une chance d'être admise dans l'Union européenne ? » demanda une femme dont la courte chevelure blanche se dressait en mèches vaporeuses. Elle était l'épouse du vieux professeur.

« Eh bien, je l'espère, dit Peri.

— Vous ne pensez pas que ce pays est culturellement… différent ? s'immisça la blonde.

— Je ne sais pas ce que vous entendez par *différent* », répondit Peri, un champ de bataille s'ouvrant dans son âme. D'un côté, elle souhaitait émettre un jugement critique, tant son pays lui inspirait de frustrations. De l'autre, elle voulait inspirer à ces gens de la sympathie pour sa terre natale. Un réflexe défensif l'envahit. Un sentiment de responsabilité.

Jamais jusqu'ici elle n'avait eu à ce point l'impression de représenter une entité collective.

« Alors vous ne considérez pas la religion comme un obstacle ? demanda le professeur de physique. Vous arrive-t-il de craindre que la Turquie ne devienne un jour comme l'Iran ?

— Le danger est réel. Mais l'Iran est une société de mémoire et de tradition. Nous autres Turcs, nous sommes très doués pour l'amnésie.

— Qu'est-ce que vous trouvez préférable ? demanda Darren, son voisin de table. Se souvenir ou oublier ?

— Les deux attitudes ont leurs inconvénients, répliqua sans hésiter Peri. Mais je préférerais oublier. Le passé est un fardeau. À quoi bon se souvenir si on ne peut rien changer ?

— Seuls les jeunes jouissent du luxe de l'oubli », dit le professeur âgé.

Peri inclina la tête. Elle n'avait pas voulu paraître jeune. Au choix, elle aurait voulu paraître perspicace et sage. À sa grande surprise, cependant, elle vit Azur acquiescer. « Si je devais faire un choix, peut-être que moi aussi je préférerais m'échapper de ma mémoire. Vivement l'Alzheimer ! »

La belle blonde posa la main sur celle d'Azur. « Très cher, vous ne le pensez pas vraiment. »

Peri détourna les yeux. Elle ne connaissait pas ces gens : leur passé, leurs relations, tout cela était pour elle hors de portée. Elle pouvait tout juste sentir, mais non comprendre, tout ce qui restait non-dit, les sujets qu'ils contournaient à pas de loup.

Peu avant minuit, tandis qu'on servait thé et café, elle s'excusa pour aller aux toilettes. Le visage qu'elle vit dans le miroir tout en se lavant les mains était celui d'une jeune femme qui manquait trop souvent de confiance en soi et de légèreté. Elle se reprochait souvent de ne pas savoir se montrer joyeuse. Sûrement elle avait dû commettre une faute qui engendrait ce désarroi involontaire. Mais peut-être que les gens qui échouaient à l'Examen du Bonheur n'étaient pas en faute. La tristesse n'était pas un symptôme de paresse ou d'apitoiement sur soi. Peut-être ces gens étaient-ils simplement nés comme ça. Lutter pour être plus heureux était aussi vain que lutter pour être plus grand.

En repassant dans l'entrée, parmi les portraits, Peri aperçut une photo qui la fit s'arrêter net.

La femme de l'image – pommettes hautes, yeux très écartés, lèvres pulpeuses – était nue à part une écharpe nouée souplement autour de la taille. Ses cheveux étaient relevés à la va-vite en chignon, ses épaules pâles et luisantes comme l'ivoire poli. Ses seins étaient larges et ronds, les aréoles dressées au milieu d'un cercle foncé ; le nombril légèrement saillant, d'une main elle retenait le tissu qui lui couvrait les jambes, prête à le lâcher à tout moment. Le sourire sur ses lèvres suggérait le plaisir qu'elle prenait à être photographiée. Il disait aussi qu'elle connaissait le photographe.

Étourdie, Peri vacilla en avant comme si elle avait pénétré dans une zone interdite. Elle resta immobile, paralysée sur-le-champ. Des entrailles de la maison lui parvint le tic-tac d'une pendule. Un pressentiment, à la fois familier et insupportable. Avec un élan de trépidation, elle devina la présence du bébé dans la brume, dangereusement proche. Et le voilà, même visage rond, regard confiant, tache lie-de-vin couvrant la moitié du visage. Il essayait de lui dire quelque chose – à propos de la femme du portrait. Tristesse. Il y en avait tant par ici – intense, intacte. Peri n'aurait su dire si elle avait trébuché sur un vieux chagrin ou si c'était elle qui l'avait apporté.

« Va-t'en », murmura Peri horrifiée. Elle n'allait pas le tolérer. « Pas maintenant. Pas ici. »

Le bébé dans la brume boudait.

« Qu'est-ce que tu essaies de me dire ? Tu n'as pas le droit de venir ici, cet endroit –

— À qui parlez-vous, Peri ? »

Elle se retourna et vit Azur debout derrière elle, les yeux luisant d'étincelles dorées qui ne livraient rien.

« Je me parlais à moi-même… et je la regardais », dit Peri en indiquant le mur. Un regard de côté la rassura, le bébé dans la brume commençait à se dissiper, un serpentin de vapeur dans l'air.

« Mon épouse, dit Azur.

— Votre épouse ?

— Elle est morte il y a quatre ans.

— Oh, je suis si désolée.

— Encore ? dit-il, le regard sautant de la femme du portrait à celle qui se tenait devant lui. Il faut vraiment que vous cessiez…

— Elle semble originaire du Moyen-Orient, s'empressa d'ajouter Peri pour parer sa critique.

— Oui, son père était algérien. Des Berbères, comme saint Augustin.

— Saint Augustin, un Berbère ? Mais il était chrétien ! »

Azur la regarda, conscient de sa jeunesse. « L'histoire est vaste. Les Berbères étaient juifs, chrétiens, et même païens à une époque. Et musulmans. Le passé est plein de rencontres qui peuvent nous paraître bizarres aujourd'hui mais qui étaient parfaitement logiques à l'époque. »

Ces mots, bien que sans rapport avec elle, ouvrirent un vide en Peri, un espace inexploré. Dans sa propre expérience, non seulement le passé, mais le présent aussi était plein de rencontres défiant la raison.

« Vous êtes toute pâle », dit-il.

C'est alors qu'elle s'ouvrit à lui. Tandis qu'ils se tenaient là à portée du bruit des invités, Peri avoua à son professeur que depuis son enfance, pour une raison insondable, elle avait vécu des « expériences surréelles ». Elle en avait fait part à son père, qui avait balayé ces « superstitions », et à sa mère, qui craignait qu'elle ne soit la proie d'un *jinni*. Depuis, elle n'en avait parlé à personne, de peur d'être à nouveau jugée.

Azur l'écouta, une expression de stupeur s'étendant sur son visage. « Je ne peux pas commenter votre expérience *surréelle*. Mais je peux vous dire une chose avec certitude : n'ayez pas peur d'être différente. Vous êtes une personne très rare. »

Une explosion de voix animées en provenance du séjour les interrompit.

« Il doit être minuit, dit Azur, en se passant les doigts à travers les cheveux. Continuons cette conversation plus tard. Il le faut ! Venez à mon bureau. »

Il s'approcha d'elle et l'embrassa sur les deux joues. « Bonne année ! » Puis il partit embrasser les autres.

« Bonne année, professeur », murmura Peri en direction de son dos, sa chaleur s'attardant sur elle.

Venez à mon bureau. Sûrement ce n'était pas une remarque ordinaire. Une excitation imprévue l'envahit. Il avait dit qu'elle était une personne rare – très rare. Il la voyait comme jamais on ne l'avait vue. Tandis qu'elle se tenait là, immobile, en pleine réflexion, tout devint d'une clarté stable, la goutte finale avant que toutes ses attentes, tous ses espoirs, se cristallisent. Le temps de rejoindre la fête, elle s'était persuadé que son professeur éprouvait lui aussi des sentiments pour elle.

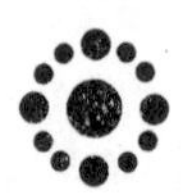

Peu après minuit, les invités commencèrent à prendre congé. Ce n'est qu'en sortant dans le froid que Peri se rappela Troy. Elle jeta un regard nerveux vers la haie – il n'y avait là rien d'autre que la nuit.

Tout le monde semblait motorisé, sauf Peri et Darren. La belle blonde – abstinente et fière de l'être, selon ses propres mots – leur proposa de les reconduire en ville.

Le trajet jusqu'à Oxford fut court, étrangement silencieux après le vacarme de la soirée. La chaîne BBC Radio 4 diffusait un programme consacré à la correspondance amoureuse de Gustave Flaubert. Des mots sensuels emplissaient la voiture, inoculant aux auditeurs un sentiment de solitude, un désir de romance encore à venir. Assise à côté de la conductrice, Peri se demanda si les gens d'autrefois avaient une meilleure compréhension de l'amour. La tête appuyée contre la vitre à moitié gelée, elle gardait les yeux sur la route, des îlots éclairés par les phares avant d'être avalés par la nuit. Elle pensait à Azur et à la femme de la photo. Quelles étaient leurs relations sexuelles ? Elle se rappela son sourire quand les invités se resservaient ; sa façon de tenir sa tasse de café à deux mains et de savourer la vapeur qui lui caressait le visage ; sa courtoisie quand il aidait les femmes à remettre leur manteau, y compris elle, et saluait chacun à la fin de la soirée, et comme il était différent de son attitude en cours, plus du tout intimidant, mais tendre, étonnamment fragile.

Arrivés à Oxford, Peri et Darren descendirent ensemble de voiture. Le froid coupant du début de soirée avait cédé la place à une fraîcheur vivifiante. Ils marchèrent en parlant sans interruption jusqu'au logement provisoire de Peri. Ils s'embrassèrent sous un réverbère. S'embrassèrent de nouveau dans le noir. Un peu grise, moins à cause du vin que du déroulement intense de la soirée, Peri ferma les yeux, plus excitée par son excitation à lui que la sienne propre.

« Je peux monter ? »

Elle se représenta le garçon qu'il avait été – tenant la main de sa mère pour traverser la rue, apprenant à traiter les femmes avec respect. Si elle disait non, elle savait qu'il n'insisterait pas. Il reprendrait son chemin, peut-être déçu, mais sans se montrer grossier. Le lendemain, s'ils se croisaient, il serait aimable avec elle et elle avec lui.

« Oui », dit-elle, agissant sur un élan qu'elle ne voulait pas sonder.

Elle savait que le lendemain matin elle serait harcelée par un sentiment de culpabilité. D'avoir couché avec quelqu'un à qui, en toute honnêteté, elle ne tenait pas particulièrement ; d'avoir trahi la confiance de son père et réalisé les pires craintes de sa mère. Même s'ils ne l'apprenaient jamais, elle aurait mauvaise conscience la prochaine fois qu'elle leur parlerait et sans doute encore longtemps par la suite. Mais autre chose la tourmentait encore plus. Tout en retournant les caresses et les baisers de Darren, c'était à quelqu'un d'autre qu'elle pensait. Dominant toutes ses émotions, la conscience que c'était son professeur qu'elle désirait s'imposa à elle.

Selon le dicton, ce qu'on fait au cours des premières heures du Nouvel An va déterminer ce qu'on fera le reste de l'année. Si seulement ce n'était pas vrai ! Car elle avait entamé ce premier jour de janvier le cœur oppressé par un lot d'émotions complexes. Elle espérait que 2002 ne serait pas l'année de la culpabilité.

Le mensonge

Oxford, 2002

Avant la fin des vacances, Peri prit le train pour Londres, ayant décidé d'accepter l'invitation de Shirin. Elle regarda les étudiants et les familles monter en voiture avec de petits enfants. Dans son compartiment – elle avait pris un billet de première classe par erreur – étaient installés trois hommes d'âge moyen élégamment vêtus à peu près interchangeables, et une femme d'âge incertain à la chevelure auburn parfaitement coiffée. Ils observèrent froidement Peri, comme pour dire : *Vous n'avez pas l'air à votre place dans cette voiture*. Trouvant son numéro de siège, elle se plongea dans *Les Œuvres mystiques de Maître Eckhart*.

Elle avait emporté son journal de Dieu, dans lequel elle écrivit : *L'œil dans lequel je vois Dieu est l'œil même dans lequel Dieu me voit, dit Maître Eckhart. Si j'aborde Dieu avec raideur, Dieu m'aborde avec raideur. Si je vois Dieu dans l'Amour, Dieu me voit dans l'Amour. Mon œil et l'œil de Dieu ne sont qu'un œil, et une vision, et une connaissance, et un amour.*

Le train était lancé sur sa trajectoire, son rythme régulier lui martelant l'esprit. Bientôt, un steward approcha, entra dans le compartiment avec son chariot cliquetant qui transportait des plateaux en plastique de petits déjeuners et boissons variées. En arrivant à Peri, il lui signala qu'elle avait deux choix. Menu un : croissant au jambon et fromage. Menu deux : œufs brouillés et saucisse de porc.

Peri fit non de la tête. « Vous avez autre chose ?

— Un menu végétarien ? demanda le steward.

— Non, c'est le porc. »

Les yeux de l'homme, sombres et enfoncés dans un visage barbu émacié, l'étudièrent brièvement. Peri vit le nom sur son badge : Mohammed.

« Je vais voir ce que je peux faire », dit-il, et il disparut.

Une minute plus tard, Mohammed revint avec un sandwich au poulet. Il le tendit à Peri en souriant. Ce n'est qu'après son départ qu'il vint à l'esprit de Peri qu'il lui avait peut-être donné son propre repas. Son déjeuner, probablement. Des liens de solidarité invisibles se tissaient entre des inconnus qui, en se découvrant de même religion ou même nationalité, développaient une affinité immédiate. Une camaraderie prête à se manifester dans les moindres détails – un sourire, un signe de tête, un sandwich. Malgré tout, elle eut le sentiment d'être un imposteur. L'homme avait dû la prendre pour une bonne musulmane, mais l'était-elle vraiment ?

De culture elle était musulmane, aucun doute. Pourtant le nombre de prières qu'elle avait apprises par cœur pouvait se compter sur les doigts d'une main. Elle ne pratiquait pas, ni ne reconnaissait, comme Shirin, être une musulmane déchue. Quelque chose dans le mot « déchu » lui faisait penser à des œufs qui auraient dépassé leur date de péremption, ou à du beurre rance. Sa relation avec l'islam, qu'elle pratique ou non, n'avait pas *expiré*. Sa confusion était une affaire en cours. Vivante. Perpétuelle. Si elle devait se ranger quelque part, c'était dans le camp des égarés. Mais si elle disait cela à Mohammed, voudrait-il reprendre son sandwich ?

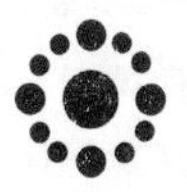

Quand Peri était enfant, les querelles éclataient dans la maison à chaque Aïd al-Adha. Mensur était hostile au sacrifice animal rituel. Il estimait que l'argent dépensé pour un agneau serait mieux employé si on le donnait à des gens dans le besoin. Ainsi les affamés pourraient remplir leur estomac tandis que les rassasiés pourraient se congratuler : et aucun animal n'aurait besoin de mourir.

Selma n'était pas d'accord. Dieu avait une bonne raison de vouloir que les choses se passent comme ça, arguait-elle. « Si seulement tu prenais la peine de lire le Livre saint, tu comprendrais.

— Je l'ai lu. Du moins cette partie-là. Ça ne tient pas debout.

— Qu'est-ce qui ne tient pas debout ? dit Selma irritée.

— Dans le Coran, Dieu n'a jamais dit à Abraham d'aller sacrifier son fils – ce type n'a rien compris.

— Ce type ?

— Mais écoute, enfin. Abraham n'a pas réellement entendu Dieu lui ordonner de tuer son fils. Il a eu un rêve, d'accord ? Et s'il l'avait mal interprété ? Je pense que Dieu dans Sa miséricorde a vu à quel point Abraham se trompait, et pour sauver son fils, Il a envoyé l'agneau. »

Selma soupira. « Tu es comme un grand gosse boudeur. J'ai déjà élevé mes enfants, Dieu merci. Je n'ai aucune envie d'avoir un nouvel enfant dans la maison. »

Résolue à acheter son propre mouton, Selma mit de l'argent de côté. L'animal serait parqué dans le jardin, teint au henné et nourri jusqu'au jour de l'envoyer à l'abattoir. Sa viande serait partagée entre sept voisins et les pauvres.

Une de ces années-là – Peri avait treize ans – les mêmes voisins décidèrent de réunir leurs lires pour acheter un taureau. Ils s'attendaient à une créature majestueuse, rayonnante de puissance, suivie par son ombre noire. Le taureau qui arriva, bien qu'énorme, paraissait nerveux, presque malade de peur. Ce n'était ni un doux agneau sacrificiel ni une offrande glorieuse. Juste une grosse déception.

Ils installèrent l'animal dans le garage où, au cours des deux jours suivants, sa détresse monta en flèche. La nuit ils l'entendaient se débattre, essayant de s'échapper, avec des mugissements qui semblaient venir du plus profond de son âme. Peut-être avait-il deviné son destin. Le troisième jour, dès qu'ils le sortirent au soleil, le taureau prit la fuite. Galopant à toute allure, il fonça sur le premier homme en vue, un passant malchanceux qui croisait son chemin, et le mit à terre. L'homme réussit à se dégager et courut se cacher derrière une poubelle. Un fou rire s'empara du public qui s'était rassemblé pour assister au spectacle. Quelqu'un donna des tapes d'encouragement au survivant. Les enfants coururent voir quelle était la cause de ce charivari. Grimpant sur le mur du jardin, Peri put voir s'agiter les cornes du taureau, la bête solitaire dispersant la foule, sa terreur désormais presque absolue.

À la différence des agneaux promis à l'exécution, le taureau était un combattant, et quel combat il lui fallut livrer – seul contre vingt hommes qui l'assaillaient de toute part. Il fonça sur la route, un champ de bataille goudronné où il allait être entouré par une armée de monstres métalliques. Il fallut trois heures aux hommes pour reprendre le contrôle de l'animal, et ce seulement après lui avoir injecté une dose de tranquillisant avec un fusil hypodermique avant de le tuer. Plus tard, certains avertirent que sa viande n'était pas halal parce que les tranquillisants lui avaient donné le vertige. Mais à ce stade, plus personne ne se souciait de leur opinion.

« Qu'est-ce que c'est que cette barbarie ? se plaignit Mensur à sa femme une fois de retour à la maison. L'islam dit de ne faire souffrir aucune créature, y compris les animaux. Cette pauvre bête est morte de peur. Ils l'ont torturée. Je ne mange pas de cette viande-là. »

Selma se tut quelques instants. « Ne mange pas, très bien. Peut-être que je n'en mangerai pas non plus. Mais ne dis rien d'impie. Montre un peu de respect, Mensur. »

Peri, qui s'attendait à une bagarre, fut surprise de voir ses parents d'accord pour une fois. La part de viande qui leur revenait fut distribuée à des familles dans le besoin.

Ce soir-là, à la table du dîner, Peri remarqua que son père remplissait son verre un peu trop souvent. « Quelle journée, hein ? dit-il, l'air préoccupé. Courir après des gens qui courent après un taureau ! Je ne me suis pas senti aussi fatigué depuis que vous étiez bébés et que vous nous teniez éveillés la moitié de la nuit. » Sa diction se brouillait.

Peri qui était en train de se servir un verre d'eau du pichet faillit le renverser. « Qu'est-ce que tu veux dire, "vous étiez bébés" ? »

Mensur se passa la main sur le front, avec la mine d'un homme qui vient juste de comprendre sa gaffe. Pendant un moment il sembla débattre avant de décider s'il devait continuer à parler. « Allons, je suis sûr que tu t'en souviens.

— De quoi ?

— Il y avait un garçon, ton jumeau. Il n'a pas survécu. »

Quelque chose prenait forme sur le bord de sa conscience. « Pourquoi ?

— Ah, mon abeille, ne me le demande pas. C'était il y a si longtemps, dit Mensur, mais vaincu par sa curiosité il ajouta : Tu ne te rappelles vraiment rien ?

— Je ne sais pas de quoi tu parles, Baba.

— Je vois, c'est bizarre… J'ai toujours cru que tu te rappelais – certaines choses. »

Peri mit des années avant de découvrir ce qu'il entendait par là.

Le train entra en gare de Paddington. Shirin l'attendait près des distributeurs automatiques, vêtue d'un manteau de fourrure gris argent qui lui arrivait aux genoux. En plein cœur de la ville, elle ressemblait à une créature des steppes.

« Combien de bêtes il a fallu abattre pour te fabriquer ce truc ? demanda Peri.

— Ne t'inquiète pas, ce n'est pas de la vraie fourrure », dit Shirin en l'embrassant sur les deux joues.

Peri étudia le visage de son amie. « Tu mens, n'est-ce pas ?

— Hah ! protesta Shirin. C'est la première fois que tu me prends sur le fait. Félicitations. Je suis très heureuse pour toi, Souriceau. Tes yeux commencent à s'ouvrir. »

Peri savait que Shirin la taquinait. Mais elle avait beau rire, elle sentit une pointe de malaise en repérant une petite vérité dans les mots de son amie : Shirin lui avait déjà menti auparavant, sans doute plus d'une fois, mais à propos de quoi et pourquoi, Peri devait encore le découvrir.

La danseuse du ventre

Oxford, 2002

Peri ouvrit la fenêtre, savourant la caresse de l'air froid. Elle était heureuse de retrouver sa chambre, même si elle rêvait d'un espace plus grand. Elle s'assit sur le lit, un livre à la main, les jambes repliées sous elle. Azur avait demandé aux étudiants de lire un article sur l'idée de Dieu dans la philosophie kantienne. Kant lui parut plus difficile à suivre à la deuxième lecture qu'à la première. Elle comprenait pourquoi les théologiens étaient attirés par le philosophe allemand. Mais par ailleurs, des penseurs éminents du camp opposé, par exemple Nietzsche ou Darwin, s'inspiraient aussi de lui. Peri en conclut qu'Emmanuel Kant, comme Istanbul, avait plusieurs facettes à sa nature.

Rien d'étonnant si Azur l'appréciait. Lui aussi, il était infiniment divers. Il y avait plusieurs Azur, toute une liste de personnages. Le débatteur sûr de lui lors de la discussion publique ; l'acteur dans la vie quotidienne qui adorait et recherchait l'attention ; le professeur intimidant dans sa salle de cours ; l'Inquisiteur exigeant dans son bureau ; l'hôte aimable dans l'intimité de sa maison – combien d'autres visages possédait-il ? Peri revit en pensée le dîner du Nouvel An et ses effets. Depuis elle évitait Darren, bien qu'il l'ait appelée à maintes reprises et laissé des messages qui semblaient de plus en plus inquiets, sinon blessés. Elle se serait volontiers enfermée dans sa chambre le temps de remettre de l'ordre dans ses idées, n'étaient les cours et son travail à la librairie – et Shirin, qui trouvait toujours une nouvelle excuse pour frapper à sa porte.

L'attirance qu'elle éprouvait pour Azur lui rendait la vie quotidienne douloureusement intense. Quand il la recevait à son bureau pour parler du bébé dans la brume, elle déchiffrait et travestissait chaque mot, chaque geste de lui, incapable de le voir avec tant soit peu d'équanimité. Comme un nécromancien qui voit des signes divins partout, elle cherchait des messages cachés dans les choses les plus banales. Elle travaillait plus dur que jamais, cependant, résolue à impressionner Azur par son intelligence et son talent. Mais l'occasion d'y parvenir, le moment révélateur qu'elle attendait constamment, ne vint jamais. Elle resta repliée sur elle-même, la plupart du temps l'estomac noué. De temps en temps elle basculait dans la direction opposée. Armée d'un élan de courage, ou de désespoir, elle objectait et discutait, défiait, interrogeait, puis retombait dans le silence.

Cela ne lui arriverait jamais à elle, c'est ce qu'elle croyait autrefois. Elle n'était pas de ces filles fascinées par les hommes mûrs ; des filles qui, selon elle, cherchaient l'image d'un père absent. Pourquoi elle était attirée par Azur, elle pensait être incapable de l'expliquer à qui que ce soit, encore moins à elle-même. Non qu'elle eût envie de partager ce qu'elle éprouvait pour lui. Comme le journal de Dieu qu'elle tenait depuis son enfance, comme le bébé dans la brume, Azur était devenu un secret bien gardé. Pourtant, elle prit l'habitude de tenir un de ses livres en main avant de s'endormir, de suivre du doigt le tracé des lettres de son nom dans l'obscurité, avec en arrière-fond un flot de musique sentimentale. Pendant la journée, elle rôdait autour de son collège, lançant des coups d'œil furtifs au cas où il serait dans les parages. Quand elle n'avait ni cours ni séance de tutorat, elle déviait de sa routine pour aller faire une halte dans le café qu'il fréquentait, même si les quelques fois où elle le vit approcher, elle courut se cacher dans les toilettes. Tandis qu'elle cédait à toutes ces impulsions ridicules, une autre part d'elle, distante et critique, l'observait avec désapprobation, espérant que c'était un épisode de folie passagère qui s'achèverait bientôt.

Pour l'instant, incapable de se concentrer sur ses pensées ou celles de Kant, Peri enfila ses chaussures de sport et sortit courir. Malgré le froid, une promesse de joie flottait dans l'air du soir comme des cristaux de rosée. L'absence de bruit qui l'avait frappée ici à son arrivée d'Istanbul ne la surprenait plus.

Au coin de Longwall Street, elle aperçut une cabine téléphonique. Vu les deux heures de décalage horaire, son père serait en train de boire chez lui – seul ou avec des amis.

Mensur décrocha. « Oui, allô ?

— Baba... je suis désolée. J'appelle à un mauvais moment ?

— Peri, ma chérie, s'exclama-t-il. Comment ça, "mauvais moment", tu peux appeler n'importe quand. J'aimerais que tu le fasses plus souvent. »

La tendresse de sa voix lui bloqua le souffle dans la gorge. « Tu vas bien ?

— Très bien. Comment va maman ?

— Elle est dans sa chambre. Tu veux que je l'appelle ?

— Non, je lui parlerai la prochaine fois. » Elle ajouta avec douceur : « Tu me manques tellement.

— Ah, tu vas me faire pleurer, mon abeille.

— Ça me désole de n'avoir pas pu venir pour le Nouvel An.

— Bah, on s'en moque, du Nouvel An. Ta mère a fait trop cuire la dinde, et elle a brûlé le pilaf. Alors on a mangé de la viande sèche comme un os et du riz noir. On a fait une partie de tombola. Ta mère a gagné. Elle affirme qu'elle n'a pas triché mais est-ce qu'on peut la croire ? Oh, et on a regardé une danseuse du ventre à la télé – enfin, moi j'ai regardé. Voilà, c'est tout. »

Certaines choses qu'il évitait de mentionner, Peri les entendit quand même. Sa consommation persistante d'alcool, et la danseuse peu vêtue qui remuait les hanches avaient dû toutes deux mettre Selma en fureur ; la querelle entre ses parents, une fois de plus.

Comme s'il lisait dans ses pensées, Mensur poursuivit : « Oui, j'ai pris quelques verres. Quelle meilleure occasion ? Tu sais ce qu'on dit, les choses qu'on fait pendant les premières heures de l'année, c'est comme ça qu'on passera les autres jours. »

Le cœur de Peri sombra.

« Ce n'est pas grave si tu n'as pas pu venir, dit Mensur. Nous aurons beaucoup d'autres années à fêter. L'école c'est ce qui compte le plus. »

L'école... Pas l'université ou le collège d'Oxford, mais l'école. Ce mot fondamental avait un caractère presque sacré pour une foule de parents qui, sans être très éduqués eux-mêmes, croyaient à l'éducation et investissaient tous leurs moyens dans l'avenir de leurs enfants.

« Comment va mon frère ? » demanda Peri. Inutile de préciser lequel. C'était forcément Hakan, puisqu'ils parlaient très rarement d'Umut, et quand ils en parlaient, c'était toujours sur un ton différent.

« Bien, bien. Ils attendent un bébé.

— Vraiment ?

— Oui, dit Mensur, la voix gonflée de fierté. Un garçon. »

Plus d'un an s'était écoulé depuis cette terrible nuit à l'hôpital, mais le souvenir était encore vif dans l'esprit de Peri. L'odeur de désinfectant, la peinture vert mousse, les croissants rouges sur la paume de la mariée – et maintenant Feride attendait l'enfant d'Hakan. Les paroles de sa mère retentirent dans sa mémoire : *Bien des mariages ont été bâtis sur des fondations plus branlantes.*

« Je ne pense pas que je pourrais jamais faire ça.

— Faire quoi ?

— Épouser quelqu'un qui me traite mal. »

Mensur protesta – mi-soupir, mi-rire. « Ta mère et moi nous t'aimons. » Il marqua une pause, peu habitué à évoquer leur couple ensemble dans une même phrase. « Tout ce qui te rend heureuse, nous le soutiendrons. »

Les yeux de Peri s'emplirent de larmes. Elle se sentait toujours plus vulnérable quand on lui témoignait de la compassion que de l'animosité.

« Qu'est-ce qui ne va pas, mon âme ? Tu pleures ? »

Elle ignora la question. « Mais Baba... si un jour je vous faisais honte ? Vous me rejetteriez ?

— Jamais je ne rejetterai ma propre fille, quoi qu'il arrive. Tant que tu ne me ramènes pas à la maison un imam barbu en guise de gendre. Ça, ça me tuerait ! Et tu devrais éviter aussi de sortir avec un de ces musiciens aux biceps tatoués, comment on les appelle, déjà ? Métalleux. Moi ça me serait égal mais ça rendrait ta mère folle. Alors à part un imam ou un métalleux, il y a une quantité d'autres possibilités. »

Peri éclata de rire. Elle se rappelait leurs rituels devant la télévision, les fois où il lui avait appris à siffler, à faire une bulle de chewing-gum, à manger des graines de tournesol salées, en faisant adroitement craquer la coquille entre ses dents.

« Sérieusement, qui est l'heureux garçon ? » demanda Mensur.

Ce dernier mot, « garçon », la ramena à la réalité. Du point de vue de son père elle ne pouvait aimer qu'un garçon, quelqu'un de son âge.

« Oh, juste un étudiant, rien de sérieux. Je suis trop jeune pour une relation sérieuse.

— Oui, Pericim. » Il semblait soulagé. « Ça passera. Concentre-toi sur tes cours.

— Oui, Baba.

— Et n'en parle pas à ta mère. Inutile de l'inquiéter.

— Bien sûr que non. »

Après avoir raccroché, elle courut pendant une heure. Ses pieds glissaient sur les pavés verglacés, mais elle persévéra. À l'approche de la cour carrée, elle força tant que ses mollets tremblaient de douleur et que sa gorge lui faisait mal chaque fois qu'elle avalait, premiers signes d'une mauvaise grippe. Elle sombra aussitôt dans le sommeil et continua à courir en rêve, serrant dans la main un billet que Shirin avait écrit et déposé sur son lit.

Peri, je nous ai trouvé la maison idéale ! Prépare-toi, on déménage !

La liste

Istanbul, 2016

« Vous avez entendu ce qui est arrivé ? Affreux, affreux ! »

La DRP adressait la question à toute la pièce. Elle était sortie pour se rendre aux toilettes, et revenue immédiatement, le visage enflammé.

« Qu'est-ce que c'est encore, *cette fois* ? » demanda quelqu'un.

Il y a deux sortes de villes dans le monde : celles qui rassurent, qui disent à leurs résidents que demain, et le jour suivant, et le jour d'après seront à peu près semblables ; et celles qui font le contraire, rappelant insidieusement à chacun les incertitudes de la vie. Istanbul est de la seconde espèce. Elle ne laisse pas de place pour l'introspection, pas de temps pour attendre que les horloges rattrapent la vitesse des faits. Les Stambouliotes courent d'un scoop à un autre, bougent vite, consomment encore plus vite, jusqu'à ce qu'un nouvel événement sollicite leur entière attention.

« Je l'ai vu sur mon compte Twitter, une explosion, dit la DRP.

— À Istanbul ? demanda l'homme d'affaires. Quand ça ? »

Les trois questions fondamentales, toujours dans le même ordre : Quoi ? Où ? Quand ? Quoi : on vient d'annoncer une terrible explosion. Où : dans l'un des coins les plus peuplés du quartier historique de la ville. Quand : il y a tout juste quatre minutes. La force de l'explosion était telle qu'elle avait démoli la façade du bâtiment où elle s'était produite, et brisé les vitres tout du long jusqu'à la rue voisine, blessant des passants, déclenchant des alarmes de voiture et changeant pendant un moment la couleur du ciel nocturne en une teinte roux-brun.

La plupart des invités, conduits par la femme d'affaires, se précipitèrent à l'étage pour regarder les nouvelles à la télévision. Peri les suivit, plus lentement, jusqu'à une pièce lumineuse et confortable. Elle se tint à l'arrière du groupe, d'où elle pouvait apercevoir le grand écran plat. Le reporter ému – une jeune femme aux cheveux si longs qu'elle aurait pu s'en faire une cape – parlait vite, tenant le micro à deux mains. « Nous ne connaissons pas encore le nombre des morts et des blessés, mais ça semble mauvais. Très mauvais. Tout ce que nous savons c'est que la bombe était puissante. »

Une bombe. Le mot, comme une fumée toxique sortie de nulle part, resta en suspens au milieu de la pièce. Jusqu'ici, les invités espéraient secrètement que c'était peut-être une fuite de gaz ou un générateur défectueux qui avait causé la catastrophe. Ce qui n'aurait pas diminué la gravité du fait. Mais une bombe, c'était une autre affaire. Une bombe, ce n'était pas juste un incident tragique, cela voulait dire aussi l'intention de tuer. Les désastres faisaient peur, bien sûr. Mais le mal combiné aux désastres, c'était terrifiant.

Même ainsi, ils avaient appris à vivre avec les bombes – ou la possibilité d'une bombe. Si aléatoire et fantasque que puisse être leur conduite, on pensait que les terroristes suivaient certains schémas. Ils ne frappaient pas la nuit. Ils choisissaient presque toujours des heures de la journée où ils pouvaient cibler le plus grand nombre de gens dans le plus court laps de temps et faire la une des journaux du lendemain. La nuit comportait d'autres dangers mais elle était à l'abri de ce type de violence. Du moins le croyaient-ils jusqu'ici.

Ainsi la femme d'affaires interrogeait : « Une bombe ? À une heure aussi tardive ?

— Probable que les terroristes ont été coincés eux aussi dans les embouteillages, plaisanta son mari. Rien ne fonctionne plus à l'heure à Istanbul, pas même Azraël. »

Ils rirent – un rire bref, sans joie. Les blagues face à la calamité donnaient le sentiment d'être sale, coupable ; elles aidaient aussi à dissoudre la peur, et à réduire le poids de l'incertitude, qui devenait trop lourd à porter.

Sur l'écran, on voyait à l'arrière-plan un groupe d'hommes et d'enfants rassemblés, suspendus aux lèvres de la reporter, chacun espérant être celui qu'on interviewerait. Un garçon d'à peine douze ans fit bonjour de la main, tout excité de voir la caméra braquée sur lui.

L'écran passa à une vue aérienne depuis un hélicoptère qui survolait le voisinage. Des maisons empilées les unes sur les autres, serrées si étroitement qu'elles ressemblaient à un bloc compact de ciment. À y regarder de plus près, pourtant, on remarquait des différences. Un bâtiment, en particulier, semblait avoir subi des années de guerre civile. Fenêtres éclatées, murs brûlés, fragments de verre brisé éparpillés dehors sur le trottoir.

« On était chez nous, toute la famille, devant la télé, quand on a entendu ce bruit, le sol a bougé. J'ai cru que c'était un tremblement de terre », dit un témoin – un petit homme râblé, en pyjama. Dans sa voix on sentait une excitation qu'il avait du mal à maîtriser – abasourdi de se retrouver sur la chaîne qu'il regardait à peine quelques minutes auparavant, regardé maintenant par des millions de gens. Tandis qu'il décrivait « comment il se sentait » à la demande de la reporter, un bandeau rouge en bas de l'écran annonçait le nombre des victimes.

Dans le manoir balnéaire, les invités retournèrent au salon, un par un, pour informer le reste du groupe. « Cinq morts, quinze blessés.

— Ce nombre risque d'augmenter. Plusieurs des blessés sont dans un état critique », dit le journaliste, qui était resté en arrière pour appeler sa chaîne.

Avec la même aisance que lorsqu'ils se passaient les assiettes de mezzés au dîner, ils échangeaient maintenant des bribes de détails sanglants. Peu importe les redondances, encore moins les redites. Plus ils partageaient, moins tout cela semblait réel. La tragédie était une marchandise comme une autre. Elle était destinée à la consommation – individuelle et collective.

L'amie du journaliste aspira une grande bouffée d'air avant de dire : « Alors ils fabriquaient une bombe dans leur appartement. Vous imaginez ! Ils ont assemblé les pièces, comme un genre de Lego démoniaque. Elle a explosé. Bonne nouvelle : les terroristes sont morts sur place. Mauvaise nouvelle : le voisin du dessus a perdu la vie aussi. C'était un professeur retraité.

— Enseignait sans doute la géographie, le pauvre, dit l'homme d'affaires, la voix un peu pâteuse. Quel destin… devait être un honnête citoyen, corrigeait les copies de ses élèves, portait des costumes râpés. Après des années de dur labeur, il part à la retraite. Marre de batailler avec des mômes ignorants. Bande de terroristes s'installe en bas… au diable ces gens, se mettent à concocter des bombes… Boum ! Fin du professeur. Enseignait à ses élèves le nom des fleuves et les capitales du monde alors que tout autour d'eux il y avait cette putain de géographie de la terreur ! »

Après quoi il y eut un moment de silence, puis : « Vous savez qui étaient ces types ? interrogea la DRP. Des marxistes ? Des séparatistes kurdes ? Des islamistes ? »

L'architecte gloussa. « Quel riche menu ! »

Peri entendit son mari se racler discrètement la gorge. « Il y a une chose aussi grave que le terrorisme ou l'horreur de l'acte, dit Adnan. C'est la facilité avec laquelle nous nous habituons à ce genre de nouvelles. Demain à la même heure peu de gens parleront encore de cet enseignant. Dans une semaine, tout le monde l'aura oublié. »

Peri baissa les yeux. La tristesse de ses mots lui alla droit au cœur et s'y logea, comme la chaleur qui languit dans les tisons mourants d'un feu de bois.

Le visage de l'Autre

Oxford, 2002

Devant la porte d'entrée, un taxi les attendait. Il roula en silence jusqu'à ce que Peri brise le calme en éternuant.

« À tes souhaits, Souriceau.

— Eh bien, merci. Je n'arrive toujours pas à croire que j'emménage avec toi », gémit Peri en regardant les rues défiler derrière la vitre.

Indifférente à la résistance de Peri, Shirin avait poursuivi sa recherche d'un lieu à louer. Et réussi à persuader les autorités du collège de les laisser déménager au milieu de l'année universitaire. Avec son zèle infatigable, il ne lui avait pas fallu longtemps pour trouver la maison. Aussi diligente qu'un bourdon volant de fleur en fleur, elle avait versé une caution et un mois de loyer, et réservé la voiture qui les emmènerait avec leurs modestes bagages. Elle avait tout organisé avec une efficacité si impitoyable que le jour venu, Peri n'avait plus qu'à saisir son manteau et accompagner son amie dehors.

« Détends-toi, ça va être marrant, la cajola Shirin. Toutes les trois ensemble ! »

Peri retint son souffle. « Qui d'autre va venir ? »

Shirin sortit un poudrier de son sac et s'observa dans le miroir, comme si elle devait vérifier son expression avant de pouvoir répondre. « Mona vient avec nous.

— Quoi ? Et tu attends maintenant pour me le dire ?

— Eh bien, quand il s'agit de partager une maison, trois c'est mieux que deux. » Shirin lui fit un large sourire, même elle n'avait pas l'air de croire un mot de ce qu'elle disait.

« Tu aurais dû me demander.

— Désolée, j'ai oublié. J'avais trop de choses en tête. » La voix de Shirin s'adoucit. « Où est le problème ? Je croyais que tu aimais bien Mona.

— Moi oui, mais vous deux vous ne vous entendez pas.

— Justement. J'ai besoin de défi !

— Qu'est-ce que ça veut dire ? »

Si Shirin avait une explication, celle-ci devrait attendre. Elles venaient d'arriver à destination, une maison mitoyenne victorienne dans le quartier de Jericho, avec des baies vitrées au rez-de-chaussée, de hauts plafonds, et un petit jardin à l'arrière.

Mona était debout sur le seuil, entourée de sacs et de cartons. Elle leur fit bonjour de la main et descendit, son visage trahissant sa nervosité. Un regard, et Peri sut que Mona avait été embarquée dans les projets de Shirin – tout comme elle-même.

« Salut, Mona », cria Shirin après avoir payé le taxi et sauté à terre.

Toutes trois se tenaient gauchement sur le trottoir, échangeant des formules de bienvenue. Leurs différences contrastaient avec l'harmonie architecturale de la rue. Mona, en long manteau terre de sienne et foulard beige. Shirin avec son maquillage voyant, sa courte jupe noire et ses bottes à talons hauts. Peri en jeans et trench-coat bleu.

« On va faire faire des doubles, dit Shirin en brandissant les clés qu'elle avait en main. Tout ça promet d'être si excitant ! »

Sur ces mots elle ouvrit la serrure et se rua à l'intérieur. Mona la suivit, pied droit d'abord, lèvres murmurant une prière. « *Bismillah ir-rahman ir-rahim.* »

Dernière à entrer, Peri, en éternuant et toussant. Elle avait vu des photos de la maison, mais bien que meublée, celle-ci paraissait à moitié vide. L'idée de se retrouver sous un même toit avec d'autres, de se croiser à des heures imprévisibles, tous les jours de la semaine, l'inquiétait – cette promiscuité obligée entre gens qui, sans être amants, partageaient une certaine intimité. Elle tenta de chasser ses appréhensions. Ce qui n'arrangea rien. Le Destin était un joueur qui adorait faire monter les enjeux. À la fin de cette expérience, pressentit Peri, soit elles seraient grandes amies, des sœurs à vie, soit le projet se dissoudrait en bagarres et en sanglots.

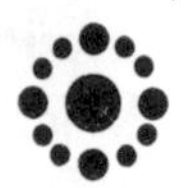

Si les maisons avaient une personnalité, celle-ci ressemblerait à une adolescente grognon. Elle ne cessait jamais de se plaindre. L'escalier grinçait, les lattes du parquet craquaient, les gonds des portes geignaient, les placards de la cuisine braillaient, le réfrigérateur regimbait, et la machine à café gémissait, reprochant chaque goutte qu'elle devait céder. N'empêche, tout cela était à elles – aussi longtemps qu'elles payaient le loyer. Elles avaient même leur propre jardinet, où elles comptaient installer un barbecue quand le temps serait plus doux.

Des trois chambres à l'étage, deux avaient à peu près la même taille, tandis que la troisième qui donnait sur l'arrière était plus petite et plus sombre. Peri insista pour la prendre. Étant donné sa maigre contribution, cela lui semblait justice. Elle soupçonnait que Shirin et Mona, sans la consulter, s'étaient mises d'accord pour partager les frais. La plus grosse partie de l'argent viendrait de Shirin, fidèle à sa parole. Mona contribuerait aux charges de l'immeuble, qui ne dépasseraient sans doute pas ce qu'elle payait pour sa chambre au collège. Quant à Peri, elle était censée payer son écot uniquement pour le ravitaillement. Vu les circonstances, il était hors de question qu'elle accepte une des grandes chambres.

« C'est idiot ! objecta Mona. Il faut qu'on tire à la courte paille. Celle qui a la plus petite prend la troisième chambre.

— Alors tu t'en remets au destin ? dit Shirin, secouant la tête d'étonnement.

— Qu'est-ce que tu suggères ? demanda Mona.

— J'ai une meilleure idée. Chacune son tour. Tous les mois on remballe et on passe dans la chambre à côté, comme des tribus nomades. Nous serons des Huns, en plus pacifique. Comme ça tout le monde est à égalité.

— Eh bien, merci beaucoup, toutes les deux. Mais je n'accepte pas, s'interposa Peri. Soit je prends la petite chambre, soit je m'en vais. »

Shirin et Mona échangèrent un regard amusé. Elles ne l'avaient jamais entendue parler comme ça avant.

« Très bien, dit Shirin. Mais il ne faut plus que tu te prennes la tête avec les histoires d'argent. La vie est trop courte. Je veux dire, qui sait combien je te devrai à la fin ? Peut-être que tu m'enseigneras des leçons sans prix, hein ? »

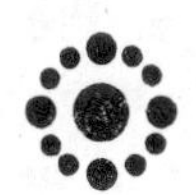

Au cours des heures suivantes, elles se retirèrent dans leurs chambres respectives et s'occupèrent à déballer leurs affaires. Malgré la taille de la pièce et son ameublement spartiate, Peri fut aussitôt charmée par son nouvel espace, dont la fenêtre donnait sur le jardin. Mais la meilleure surprise, c'était le lit à baldaquin en bois massif enveloppé de draperies. Cette relique d'une ère révolue lui donnait l'impression d'être dans une voiture à cheval quand elle s'étendait et fermait les tentures. Il y avait aussi une alcôve douillette près de la fenêtre. Elle y plaça un fauteuil et la baptisa « coin de lecture ».

À l'heure du dîner, elle frappa à la porte de Mona, en face de la sienne. Toutes deux descendirent à la cuisine, ayant hâte de préparer leur premier repas ensemble. Elles eurent la surprise de trouver Shirin déjà là, qui disposait sur la table une bouteille de vin, du jus de pomme, une assiette d'olives et trois verres.

« Il faut fêter ça, dit Shirin. Trois jeunes musulmanes à Oxford. La Pécheresse, la Croyante et la Déboussolée. »

Il y eut un bref silence, le temps que Mona et Peri fassent le tri des qualificatifs. Peri leva son verre de vin : « À notre amitié !

— À notre crise existentielle collective, dit Shirin.

— Parle pour toi, dit Mona, en sirotant son jus de pomme.

— Alors tu es dans le déni, riposta Shirin. En ce moment, nous autres musulmans nous traversons une crise d'identité. Surtout les femmes. Et les femmes comme nous encore plus !

— C'est-à-dire ?

— C'est-à-dire, celles qui sont exposées à plus d'une culture ! Nous posons des questions énormes. Tu peux aller te rhabiller, Jean-Paul Sartre. Prends-en de la graine. Nous vivons une crise existentielle comme tu n'en as jamais vu !

— Je n'aime pas du tout ce genre de discours, dit Mona en prenant un siège. Qu'est-ce qui te fait croire que nous sommes si différentes des autres ? Tu parles comme si on venait d'une autre planète. »

Shirin avala une gorgée de vin. « Hé-ho, réveille-toi, ma vieille ! Il y a des cinglés en vadrouille qui font des trucs complètement tordus au nom de la religion, *notre* religion. Peut-être pas la mienne, mais la tienne sans aucun doute. Ça ne te tracasse pas ?

— Qu'est-ce que ça a à voir avec moi ? dit Mona, le menton belliqueux. Tu demandes à chaque chrétien que tu rencontres de demander pardon pour les horreurs de l'Inquisition ?

— Si on vivait au Moyen Âge, oui, j'aurais sûrement fait ça.

— Ah, alors aujourd'hui les chrétiens et les juifs sont tous des petits anges ? dit Mona. Tu as déjà franchi un poste de contrôle à Gaza ? Je parie que non ! Et le génocide au Rwanda ? Srebrenica ? Tu ne tiens pas tous les chrétiens du monde pour responsables de ces atrocités, et tu as raison. Mais dans ce cas, pourquoi tu reproches à tous les musulmans les actes d'une bande de tarés ?

— Hé, vous pouvez arrêter de vous battre, toutes les deux ? » pria Peri entre deux quintes de toux. Elle sentait sa fièvre monter.

Shirin persista. « Bien sûr, il y a des monstres aussi parmi les chrétiens et les juifs, c'est à nous de condamner toutes les formes d'intégrisme, d'où qu'elles viennent. Mais tu ne peux pas nier qu'en ce moment il y a plus de fanatiques au Moyen-Orient que partout ailleurs. Tu peux sortir seule en Égypte sans te faire agresser et violer ? Et ne parlons pas des rues à la nuit tombée. Je connais personnellement des femmes qui ont été harcelées pendant un pèlerinage. Dans des lieux sacrés ! En plein jour ! Devant des agents de police saoudiens ! Les femmes ne parlent pas de ces choses-là parce qu'elles sont gênées. Pourquoi c'est nous qui sommes gênées et pas les agresseurs ? Il y a un paquet de choses que nous devons remettre en question.

— Des questions, moi j'en pose, dit Mona. Je remets en cause l'histoire. La politique. Le paupérisme. Le capitalisme.

L'écart des revenus. La fuite des cerveaux. L'industrie des armes. Et n'oublie pas l'héritage honteux du colonialisme. Des siècles de pillage et d'exploitation. Voilà pourquoi l'Occident est si riche ! Laisse l'islam tranquille et intéresse-toi un peu aux problèmes de fond.

— Typique ! s'écria Shirin, les mains levées en signe de désespoir. Accusons les autres de *nos* problèmes.

— Euh… et si on dînait ? » tenta une nouvelle fois Peri, sans guère espérer de réponse. Elle ne connaissait que trop ce genre de situation – c'était comme revivre avec ses parents. Accusations furieuses lancées de part et d'autre : un ping-pong de malentendus. Même ainsi, elle trouvait plus facile cette fois d'en être témoin. La tension ambiante ne la touchait pas autant que chez elle. Shirin et Mona n'étaient pas ses parents en train de se prendre à la gorge. Elle ne se sentait pas tenue de jouer les médiateurs. Sans ce poids de responsabilité émotionnelle, son esprit était libre d'analyser. Aussi elle écoutait, les enviant secrètement. En dépit de leur polarité criante, elles étaient toutes deux également passionnées. Mona par sa foi ; Shirin par sa fureur. Et elle, à quoi pouvait-elle se raccrocher ?

« Tout ce que je dis, poursuivit Shirin, c'est que les défis à relever aujourd'hui pour un jeune musulman sont plus profonds que ceux que rencontre un moine bouddhiste ou un prêtre mormon. Acceptons-le.

— Je n'accepte rien du tout. Tant que tu as des préjugés contre ta propre religion, ce n'est pas possible d'avoir une vraie conversation.

— Et c'est reparti, dit Shirin, élevant la voix. Dès que j'ouvre la bouche et que je dis ce que je pense, tu te sens offensée. Quelqu'un peut me dire pourquoi les jeunes musulmans sont si facilement offensés ?

— Peut-être parce que nous sommes attaqués de partout ? dit Mona. Chaque jour je suis obligée de me défendre alors que je n'ai rien fait de mal. Il faut que je *prouve* que je ne suis pas une terroriste suicidaire en puissance. Je me sens tout le temps surveillée – tu imagines comme ça rend solitaire ? »

Comme en manière de réponse, les nuages qui s'étaient accumulés toute la journée se déversèrent sur la ville, cognant à la fenêtre. Peri pensa à la Tamise voisine en train de gonfler, de chercher à s'évader de son lit.

« Toi, solitaire ? Arrête ! dit Shirin. Tu as des millions de gens qui marchent avec toi. Des gouvernements. La religion conventionnelle. La presse grand public. La culture populaire. Tu penses aussi que Dieu est de ton côté, ça doit aider. Qu'est-ce qu'il te faut de plus comme compagnie ? Tu sais qui sont les vrais solitaires dans notre région ? Les athées. Les yézidis. Les homos. Les travelos. Les écolos. Les objecteurs de conscience. Ce sont eux les parias. À moins que tu ne fasses partie d'une de ces catégories, ne viens pas te plaindre d'être solitaire.

— Tu ne sais rien. Je me suis fait harceler, insulter, jeter d'un bus, traiter comme si j'étais simple d'esprit – tout ça à cause de mon foulard. Tu n'imagines pas à quel point j'ai été maltraitée ! Ça n'est qu'un petit bout de tissu.

— Alors pourquoi tu le portes ?

— Parce que c'est mon choix, mon identité. Je ne me soucie pas de tes façons de faire, pourquoi tu te soucies des miennes ? Qui est la libérale, ici, réfléchis !

— Foutue ignare, dit Shirin. D'abord rien qu'un, puis dix, puis des millions. Avant que tu t'en avises, tu vis dans une république de foulards. C'est pour ça que mes parents ont quitté l'Iran : ton *petit bout de tissu* nous a fait partir en exil ! »

À chaque mot prononcé, l'expression de Peri se durcissait. Elle fixait la table de bois, son coin éraflé. Elle avait toujours été attirée par les cicatrices et les imperfections sous une surface lisse.

« Qu'est-ce que tu en penses, Peri ? demanda soudain Shirin.

— Oui, d'après toi, laquelle de nous deux a raison ? », dit Mona.

Peri se troubla sous leur regard, leurs deux visages dans l'expectative, chercha ses mots. À certains égards, Shirin était dans le vrai, dit-elle, à d'autres Mona. Par exemple, elle estimait aussi que la vie pouvait se montrer très injuste envers un membre d'une minorité – qu'elle soit culturelle ou religieuse ou sexuelle – dans une culture musulmane fermée, mais elle était bien consciente aussi des difficultés qu'affrontait une femme voilée au sein d'une société occidentale. Pour elle, tout dépendait toujours du contexte. Tous ceux qui étaient sans pouvoir, désavantagés en un lieu et un temps donnés, elle voulait les soutenir. Elle ne prendrait donc pas le parti d'une catégorie, sinon celle de la partie la plus faible.

« C'est trop abstrait », dit Shirin en pianotant impatiemment sur la table. À en juger par l'expression de Mona, pour une fois elles étaient d'accord. La réponse de Peri, si équilibrée soit-elle, ne satisfaisait personne.

« Mettons bien les choses au point, dit Mona, en se tournant à nouveau vers Shirin. Je n'ai rien contre les athées. Ou les homos. Ou les travelos. C'est leur vie. Mais j'ai quelque chose contre les islamophobes. Si tu commences à parler comme un néo-con va-t'en-guerre, je ferais mieux de quitter cette maison.

— Moi, une néo-con ? » Shirin posa son verre avec une telle vigueur que le vin se répandit sur la table. « Tu veux partir ? Très bien. Mais ça, c'est la voie facile. Essayons plutôt de nous focaliser sur ce que dit l'autre. »

Nous focaliser sur. Il faut que je retienne cette expression, pensa Peri.

« Je suis d'accord, dit Mona.

— Épatant, dit Shirin. On va rédiger un Manifeste des femmes musulmanes. Ça ferait un très joli logo, MFM. On y mettra tout ce qui nous paraît frustrant. Le fanatisme. Le sexisme.

— L'islamophobie, dit Mona.

— Je crois vraiment qu'on devrait commencer à préparer le dîner », dit Peri.

Rire général. Pendant un moment on aurait pu croire que l'orage était passé. Tout semblait calme. Dehors, la pluie avait ralenti ; le crépuscule glissait dans la nuit ; la lune était un talisman emperlé sur le sein du ciel. Derrière Port Meadow, la Tamise roulait et courait à gros bouillons, traçant sa route argentée à travers les ténèbres.

« Tu sais quoi, dit Mona avec un soupir résigné, comme si elle dévoilait une chose qu'elle avait mis longtemps à comprendre. Tu es née dans une religion remarquable, on t'a donné pour guide un merveilleux Prophète, mais au lieu d'apprécier ces bienfaits et t'efforcer de devenir meilleure, tu n'arrêtes pas de te plaindre.

— Justement, dit Shirin, puisqu'on parle du Prophète, il y a des choses que je trouve –

— N'essaie même pas, coupa Mona, sa voix tremblant pour la première fois. Tu peux t'en prendre à moi. Ça ne me gêne pas. Mais je ne peux pas laisser les gens s'attaquer à mon Prophète quand ils ne savent pratiquement rien sur lui. Critique le monde musulman, d'accord, mais laisse-le en dehors de tout ça. »

Shirin, frustrée, protesta. « Pourquoi devrait-on épargner à qui que ce soit une réflexion critique ? Surtout quand on est à l'université.

— Parce que ce que tu appelles une réflexion critique n'est qu'une ânerie utilitaire. Parce que je sais ce que tu vas dire, et je sais aussi que ton regard est impur, ton savoir corrompu. Tu ne peux pas juger le VIIe siècle à l'aune du XXIe !

— Si, je peux, si le VIIe siècle prétend gouverner le XXIe !

— Je préférerais te voir fière de qui tu es. Tu sais ce que tu es – une musulmane qui se déteste.

— Ouh là là, fit Shirin, singeant la souffrance. Je n'ai jamais compris les gens qui sont fiers d'être américains, arabes ou russes… chrétiens, juifs ou musulmans. Pourquoi je devrais être fière de quelque chose que je n'ai pas choisi ? C'est comme de dire que je suis fière de mesurer un mètre soixante-quinze. Ou me féliciter de mon nez busqué. Simple loterie génétique !

— Mais tu es très satisfaite de ton athéisme.

— Eh bien, il fut un temps où j'étais une athée militante… Ce n'est plus le cas, grâce au professeur Azur, dit Shirin ave un remarquable instinct théâtral. Mais j'ai travaillé à fond sur mon scepticisme. J'y ai mis tout mon esprit et mon cœur et mon courage. Je me suis séparée des foules et des congrégations. Je ne l'ai pas trouvé tout rôti. Ouais, je suis fière de mon voyage.

— Alors c'est vrai, tu méprises ta culture. Tu me méprises moi. Pour toi, soit je suis débile mentale, soit on m'a lavé le cerveau. Opprimée. Ignorante. Mais moi, j'ai étudié le Coran, ce que tu n'as pas fait. Je l'ai trouvé profondément éloquent, sage, poétique. J'ai étudié la vie du Prophète. Plus je lis des livres à son sujet, plus j'admire sa personnalité. Je trouve la paix dans ma foi. Tu t'en soucies ? Je ne sais même pas pourquoi j'ai accepté d'emménager avec toi ! »

Là-dessus Mona fonça vers sa chambre. Les lattes du parquet grincèrent sous le poids de ses émotions.

Shirin leva son verre vide et le lança de toutes ses forces contre le mur. De minuscules éclats tombèrent en pluie sur le sol comme des confettis désolés. Peri eut un geste de recul mais se leva aussitôt pour nettoyer.

« Ne bouge pas, lui dit Shirin. C'est moi qui ai fait les dégâts. Je m'en occupe.

— D'accord », dit Peri. Elle savait que Shirin se contenterait de ramasser les gros morceaux, les petits resteraient coincés entre les lattes, en attendant de blesser quelqu'un un jour. « Je vais dans ma chambre. »

Shirin laissa échapper un soupir. « Bonne nuit, Souriceau. »

Peri fit quelques pas, puis s'attarda, les yeux fixés sur Shirin, dont le visage avait soudain perdu son air fanfaron.

« Il m'avait prévenue que ce ne serait pas facile, marmonna Shirin entre ses dents, comme si elle se croyait seule.

— Qui t'a prévenue ? » interrogea Peri.

Shirin releva la tête, les paupières frémissantes de désarroi. « Rien, dit-elle, une note tranchante inédite dans sa voix. Écoute, on en parlera plus tard, d'accord ? Pour l'instant j'ai besoin de prendre un bain. La journée a été longue. »

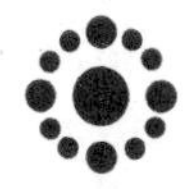

Incapable de dormir, seule dans la cuisine, Peri se versa un autre verre de vin, l'esprit en bataille. Avait-elle sans le vouloir trébuché sur un secret ? La remarque étourdie de Shirin la poursuivait. Que ce soit intuition ou raison, elle soupçonnait que derrière le désir pressant de Shirin de les faire emménager avec elle, il y avait un maître manipulateur : Azur.

Elle se rappela un passage d'un de ses premiers livres où il explorait une idée bizarre : laisser seuls ensemble dans un espace clos des gens en désaccord virulent et récriminations mutuelles afin de les obliger à se regarder dans les yeux. Mettre un suprématiste blanc dans la même cellule qu'un prisonnier noir ; un chercheur de jade avec un écologiste ; un chasseur de trophée avec un défenseur de la cause animale. À l'époque, elle avait lu ces phrases sans trop y réfléchir, mais maintenant tout prenait sens. Elle était prisonnière d'un jeu, jouant son rôle inconsciemment, contrôlée par un cerveau lointain.

Désemparée, elle monta à l'étage. La porte de la chambre de Mona était fermée. De la salle de bains à l'extrémité du couloir lui parvint le bruit de l'eau qui coulait. À l'intérieur, Shirin chantonnait un air vaguement familier, à la mélodie presque obsédante.

Peri alla sur la pointe des pieds jusqu'à la chambre de Shirin. Il y avait des cartons partout. Visiblement, Shirin n'avait pas beaucoup avancé dans son installation. L'un des plus gros cartons, étiqueté LIVRES en majuscules, était ouvert et Peri vit qu'une partie des livres était rangée sur l'étagère. À première vue, Shirin s'était rapidement lassée de la corvée, laissant le reste du carton intact.

Peri fouilla le contenu. Il ne lui fallut pas longtemps pour trouver ce qu'elle cherchait. Titre par titre, elle sortit la liste complète des œuvres parues du professeur Azur. Saisissant le premier volume, elle l'ouvrit à la page de garde. Il était dédicacé, comme elle s'y attendait.

À la charmante Shirin,

Émigrée perpétuelle, rebelle intrépide, paria de la philosophie,
La fille qui sait poser les questions et n'a pas peur de chercher les réponses...

A. Z. Azur

Peri referma le livre d'un coup sec avec une pointe de jalousie. Pourtant elle savait bien que Shirin lui rendait régulièrement visite, au moins deux fois par semaine, et qu'ils étaient proches, mais c'était une torture de voir le prix qu'il attachait à Shirin. Elle vérifia les autres titres, juste pour découvrir qu'ils étaient bien signés eux aussi. Le dernier qu'elle prit en main, le plus récemment paru, avait une dédicace plus longue.

À Shirin, qui ne ressemble pas à son nom ;
douce et piquante, comme les grenades de Perse,
pays du lion et du soleil...
mais a besoin de connaître, sinon d'aimer, ce qu'elle traite avec mépris ;
car seulement dans le miroir de l'Autre,
peut-on entrevoir le visage de Dieu.
Aime, ma chère,
Aime ta demi-sœur...

A. Z. Azur

Quelle demi-sœur ? Peri savait que Shirin n'en avait pas – à moins que ce ne soit une métaphore pour « l'autre femme ».

Peri prit une profonde inspiration quand l'énormité du coup monté lui apparut. Shirin méprisait la religion et les religieux. Même si elle s'attaquait à toutes les variétés, c'était la religion de son enfance qu'elle critiquait le plus. Elle était particulièrement allergique aux jeunes musulmanes qui se couvraient la tête par choix personnel. « Les mollahs et la police morale nous font taire de l'extérieur. Mais ces filles qui croient sincèrement qu'elles doivent se couvrir la tête pour ne pas séduire les hommes, elles nous font taire de l'intérieur », avait-elle dit un jour. Plus Peri réfléchissait, plus elle était convaincue que le professeur Azur avait placé Shirin dans un laboratoire social afin de forcer une interaction avec son « Autre » : Mona.

Si ébranlée qu'elle soit par cette découverte, autre chose la troublait encore plus. Peut-être n'était-ce pas juste Mona. Elle déglutit, et se vit, pour la première fois, à travers les yeux de Shirin. Son manque de certitude, ses hésitations, sa timidité, sa passivité… Des traits qu'un être comme Shirin devait abhorrer. *Trois musulmanes à Oxford : la Pécheresse, la Croyante et la Déboussolée*. Mona n'était pas la seule sélectionnée pour cette étrange expérience sociale. Maintenant elle comprenait : l'autre demi-sœur, c'était Peri elle-même.

Elle remit le livre en place, referma le carton et quitta la pièce. Combien elle regrettait d'avoir renoncé à la paix et au calme de sa chambre au collège pour aboutir dans cette maison, où chacun de leurs gestes serait rapporté au professeur Azur. Elle avait l'impression d'être une mouche dans un flacon de verre : au chaud et en sécurité à première vue, prise au piège malgré tout.

Les chakras

Istanbul, 2016

« On oubliera vite le professeur en retraite, répéta Adnan. Rien ne nous choque plus. Nous sommes devenus insensibles.

— Mais mon cher, tu n'es pas un peu dur ? Qu'est-ce qu'on peut faire d'autre ? demanda la femme d'affaires. Sinon on deviendrait fou. »

À ces mots, le médium se joignit à la conversation avec un mouvement impatient de la tête. « Les nations ont un signe du zodiaque, comme les individus. Ce pays est né le 29 octobre. Scorpion, ascendant Mars et Pluton. Qui est Mars ? Le dieu de la Guerre. Qui est Pluton ? Le dieu des Enfers. Les planètes nous disent tout.

— Sornettes astrologiques, dit le pieux magnat de la presse. Qu'est-ce que vous entendez par “les dieux” alors que nous croyons tous en un seul Dieu, Allah ? »

Le médium se raidit, l'air offensé.

« Le Moyen-Orient en totalité a ses chakras bloqués, dit le journaliste.

— Pas étonnant, intervint l'homme d'affaires. La seule énergie qu'ils connaissent, c'est le pétrole. Énergie spirituelle, tu parles !

— Alors quels chakras faudrait-il ouvrir, selon votre opinion professionnelle ? interrogea la femme d'affaires, ignorant la remarque de son époux.

— Le cinquième. C'est le chakra de la gorge. Pensées étouffées, désirs inexprimés. Il commence ici à l'arrière de la bouche et il exerce une pression sur l'œsophage et l'estomac. »

Quelques invités se palpèrent le cou.

« À propos, j'ai la gorge sèche, il faut que j'ouvre mon chakra, dit l'homme d'affaires. *Kizim*, apporte-nous du whisky. »

Le médium poursuivit. « Il y a une technique qui peut servir pour débloquer les chakras d'une nation.

— Serait-ce la démocratie ? » suggéra Peri.

Le chirurgien esthétique vérifia sa montre. « Oh seigneur, il est tard. Je ferais mieux de rentrer. Je dois prendre un vol de bonne heure. » Il s'était installé à Stockholm depuis pas mal de lunes, mais revenait souvent à Istanbul, où il avait des intérêts financiers, et d'après les rumeurs, une maîtresse assez jeune pour être sa fille.

« Parfait, vous allez disparaître et nous laisser nettoyer les dégâts », dit la DRP.

Ceux qui partaient en quête d'une vie meilleure dans un pays étranger étaient à la fois enviés et dénigrés. New York, Londres ou Rome n'étaient pas en cause. Pour ceux qui restaient ici, c'était l'*idée* même de vivre ailleurs. Eux aussi rêvaient de se promener sous d'autres cieux. Au cours d'un petit déjeuner ou un brunch, ils échafaudaient des projets complexes pour partir à l'étranger – ce qui voulait presque toujours dire à l'Ouest. Mais leurs plans, comme des châteaux de sable, s'usaient lentement sous la marée montante du familier. Parents, amis, souvenirs partagés les gardaient amarrés. Peu à peu, ils oubliaient leurs rêves d'horizons nouveaux – jusqu'au jour où ils croisaient quelqu'un qui avait effectivement fait ce qu'ils avaient souhaité faire jadis. C'est alors que la rancune s'emparait d'eux.

Le chirurgien sentit que l'humeur lui était hostile et dit : « La Suède, ce n'est pas non plus le paradis. »

Faible argument qui ne convainquit personne. Demain il repartirait vers l'Europe et les laisserait seuls avec leurs problèmes. Il dégusterait des petits pains à la cannelle pendant qu'eux affronteraient l'instabilité de la région, les turbulences politiques et les bombes.

Peri lui sourit avec compréhension. « Pas facile de rester, pas facile de partir. »

Elle voulait expliquer que ceux qui restaient sur place, en dépit des difficultés, profitaient d'amitiés durables et de réseaux sociaux plus amples, tandis que ceux qui émigraient pour de bon se retrouvaient incomplets, des puzzles auxquels manque la pièce cruciale.

« Oui, comme c'est tragique de devoir vivre dans les Alpes ! » dit l'amie du journaliste qui, malgré les coups de coude de son ami, continuait à boire.

Quelqu'un tenta de la corriger. « Les Alpes sont en Suisse, pas en Suède », mais l'amie du journaliste n'en eut cure. Le ventre serré dans son étroite minijupe, elle se leva brusquement et pointa un ongle verni, à moitié rongé, vers le chirurgien. « Vous êtes tous des déserteurs ! Vous allez vivre confortablement à l'étranger… c'est nous qui devons nous colleter avec l'extrémisme et l'intégrisme et le sexisme et… » Elle lança un regard autour d'elle comme pour chercher un autre terme en -isme dans les parages. « Ce sont *mes* libertés qui sont en danger…

— À propos de danger… » La maîtresse de maison se tourna vers le médium. « Cher ami, il faut que je vous montre la maison. Vous êtes le seul qui puisse me dire pourquoi nous avons eu tellement d'accidents bizarres. D'abord l'inondation, ensuite l'électricité. Et vous avez entendu parler du bateau ?

Il est entré tout droit dans le manoir, on aurait dit un film d'action. » Elle jeta un coup d'œil à son mari pour s'assurer qu'elle n'avait rien oublié.

« L'arbre, dit l'homme d'affaires, serviable.

— Ah oui, un arbre est tombé sur notre toit. Vous croyez que c'est le mauvais œil ?

— Ça m'en a tout l'air. Ne sous-estimez jamais le pouvoir de la jalousie, dit le médium. Vous avez vérifié les chambres des domestiques ? L'une d'elles a peut-être lancé une malédiction contre vous.

— Vous croyez qu'elles oseraient ? Je les ficherai toutes dehors en un clin d'œil si nous trouvons quoi que ce soit de suspect. » La femme d'affaires porta la main à sa gorge comme si la respiration lui manquait. « Par où voulez-vous commencer ?

— Le sous-sol. Si vous cherchez un mauvais sort, commencez toujours par les coins les plus sombres. »

Lorsque le médium et l'hôtesse passèrent près d'elle, Peri perçut une vibration. Une seconde s'écoula avant qu'elle ne s'avise que c'était le portable de son mari. Elle blêmit – Shirin la rappelait.

La maison de Jericho

Oxford, 2002

Il devint vite évident qu'elles avaient chacune leur lieu de prédilection au sein de la maison. Pour Shirin, c'était la salle de bains – plus précisément, la baignoire indépendante aux pieds griffus. Avec des bougies, des sels de bain, des huiles et des crèmes, elle en fit un sanctuaire du bien-être. Son rite vespéral consistait à remplir la vasque d'eau chaude à ras bord, d'y verser un mélange étourdissant de parfums, et d'y mariner pendant une heure à lire des magazines, écouter de la musique, se limer les ongles, rêvasser.

La préférence de Mona allait à la cuisine. Elle se réveillait tôt, ne manquait jamais ses prières du matin. Après ses ablutions, elle étendait son tapis de prière en soie – cadeau de sa grand-mère – et priait pour elle et pour les autres, y compris Shirin qui, selon Mona, avait besoin d'une petite bourrade divine. Quelle devait être la force de cette bourrade, elle laissait Allah en décider, car Il le savait mieux que personne. Ensuite, elle descendait à la cuisine et préparait le petit déjeuner pour tout le monde – crêpes, *ful mudammas*, omelettes.

Quant à Peri, son coin préféré, c'était le lit à baldaquin de sa chambre. Shirin lui avait donné une paire de draps en coton égyptien qu'elle avait en double, doux comme une peau de lapin, qui renforçaient encore son attachement à ce meuble. C'est là qu'elle étudiait. La nuit, quand elle était couchée, elle écoutait le bruissement du vent dans les plus hautes branches de l'aulne ou le flot lointain du fleuve. Sur le mur en face d'elle, les ombres se balançaient au gré d'un rythme silencieux. Elle voyait des formes qui lui rappelaient des cartes géographiques, des pays imaginaires ou réels, des territoires pour lesquels des gens étaient morts par milliers, sang versé sur le sang. Épuisée par la course de son imagination, elle s'endormait avec l'idée apaisante que le lendemain quand elle s'éveillerait le monde serait toujours là, exactement pareil.

Le matin, pendant que Shirin, une couche-tard, était encore au lit, et que Mona, lève-tôt, récitait ses prières, Peri allait courir. Tout en exhortant son corps à avancer, elle pensait à Azur. À quoi s'attendait-il en poussant Shirin à les rassembler – quel intérêt y trouvait-il ? Plus elle tentait de résoudre cette énigme, plus son ressentiment montait en elle, comme de la bile.

L'acrimonie s'exprimait en majorité autour de la table de la cuisine, souvent mêlée à l'arôme du pain qui cuisait. Une fois, Shirin se précipita dehors en hurlant qu'elle en avait fini, puis elle revint pour le dîner. Une autre fois, c'est Mona qui suivit le même chemin. Leurs disputes se concentraient sur Dieu, la religion, la foi, l'identité, et à quelques reprises, sur le sexe. Mona tenait à rester vierge jusqu'au mariage – forme de dévotion qu'elle attendait d'elle-même et de son futur époux – tandis que Shirin tournait le principe en ridicule. Quant à Peri, qui n'était ni dévouée à la notion de virginité, ni aussi à l'aise en matière sexuelle qu'elle aurait aimé, elle écoutait, se sentant quelque part entre elles deux, comme souvent.

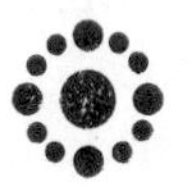

Un jeudi après-midi, quand Peri regagna la maison de Jericho, elle trouva Mona et Shirin muettes en train de regarder une scène de chaos à la télévision. La caméra vibrait au son de sirènes d'alarme, parmi les fragments de verre et le sang répandu. Une synagogue en Tunisie avait subi une attaque terroriste. Un camion chargé de gaz naturel et d'explosifs avait sauté devant le bâtiment, tuant dix-neuf personnes.

Se mordant l'intérieur des lèvres, Mona murmura : « Dieu, s'il vous plaît, faites que ce ne soit pas un musulman le responsable.

— Dieu ne t'entendra pas », dit Shirin.

Mona lui adressa un regard glacial. Quand elle reprit la parole, sa voix s'était vidée de toute sa douceur. « Tu… te moques de moi !

— Je me moque de ta prière futile, répliqua Shirin. Tu crois vraiment pouvoir changer les faits si tu plaides assez fort ? Ce qui est arrivé est arrivé. »

L'hostilité mutuelle entre Shirin et Mona augmentait à vue d'œil. La bagarre qu'elles eurent ce soir-là fut la pire de toutes.

Peri se replia dans sa chambre sans dîner, se jeta sur son lit et serra les mains sur ses oreilles tandis que leurs cris continuaient en bas.

Demain matin, pensa-t-elle, et espéra-t-elle, *elles auront honte des choses qu'elles se sont dites.*

Selon toute probabilité, cependant, elles n'y reviendraient pas – jusqu'à la prochaine querelle. Des trois, seule Peri garderait en mémoire chacun de leurs mots, de leurs gestes, de leurs blessures. Depuis son enfance, elle était une archiviste dévouée, une greffière des réminiscences douloureuses. Se souvenir, elle en faisait une mission, une responsabilité qu'il fallait honorer jusqu'au bout – même si elle sentait qu'un fardeau aussi énorme risquait de la faire tomber un jour.

Quand Peri était petite, elle comprenait le langage du vent, déchiffrait les signes sculptés dans les champs à demi moissonnés ou dans la neige tombée des branches d'acacia, chantait au bruit de l'eau coulant d'un robinet. Elle pensait même qu'un jour elle verrait Dieu de ses propres yeux, si seulement elle essayait. Une fois, marchant en compagnie de sa mère, elle croisa un hérisson qui avait été écrasé par une voiture. Elle voulut à tout prix prier pour son âme – ce qui consterna Selma. Le paradis était un endroit petit, étroit, réservé aux rares élus. On n'y acceptait pas les animaux, expliqua sa mère.

« Qui d'autre n'a pas le droit d'aller au ciel ? demanda Peri.

— Les pécheurs, les méchants, ceux qui abandonnent notre religion et s'écartent du droit chemin… et ceux qui commettent un suicide. Ils n'auront même pas droit à une prière funèbre. »

Et les hérissons, apparemment. La victime de la route fut jetée dans leur poubelle. Cette nuit-là, Peri se glissa dehors et sortit l'animal du bac puant. Elle n'avait pas trouvé de gants, et quand elle toucha le petit corps sans vie, elle frissonna, comme s'il était entré en elle quelque chose du cadavre de l'animal. Elle creusa un trou avec ses mains et marqua l'emplacement d'une règle en bois qui fit office de pierre tombale. Puis elle pria. Progressivement, chorégraphier des funérailles devint un de ses jeux favoris. Elle organisait des enterrements pour les abeilles défuntes et les pétales fanés, les papillons aux ailes brisées et les jouets cassés. Tous ceux qui n'étaient pas bienvenus au *Cennet*.

En grandissant, elle apprit à réprimer ses bizarreries, une par une. Toutes ses anomalies furent réduites en poudre tristement ordinaire par la famille, l'école et la société. Sauf le bébé dans la brume. Mais elle savait bien qu'elle était *différente*. D'une étrangeté qu'elle s'appliquait à dissimuler, une cicatrice qui resterait à jamais gravée sur sa peau. Elle mettait tant d'effort à être normale que souvent il ne lui restait plus d'énergie pour quoi que ce soit d'autre, ce qui lui donnait le sentiment d'être sans valeur. À un stade inconnu d'elle, au lieu d'être un choix, la solitude devint une malédiction. Un vide dans sa poitrine, si profond et si permanent qu'elle imaginait ne pouvoir le comparer qu'à l'absence de Dieu. Oui, c'était peut-être cela. Elle portait l'absence de Dieu en elle. Rien d'étonnant à ce que cela pèse si lourd.

Le pion

Oxford, 2002

Peri poussa sa bicyclette à travers Radcliffe Square, chargée d'un sac de livres et d'une grappe de raisin rescapée du déjeuner. En face de Radcliffe Camera, elle aperçut Troy assis sur un banc avec un groupe d'amis, en train de parler avec animation. Quand il vit Peri, il quitta le groupe et vint vers elle.

« Salut Peri. Toujours à lire pour Azur ?

— Et toi ? Toujours à l'espionner ? »

La moue de ses lèvres était une réponse suffisante. « Ce type ne devrait pas être autorisé à enseigner dans une institution respectable. Tu sais qu'il se fiche comme d'une guigne de ses étudiants ? Il n'y en a que pour son ego.

— Les étudiants l'aiment bien.

— Ouais, c'est sûr. Les filles surtout... Ton amie, par exemple. Shirin. » Il eut un étrange mouvement saccadé de la tête en prononçant son nom.

Peri enfonça le talon de sa chaussure dans le gravier. « Qu'est-ce qu'elle a fait ?

— Allez, comme si tu ne le savais pas. » Il la dévisagea. « Il faut vraiment te l'épeler ?

— Épeler quoi ? »

Les yeux de Troy brillèrent. « Qu'Azur a une liaison avec Shirin. »

Un silence malaisé s'installa entre eux, mais pas pour longtemps. « Mais c'est une ancienne étudiante à lui…, dit Peri, les mots s'évanouissant.

— Elle couchait avec lui à l'époque où elle suivait son séminaire. Je parie qu'ils corrigeaient ses essais au lit ensemble. »

Peri détourna les yeux. À cet instant, elle vit ce qui lui avait échappé tout ce temps : la haine que Troy nourrissait contre Azur était pétrie de jalousie. Ce garçon était amoureux de Shirin.

« Parfois elle va dans son bureau au collège. Ils ferment la porte à clé. Ça dure entre vingt minutes et une demi-heure, ça dépend des jours. J'ai chronométré, j'attendais dehors.

— Arrête ça. » Le visage de Peri devenait brûlant.

« Je sais que tu lui rends visite aussi. Je t'ai vue.

— Pour discuter de… (Peri fit une pause avant d'ajouter :) Mon travail.

— Menteuse, tu n'as pas cours avec lui ce trimestre !

— Je… j'avais quelque chose d'important à lui dire. »

Impossible de lui expliquer qu'elle était allée le voir à plusieurs reprises pour lui parler du bébé dans la brume. Azur lui avait posé des dizaines de questions détaillées sur la façon dont ça avait commencé, les réactions diverses de ses parents. La peur des djinns, la visite chez l'exorciste, les notes qu'elle avait griffonnées dans son journal de Dieu… Elle lui avait tout dit, transformant ses souvenirs d'enfance en pont dont elle espérait qu'un jour il lui permettrait d'atteindre le cœur d'Azur. Mais quand le professeur en eut assez entendu, il fit écrouler le pont et mit fin à ses invitations de venir à son bureau.

« Tu ne vois pas ? dit Troy. Ce type est un prédateur égocentrique. Il cherche de jeunes esprits et de jeunes corps dont il va pouvoir se nourrir.

— Il faut que je m'en aille », dit Peri, sa voix réduite à un murmure.

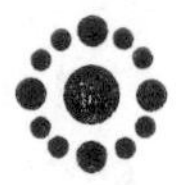

Terrassée par une affreuse migraine, elle fit halte à la pharmacie sur le chemin du retour. Depuis qu'elle était à Oxford, elle avait essayé tous les antalgiques en vente libre. Maintenant elle arpentait les travées familières, ralentissant devant les étagères de contraceptifs offerts dans une gamme de variété qu'elle n'avait jamais vue à Istanbul. Emballages brillants, couleurs voluptueuses, dessins grotesques, mots provocants. Il lui vint à l'esprit que si ses parents avaient utilisé l'un de ces produits elle ne serait jamais venue au monde. Ni *lui*. Il n'y aurait qu'un néant exquis. Ni souffrance, ni culpabilité, ni rien de rien.

Il lui avait fallu des années pour découvrir le secret que ses parents lui avaient si soigneusement caché quand elle était enfant. En effet, Selma avait eu une grossesse imprévue à un âge avancé, mais elle avait donné naissance à deux enfants, pas un. Une fille et un garçon. Peri et Poyraz – pour la fille, le nom d'une fée tissée en fil d'or, et pour le garçon, le nom du plus sauvage des vents du nord-est.

Quand ils avaient quatre ans, lors d'une après-midi chaude et somnolente, Selma les laissa brièvement seuls sur le canapé pendant qu'elle se rendait à la cuisine. Elle faisait de la confiture de prunes – une de ses spécialités. Ils avaient acheté les fruits en abondance au bazar du coin, et maintenant il y en avait une partie dans une coupe sur la table à café, le reste sur le plan de travail de la cuisine, attendant d'être bouillis, sucrés, et mis en pots. Le monde était noyé dans le violet.

Bientôt, Peri, qui s'ennuyait, réussit à descendre du canapé sur le tapis. Elle tendit le bras vers la coupe de prunes, en saisit une, l'inspecta avec curiosité et mordit dedans. Trop acide. Elle changea d'avis, la donna à son frère qui accepta le cadeau avec joie. Cela prit quelques secondes, pas plus. Le temps que Selma revienne de la cuisine, son fils ne luttait plus pour retrouver son souffle, son visage avait pris la couleur du fruit qui avait bloqué sa trachée. Peri avait tout vu, sans comprendre, sans bouger.

« Pourquoi tu ne m'as pas appelée ? hurla Selma à sa fille devant des parents et des voisins qui s'étaient réunis à la maison après l'enterrement. Qu'est-ce qui t'a pris ? Tu as regardé ton frère mourir et tu n'as pas fait le moindre bruit. Mauvaise enfant ! »

La distance entre elles ne serait jamais surmontée. Peri savait, tout au fond d'elle, que sa mère lui reprocherait toujours la mort de son frère jumeau. *Est-ce si difficile pour une enfant de quatre ans de crier au secours ? Si elle m'avait appelée, j'aurais pu le sauver.*

L'engourdissement. Voilà ce que Peri recherchait par-dessus tout. Si seulement elle parvenait à ne rien sentir ni rien se rappeler. Mais malgré tous ses efforts le passé revenait constamment, et avec lui, la douleur. Le souvenir de cette après-midi l'accompagnait avec le fantôme en faction de son frère jumeau. Ainsi que la culpabilité et la honte et la haine de soi, qui logeaient à l'intérieur de sa poitrine comme si elles n'étaient pas des sentiments mais une substance physique coriace.

Ce soir-là, Peri trouva Shirin seule dans la cuisine, en train de couper des tomates pour faire une salade. Shirin surveillait son poids, qui fluctuait autant que son humeur. Mona était sortie dîner avec des parents de passage et rentrerait tard.

« Il faut que je te demande quelque chose, dit Peri.

— Oui, vas-y.

— Est-ce que c'était le plan d'Azur ? Qu'on partage la même maison, je veux dire. Notre amitié, depuis le début – c'était son idée ? »

Shirin haussa un sourcil. « Qu'est-ce qui te fait croire ça ?

— S'il te plaît, ne mens pas… ne mens plus. C'est une expérience pour son compte, exact ? Le laboratoire social d'Azur.

— Ouahou, quelle conspiration ! » Shirin jeta les tomates dans un saladier rempli de laitue et ajouta quelques olives. « Tu as un problème avec le professeur ?

— Il semble aimer intervenir dans la vie de ses étudiants.

— Tiens donc ! Sinon, comment il enseignerait ? Comment tu crois que les savants ont entraîné leurs disciples au cours de l'histoire ? Maîtres et apprentis. Les philosophes et leurs protégés. Des années de dur labeur et de discipline. Mais nous avons oublié tout ça. Aujourd'hui, les universités dépendent tellement de l'argent que les étudiants qui en ont les moyens sont traités comme des foutus princes.

— Il n'est pas notre maître, et nous ne sommes pas ses apprentis.

— Eh bien moi si, dit Shirin en saisissant une paire de pinces pour tourner sa salade. Je me considère comme sa disciple dévouée. »

Peri se tut, ne sachant comment réagir.

« Notre respect pour Azur est la seule chose que Mona et moi avons en commun. Qu'est-ce qui ne va pas chez toi ? Je croyais que tu aimais bien le professeur. »

Peri sentit ses joues rougir, irritée contre elle-même d'être si transparente. « Je crains qu'il n'attende trop de nous, et que nous ne soyons pas capables de satisfaire ses exigences.

— Ah, tu t'inquiètes de le décevoir », dit Shirin avec un sourire averti. Elle prit le saladier et se dirigea vers sa chambre. « Alors ne le déçois pas.

— Attends », dit Peri. Elle avait la bouche sèche, et craignait les conséquences si elle dévoilait la question qui la taraudait, pourtant il fallait qu'elle la pose. « Est-ce que tu as une aventure avec lui ? »

Shirin s'arrêta net au milieu de l'escalier, une main sur la balustrade. Son regard s'abattit sur Peri, ses yeux comme deux boules de feu.

« Si tu poses la question parce que tu es parano, c'est ton problème, pas le mien. Si tu poses la question parce que tu es jalouse, pareil, c'est ton problème, pas le mien.

— Je ne suis ni paranoïaque ni jalouse », cria Peri, incapable de garder un ton calme.

« Vraiment ? » Shirin rit. « Il y a un proverbe iranien que Mamani m'a appris. *Celle qui se comporte en souris sera mangée par les chats.*

— Qu'est-ce que tu essaies de me dire ?

— Je dis, ne te mêle pas de mes affaires, Souriceau, sinon je te mangerai toute crue. »

Là-dessus, Shirin remonta à pas bruyants dans sa chambre, laissant Peri dans la cuisine avec le sentiment d'être mesquine et insignifiante.

Comme elle haïssait Azur ! Son arrogance. Sa témérité. Son indifférence envers elle alors qu'il flirtait avec Shirin et Dieu sait avec qui d'autre. Prise de vertige, elle sentait une spirale de haine tourner follement en elle, incontrôlable, et lui vriller l'âme. Elle qui espérait tant de lui ! Il saurait avec son savoir et sa vision lui montrer comment sortir du dilemme qui la tourmentait depuis son enfance. Il n'avait rien fait de tel.

Mais surtout, c'est elle-même qu'elle détestait : son esprit torturé, qui ne produisait jamais de pensées heureuses, seulement des angoisses et des cauchemars ; son corps disgracieux, qu'elle endurait comme un fardeau quotidien, incapable d'en savourer les plaisirs ; ses traits mièvres qu'elle avait si souvent rêvé d'échanger avec quelqu'un d'autre – son frère jumeau, par exemple. Pourquoi était-il mort et pourquoi avait-elle survécu ? Était-ce encore une des terribles erreurs de Dieu ?

Elle était sûre qu'elle ne pourrait jamais devenir comme Shirin – audacieuse, assurée – ni Mona – fidèle, tenace. Elle était fatiguée d'elle-même, blessée par son passé, inquiète de l'avenir. Sombre d'humeur, l'esprit confus, timide comme un tigre nouveau-né, incapable pourtant de faire honneur à sa nature sauvage… Personne ne pouvait deviner à quel point c'était épuisant d'être Peri. Si seulement elle pouvait dormir et se réveiller dans la peau de quelqu'un d'autre. Ou mieux encore, ne pas se réveiller du tout.

Cette nuit-là, le bébé dans la brume reparut. La tache pourpre sur sa joue semblait avoir grossi. Il pleurait des larmes pourpres sur ses draps. Une teinte sombre, somptueuse, s'étalait partout, rappelant celle des prunes mûres. Le bébé parlait dans son langage brouillé, la pressant de faire quelque chose qui aurait dû être fait depuis longtemps. Cette fois elle comprit ce qu'il lui disait, et elle acquiesça. Peut-être allait-elle revoir ce malheureux hérisson. Qu'était-il advenu de l'animal, de son corps, son âme ? Elle allait apprendre de première main ce qui arrivait à ceux qui se voyaient refuser l'accès au paradis de Dieu.

Le couloir

Istanbul, 2016

Quand Peri sortit sur la terrasse pour rappeler Shirin, elle remarqua deux silhouettes blotties dans un coin, à moitié dans l'ombre, mais facilement reconnaissables – l'homme d'affaires et le banquier. Épaules voûtées, tête penchée, les yeux fixés sur le sol, ils semblaient discuter d'une affaire grave.

« Qu'est-ce que tu comptes faire ? demanda le banquier.

— Pas encore décidé, dit l'homme d'affaires en crachant un panache de fumée. Mais je le jure devant Dieu, je vais faire payer ces fils de pute. Ils vont comprendre qui ils ont cherché à enculer.

— Fais attention à ne rien mettre par écrit. »

Les deux hommes n'avaient pas vu Peri dans l'embrasure de la porte. Discrètement, elle s'éloigna, ébranlée par ce qu'elle venait d'entendre. Les photos encadrées qu'elle avait vues dans le bureau de l'homme d'affaires, où il posait en compagnie de gouvernants corrompus et de dictateurs du Tiers-Monde ; les rumeurs l'accusant d'avoir détourné des fonds publics ; ses liens avec des patrons de la Mafia – tout cela se tenait. Les affaires de leur hôte étaient douteuses et elle soupçonnait que divers invités au dîner – y compris peut-être son mari – étaient au courant. Mais ils n'allaient pas laisser une réputation suspecte se mettre en travers d'une bonne soirée chez un homme riche et puissant. À quel stade devenait-on complice d'un crime – quand on participait activement à sa mise en œuvre ou quand on feignait passivement l'ignorance ?

Il y avait un petit couloir entre la cuisine et le salon, avec un miroir courant tout le long du mur. Peri s'arrêta là, dans cet espace étroit, serrant le téléphone comme si elle craignait que quelqu'un ne le lui arrache. Chaque fois qu'une servante franchissait la porte battante, elle apercevait la cuisine – le cuisinier tranchait de l'ail, le couteau qu'il avait à la main dansant le fandango sur une planche de bois. Il paraissait fatigué, irrité. Après toute la nourriture qu'il avait préparée, on venait de lui demander une soupe aux tripes – en guise de remède à la gueule de bois, selon la meilleure tradition stambouliote.

Peri vit le cuisiner marmonner quelque chose à l'oreille de son assistant, qui partit d'un grand éclat de rire. Ils avaient écouté tout ce qui s'était dit à table, elle en était presque sûre, et se moquaient d'eux tous. La porte se referma, la séparant de l'univers animé de la cuisine. Seule maintenant dans le couloir, elle se sentit gagnée par une appréhension familière. Oser faire une chose qu'elle avait différée bien trop longtemps, c'était comme plonger dans une mer de glace. Si vous hésitez une seule seconde, vous n'en avez plus le cran. Très vite, elle fit le numéro de Shirin. Qui décrocha à la troisième sonnerie.

« Salut, Shirin… C'est Peri. »

Une respiration audible. « Oui, je sais. »

Sa voix n'avait pas du tout changé – le même ton vif, sonore, assuré.

« Ça faisait longtemps, dit Peri.

— Je n'y croyais pas quand j'ai écouté ton message. » Puis, plus feutré : « C'est drôle, j'avais préparé ce moment. Répété ce que je dirais si jamais tu me rappelais mais maintenant…

— Qu'est-ce que tu comptais me dire ? interrogea Peri, déplaçant l'appareil d'une oreille à l'autre.

— Crois-moi, il vaut mieux que tu ne saches pas. Pourquoi tu n'as pas appelé avant ?

— J'avais peur que tu sois encore en colère.

— Je l'étais. Je ne comprends toujours pas. Je ne *te* comprends pas. C'est dingue le mal que tu t'es fait… et à lui. Tu ne lui as même pas dit que tu regrettais.

— Nous avions un pacte. » Peri sentait que ses mots, comme chaque pouce de son corps, étaient friables, prêts à se rompre. « Il m'avait fait promettre de ne plus jamais lui présenter des excuses, pour n'importe quelle raison.

— Des conneries. »

Peri étouffa un soupir. « J'étais jeune.

— Tu étais jalouse ! »

Peri hocha la tête. « Oui… c'est vrai. »

La porte de la cuisine s'ouvrit ; une servante la franchit vivement avec un grand plateau chargé de bols fumants. Une forte odeur de vinaigre et d'ail monta aux narines de Peri.

« Où es-tu ? interrogea Shirin.

— À une soirée dans un manoir balnéaire. Aquarium géant, sacs de couturiers, gros cigares, truffes… Tu détesterais. »

Shirin rit.

« J'ai passé une journée archi-glauque », poursuivit Peri. Maintenant qu'elle s'était mise à parler, les mots affluaient sans effort. « Je me suis fait agresser. J'ai failli tuer le voyou. » Elle ne mentionna pas le fait qu'il avait essayé de la violer. Si Shirin avait vécu ce genre d'expérience, elle l'aurait partagée sans honte aucune. Elles étaient si différentes autrefois ; elles étaient si différentes encore aujourd'hui. « Il a trouvé une photo de nous que je garde dans mon portefeuille.

— Tu trimballes une photo de nous ? Laquelle ?

— Tu te rappelles, devant la Bod, en hiver ? » Peri n'attendit pas le commentaire de Shirin. « Toi, Mona et moi… avec le professeur Azur. Pendant toutes ces années je me suis persuadée que j'avais laissé Oxford derrière moi, mais je me racontais des histoires.

— Je n'ai jamais compris comment tu avais perdu ton goût pour les études. Tu étais une étudiante si éblouissante.

— On change. Je suis devenue mère, épouse. » Peri fit une pause. « Maîtresse de maison, administratrice d'œuvres de bienfaisance ! Je donne des réceptions en l'honneur du patron de mon mari – exactement le genre de femme que j'ai toujours redouté de devenir. Une version moderne de ma mère. Et devine quoi ? J'aime bien ça – la plupart du temps. »

Shirin interrogea : « Tu as bu ?

— Plus que de raison. »

Rire léger comme un bruissement de feuilles. Si Shirin dit autre chose, Peri ne l'entendit pas, car juste à ce moment-là le médium passa près d'elle bras dessus bras dessous avec leur hôtesse, après avoir inspecté toute la maison à la recherche du mauvais œil. Il se tourna de côté et lança à Peri un regard accompagné d'une contraction des lèvres, comme s'il savait à qui elle parlait.

« Comment vont tes jumeaux ? demanda Shirin.

— Comment sais-tu que j'ai des jumeaux ?

— Je l'ai entendu dire. » Peri n'eut pas grand mal à deviner la source ; elles étaient chacune restées en contact avec Mona pendant toutes ces années.

« Ils grandissent. Ma fille a engagé une guerre froide avec moi. Pour l'instant, c'est elle qui gagne. »

Shirin émit un soupir de compassion. Elle se montrait gentille – beaucoup plus gentille que Peri ne s'y attendait.

« Comment ça va chez toi ? » Peri aussi avait appris des choses. Elle savait que Shirin et son partenaire de longue date – un avocat spécialisé dans les droits de l'homme – avaient perdu le compte du nombre de fois où ils avaient rompu et s'étaient rabibochés.

« Très bien... en fait, je suis enceinte. La naissance est prévue pour mai. »

C'était donc ça. Les hormones. Shirin allait devenir mère. Elle traversait une phase où le pardon lui venait plus naturellement que la rancune. C'était difficile de cultiver de vieux griefs quand on se préparait à accueillir une nouvelle vie.

« Félicitations, c'est une merveilleuse nouvelle, dit Peri. Je suis si heureuse pour toi. Garçon ou fille ?

— Garçon.

— Tu as choisi un prénom ? demanda Peri qui pressentit aussitôt la réponse.

— Je crois que tu sais déjà comment je vais l'appeler. » Bref silence. Une trace d'inimitié se glissa dans ce silence, comme la fumée d'un vieux samovar. « Je t'ai haïe tellement longtemps que j'ai épuisé ma réserve de haine.

— Et Azur ? Quels sont ses sentiments à mon égard ? »

Cela faisait presque quatorze ans qu'elle lui avait parlé pour la dernière fois. Parfois Peri ne savait plus trop si la présence du professeur dans sa vie avait été aussi forte que dans son souvenir, car il s'était totalement fondu dans le passé.

« Vérifie toi-même. Il devrait être chez lui en ce moment. Tu as un stylo ? »

Prise au dépourvu, Peri chercha autour d'elle. « Juste une seconde. »

Elle poussa la porte de la cuisine, téléphone contre l'oreille, et fit le geste d'écrire de sa main bandée. Le cuisinier prit un stylo dans sa poche de poitrine et le lui tendit avec une page d'un carnet fixé au réfrigérateur.

« Merci », mima Peri d'un mouvement des lèvres.

Shirin répéta le numéro, moins par nécessité que pour avoir quelque chose de plus à dire. Elle ajouta : « Appelle-le. »

Au même instant, la sonnette de la porte d'entrée retentit dans tout le manoir. Une soubrette bondit de la cuisine pour aller voir qui c'était. Elle semblait dissimuler de la nourriture dans sa main. Peri se demanda si le personnel avait pu goûter aux plats fabuleux qu'on leur avait servis ; si même ils avaient dîné.

On entendit un coup brusque – une porte ouverte claquée contre un mur – suivi par une succession de bruits : un cri étouffé ; des pas, rapides et lourds.

« Tu me manques, dit Peri.

— Toi aussi tu me manques, Souriceau. »

Depuis son couloir, Peri vit deux hommes faire irruption à l'autre extrémité du salon, le visage couvert d'une écharpe noire, armés chacun d'un fusil. L'un d'eux hurla de tous ses poumons : « Debout tout le monde !

— Qu'est-ce qui se passe ? glapit la femme d'affaires.

— Ta gueule. Fais ce qu'on te dit. Tout de suite !

— Vous n'avez pas le droit de me parler comme ça… » Elle émit un râle, comme si elle s'étranglait. Son mari devait être encore sur la terrasse.

« Dis encore une connerie et je le jure devant Dieu, tu le regretteras ! »

Le bruit métallique d'une gâchette. C'était la seconde fois de sa vie que Peri voyait une arme à feu d'aussi près. À la différence de celui qu'on avait trouvé chez Umut, les fusils de leurs agresseurs étaient verts et volumineux.

« Souriceau, tu es là ? » demanda Shirin.

Peri ne put répondre. Pas un mot. Lentement, aussi silencieuse que le brouillard qui montait à pas de loup du Bosphore, elle raccrocha.

Le verre de sherry

Oxford, 2002

La résidence du Président occupait tout un pan de la cour carrée datant du XVe siècle. Azur avança jusqu'à la porte noire luisante et sonna. Quelques secondes plus tard, un vieux domestique apparut et le guida vers le grand hall d'entrée.

« Par ici, Professeur, s'il vous plaît. » Derrière lui, Azur gravit un escalier de chêne élisabéthain, puis suivit une longue galerie lambrissée jusqu'au bureau du Président.

À l'intérieur, le Président s'occupait à ranger ses papiers – les prioritaires sur le plateau argent, les importants-mais-moins-urgents sur le plateau marron, tous les autres sur le plateau jaune – comme il le faisait chaque fois qu'il devait affronter un rendez-vous qu'il aurait préféré éviter. Ce serait une conversation difficile et il avait besoin de mettre de l'ordre dans ses pensées. Entre-temps, il se remit à ranger son plan de travail. Les étiquettes autocollantes, l'agrafeuse, le coupe-papier en nacre à manche d'argent... Il plaça les crayons – chacun taillé à la perfection – dans une boîte en cuir cylindrique, cadeau de sa fille.

Un coup sec à sa porte l'arracha à sa rêverie. « Entrez donc. »

Azur pénétra dans la pièce, arborant une veste en velours de couleur chatoyante, juste la parfaite nuance de violet. Dessous, il portait un col roulé d'une teinte plus pâle. Ses cheveux, comme d'habitude, affichaient un élégant désordre.

« Bonjour, Leo. Ça faisait longtemps.

— Azur, quel plaisir de vous voir, dit le Président, d'un ton poli et affectueux mais tendu. Longtemps en effet. J'allais prendre un thé ; voulez-vous vous joindre à moi – ou voyons, quelle heure est-il… un verre de sherry, peut-être ? »

Azur n'avait jamais adopté le rite académique du sherry en fin de matinée, mais ce matin-là il se dit que lui, ou le Président, aurait peut-être besoin d'un verre. « Bien sûr, pourquoi pas ? »

Quelques secondes plus tard, apparut un domestique encore plus ancien et galonné – le visage ciselé en modèle de réticence marmoréenne, le dos courbé par des années de service. Comme les portraits pendus au mur et les sièges gothiques en chêne devant la fenêtre, on aurait peine à imaginer un temps où il ne faisait pas partie du collège.

Pendant un moment, les deux hommes le regardèrent verser le sherry d'une main tremblante, bras collé derrière le dos, à une lenteur douloureuse. Carafon d'argent, verres de cristal, amandes salées.

« J'ai lu votre récent entretien dans *The Times*, excellent, dit le Président, quand ils furent à nouveau seuls.

— Merci, Leo. »

Silence embarrassé.

« Vous savez quelle admiration j'ai pour vous, reprit le Président. Nous avons de la chance de vous avoir parmi nos enseignants. Et j'avais beaucoup d'affection pour Anissa.

— Merci, mais vous ne m'avez pas invité ici pour me parler de ma défunte épouse, dit Azur. Je vous connais depuis assez longtemps pour savoir quand vous êtes préoccupé. Qu'y a-t-il, dites-moi. »

Le Président sortit ses étiquettes autocollantes. Peu auparavant, il les avait classées par couleur – les oranges, les vertes, les roses. Sans regarder Azur, il marmonna : « Nous avons reçu des plaintes vous concernant. »

Azur examina le Président – ses tempes grisonnantes, son front plissé, le tic nerveux de sa bouche ; tout chez lui rappelait le haut fonctionnaire du Trésor qu'il était jadis. « Inutile de mâcher vos mots avec moi.

— Non, bien sûr. Jamais de la vie. Chaque fois que vous avez subi des attaques, et Dieu sait qu'il y en a eu quelques-unes... soit à cause de vos opinions, soit contre votre style d'enseignement... je veux dire, vous êtes très populaire, mais pas auprès de tout le monde, ça vous le savez sûrement... je vous ai toujours soutenu.

— Je sais », dit calmement Azur.

Le Président échafauda une petite tour avec ses étiquettes. « J'ai pris votre parti parce que j'avais foi en votre intégrité intellectuelle. Je respectais votre engagement au service du savoir et de l'objectivité. » Un soupir. « Pourquoi, je vous prie, avez-vous contrarié tellement de gens ? »

Des premier cycle en larmes, des accusations écrites ou orales contre Azur et ses méthodes pédagogiques, le reproche de pousser ses étudiants trop loin, dévoiler leurs faiblesses, les humilier devant leurs amis, d'être ostensiblement polémique et offensant. « Offensant, dit le Président à voix haute.

— Il faut qu'ils apprennent à ne pas se sentir offensés, répliqua Azur. Nous ne sommes pas dans une garderie. C'est une université. Il est temps qu'ils grandissent. On ne peut pas les câliner et les dorloter constamment. Nos étudiants doivent apprendre comment faire face. La vie nous réserve des surprises.

— Certes, mais ce n'est pas tout à fait inscrit dans votre ordre de mission.

— J'estime que si.

— Votre rôle, c'est de leur enseigner la philosophie.

— Précisément !

— La philosophie comme dans les manuels.

— La philosophie comme dans la *vie.* »

Nouveau soupir. « Ils ne peuvent pas passer leur temps à se sentir offensés et poussés trop loin. Trop d'étudiants se plaignent. » Le Président démolit sa tour d'étiquettes. « Mais il y a autre chose – d'important.

— Quoi donc ?

— Une étudiante. »

Les mots restaient en suspens dans l'air, refusant de se dissoudre.

« On dit que vous avez des aventures avec certaines des étudiantes, dit le Président.

— Ça ne regarde personne, si ? Du moment que je n'abuse de personne… ou que personne n'abuse de moi. »

Le Président secoua la tête. « La moralité d'un tel point de vue est discutable.

— Il s'agit de Shirin ? Elle n'est pas mon étudiante, vous le savez. Elle ne l'est plus.

— Hmm… non, ce n'est pas ainsi qu'elle s'appelle. »

Azur fronça le sourcil, l'air perplexe. « De qui parlez-vous ?

— Une étudiante turque. Elle est dans votre séminaire. » Le Président releva des yeux fatigués. « Elle a tenté de se suicider la nuit dernière. »

Azur blêmit. « Peri ? Mon Dieu. Comment va-t-elle ?

— Ça va… la jeunesse ! Overdose de paracétamol. Elle a un foie costaud.

— Je n'arrive pas à le croire. » Azur s'affala dans son siège, le visage vidé de toute énergie.

« Il paraît que vous aviez une aventure avec elle et que vous… l'avez abandonnée. »

Azur inspira brusquement comme s'il venait de prendre un coup de poing.

« Elle a dit ça ?

— Eh bien, pas exactement. La jeune fille n'est pas en état de parler pour le moment. C'est ce garçon qui vous a poursuivi en justice, Troy… Il a menacé de tout raconter à la presse. Il était très agité. J'ai son témoignage écrit ici.

— Je peux le voir ?

— Je crains que non. Il doit être transmis au comité d'éthique.

— Je peux vous assurer qu'il ne s'est rien produit entre Peri et moi. Il vous suffit de le lui demander. Je suis certain qu'elle dira la vérité.

— Écoutez, vous êtes un excellent professeur, mais avant tout vous êtes un de nos administrateurs. Nous ne pouvons pas laisser compromettre la réputation du collège. Vous savez bien que vous vous êtes fait beaucoup d'ennemis au fil des années. » Le Président but une gorgée de sherry. « Vous imaginez les médias… ils vont se régaler de cette histoire, ce sont des carnivores.

— Qu'est-ce que vous suggérez ?

— Eh bien, peut-être pourriez-vous envisager de faire une brève coupure. Cesser d'enseigner pendant quelque temps. Laisser tout cela se calmer et attendre que le comité d'éthique termine son enquête. Une fois que cette jeune fille aura témoigné tout rentrera dans l'ordre. Jusque-là nous devons mettre fin à ce… cette affaire. »

Azur le regarda fixement, le scruta. Puis il se leva. « Leo, vous me connaissez depuis longtemps, jamais je n'ai manqué à l'éthique. »

Le Président se leva de même. « Écoutez…

— Le témoignage de Troy est biaisé, je peux vous l'assurer. Que disait donc Anaïs Nin ? *Nous ne voyons pas les choses comme elles sont. Nous les voyons comme nous sommes.*

— Pour l'amour du Ciel, Anaïs Nin est bien la dernière personne que vous devriez citer en pareilles circonstances.

— J'attendrai que Peri confirme la vérité », dit Azur. Il hocha la tête. « Pauvre petite, se faire tant de mal ! »

Et il sortit. En tant que *fellow* du collège, on ne pourrait pas se débarrasser de lui s'il ne voulait pas partir. Pourtant, même si encore maintenant il se souciait peu de ce qu'on pensait à son propos, tout au fond de lui il savait qu'il était devenu un handicap pour la faculté. Sa tête résonnait de coups comme si une chose longtemps prisonnière à l'intérieur tentait de s'évader. À longues enjambées rapides, il sortit du bâtiment, sous la pluie qui était tombée sans relâche toute la matinée.

Le bruit de l'absence de Dieu

Oxford, 2002

Quand Peri reprit connaissance dans une chambre de l'hôpital John-Radcliffe, elle n'aurait su dire aussitôt où elle se trouvait. Les couleurs étaient trop vives, agressives – le blanc des draps trop immaculé, le bleu des couvertures trop joyeux. Le gris du ciel derrière la fenêtre lui rappela les lingots de plomb que sa mère faisait fondre pour éloigner le mauvais œil. Sa tête était pleine de murmures, de prières futiles. Mal à l'aise, elle tenta de refermer les yeux, de chasser le bruit, mais la patiente à côté d'elle – une femme d'une soixantaine d'années – avait hâte de lui parler.

« Juste ciel, vous voilà réveillée, jeune fille. J'ai cru que vous n'arrêteriez jamais de dormir. »

Parlant avec un abandon jovial, cette femme raconta qu'elle avait été mariée pendant quarante ans, et hospitalisée si souvent qu'elle connaissait tous les membres du personnel par leur nom. Sa voix emplissait la chambre comme une baudruche, augmentant la pression dans les oreilles de Peri.

« Et vous, première fois ou récidive ? »

Peri s'éclaircit la gorge, un affreux goût chimique dans la bouche. Elle chercha sa voix et secoua la tête, incapable de parler. Recroquevillée entre ses draps, elle tourna le visage vers la fenêtre. Des fragments de la journée précédente affluèrent à son cerveau. Qu'avait-elle fait ?

Une larme lui coula sur la joue quand elle repensa aux paroles de son père : *Tu es ma brillante fille. Toi seule de mes enfants tu en es capable. L'éducation te sauvera et tu sauveras notre famille brisée. Les jeunes comme toi sauveront ce pays de son archaïsme.* L'enfant idéale envoyée à Oxford pour faire la fierté des Nalbantoğlu n'en rapporterait qu'humiliation et échec. Sans s'en rendre compte, Peri se mit à sangloter si fort et si bruyamment que sa voisine, inquiète pour sa santé mentale, appuya sur le bouton d'urgence pour faire venir l'infirmière. Quelques minutes plus tard, on fit avaler à Peri un liquide de couleur pêche à l'odeur infecte mais, bizarrement, sans goût. Elle enfonça la tête dans son oreiller, les paupières alourdies par l'épuisement.

Dans son état semi-délirant, le seul visage qu'elle voyait sans cesse était celui du bébé dans la brume. Où était-il maintenant qu'elle avait besoin de lui ? Avait-il une existence et une volonté propres ou n'était-il qu'une ruse de son esprit accablé de culpabilité ?

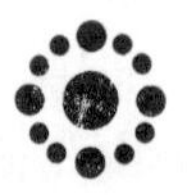

Le lendemain, Peri fit connaissance avec son psychiatre. Un jeune médecin au sourire généreux, aimable. Vous n'êtes pas seule, lui dit-il. Ils allaient travailler en équipe. Il lui donnerait les outils qui lui permettraient de construire une nouvelle Peri ; elle serait l'architecte de son âme. L'auteur d'elle-même. Il avait la manie de s'arrêter trop souvent et de terminer chaque phrase par la même question : « Ça vous va ? » Le traitement ne ferait pas disparaître ses idées autodestructrices, expliqua-t-il, mais lui apprendrait plutôt comment les affronter si elles revenaient. Il parlait des tendances suicidaires comme s'il parlait du climat, d'une grosse averse. On ne pouvait pas l'éviter, mais si on savait comment rester au sec, on en serait moins affecté.

« Encore une chose, dit-il, quand vous serez prête, pas de pression, mais on vous posera peut-être une ou deux questions à propos d'un certain professeur. Nous sommes au courant de charges l'accusant de malmener des étudiants, dont vous, devant tout le monde. L'université enquête sur ces plaintes – dans votre intérêt et celui d'autres étudiants. Quand vous serez prête, rien ne presse. Ça vous va ? »

Peri sentit un courant froid le long de son épine dorsale. Ainsi ils croyaient qu'Azur était à l'origine de sa tentative de suicide. Si stupéfaite soit-elle d'entendre cela, elle ne dit rien.

Le sapin d'eau

Oxford, 2002

Le matin où elle devait être entendue par le comité d'éthique, Peri alla s'asseoir seule dans le Jardin botanique, juste au coin de Magdalen Bridge. Chaque fois qu'elle venait ici, elle avait l'impression de se promener dans un lieu aimé depuis l'enfance, à l'aise dans ce cadre. Un sapin d'eau haut de vingt mètres – elle adorait ce nom – dominait le banc où elle était assise. L'arbre, un métaséquoia, qu'on ne connaissait auparavant que par des fossiles, avait été découvert en pleine croissance dans une lointaine vallée de Chine. Cette histoire magique de découverte botanique l'enchantait.

Le soleil dans le dos, elle replia ses jambes contre elle, genoux sous le menton, puisant un calme étrange parmi les arbres et les plantes rares. Elle avait à la main une tasse de café qu'elle pressait contre sa joue, la chaleur aussi réconfortante qu'une caresse amoureuse.

La voix de Shirin sonnait à ses oreilles. *Pourquoi tu te rends toujours si foutrement malheureuse, Souriceau ? Pourquoi ce visage triste, creusé ? On dirait qu'une nonagénaire t'a avalée. Quand est-ce que tu vas apprendre à t'amuser un peu ?*

Azur, cependant, disait que la meilleure façon d'aborder « la question de Dieu » n'était ni la piété ni le scepticisme, mais la solitude. Il y avait une raison qui poussait tant d'ascètes et d'ermites à se retirer dans le désert pour accomplir leur quête spirituelle. En compagnie d'autres humains, on avait plus de chance de communier avec le diable qu'avec Dieu, soutenait Azur. Une plaisanterie, bien sûr – encore qu'avec Azur, on ne savait jamais.

Oui, elle irait témoigner en sa faveur. Elle lui devait bien cela. Il avait contribué à son malheur, certainement – un amour non partagé, voilà bien la dernière chose dont elle avait besoin dans sa vie – mais on ne pouvait pas le tenir responsable de sa tentative de suicide. En outre, elle lui était reconnaissante. Il avait ouvert une nouvelle dimension de sa conscience, qui dormait inerte sans qu'elle s'en doute. Il attendait, non, il *exigeait* de ses étudiants qu'ils découvrent leurs préjugés culturels et personnels, et qu'ils finissent par les rejeter. C'était un enseignant exceptionnel, un chercheur intègre. Il avait réussi à la secouer, la motiver, la provoquer. Elle avait travaillé plus dur pour son séminaire que pour n'importe quel autre cours. Il lui avait montré la poésie de la sagesse et la sagesse de la poésie. Tous étaient bienvenus et traités à égalité dans ses séminaires, quelles que soient leur origine ou leurs opinions. S'il y avait une chose qu'Azur tenait pour sacrée, c'était à coup sûr le savoir.

Elle adorait la manière dont les rayons du soleil couchant lui doraient les cheveux, et l'étincelle de ses yeux quand son esprit s'envolait à l'évocation d'un livre favori ou d'un philosophe admiré. Elle adorait son amour de l'enseignement, qui semblait parfois encore plus fort que sa volonté. Tant de tuteurs suivaient le manuel, année après année, alors que lui improvisait à chaque cours. Dans son univers, il n'y avait jamais de routine, seulement des risques qu'il valait la peine de prendre. Elle le revoyait citant Chesterton : *La vie paraît juste un peu plus mathématique et régulière qu'elle ne l'est ; son exactitude est manifeste, mais son inexactitude est cachée ; sa nature sauvage reste en attente.*

Cependant, même entichée de lui comme elle l'était, elle détestait son air de supériorité, sa fierté boursouflée, l'hubris qui habitait tout son être. Il balayait les inquiétudes des autres, endoctrinait les étudiants en leur inculquant sa propre perspective, exerçant une forme de pouvoir sur eux, souvent en les blessant profondément.

Elle imagina sa main courant à travers les cheveux de Shirin et le long de son cou… c'était plus qu'elle ne pouvait en supporter. La pensée de ces deux-là ensemble – occupés à parler, rire, faire l'amour. Des scènes qui repassaient en boucle dans son esprit quand elle posait la tête sur l'oreiller chaque soir. Combien Azur avait été proche de Shirin, alors que pour elle il restait lointain et inaccessible ! C'est seulement en l'entendant évoquer ces épisodes surnaturels avec le bébé dans la brume qu'il s'était mis à lui accorder plus d'attention. Pour lui, elle n'était qu'une expérience scientifique de plus, une nouvelle source de curiosité. Il avait très vite cessé de s'intéresser à elle, comme un enfant gâté se lasse d'un jouet neuf. Elle haïssait l'avarice qu'il unissait à un esprit inquisiteur, la vanité qu'il cachait derrière une recherche académique. Elle n'aurait su dire ce qui la bouleversait le plus : qu'il ait couché en secret avec Shirin ou qu'il ait refusé de l'aimer elle de la même manière. Il avait fait irruption dans sa vie et n'avait laissé derrière lui que destruction. Oui, elle témoignerait contre lui.

Shirin et Mona avaient été profondément émues en apprenant sa tentative de suicide. Sitôt les visites autorisées, elles étaient venues, sans rien apporter d'autre que leur inquiétude, gravée sur leur visage. Elles voulaient absolument découvrir pourquoi elle avait fait cela – question à laquelle Peri ne savait comment répondre. Shirin l'avait aussi suppliée de témoigner pour la défense d'Azur, lui demandant de sauver son cher professeur. Était-ce parce que Shirin lui faisait confiance et la considérait comme une amie, se demandait Peri, ou croyait-elle simplement que le Souriceau serait facile à manipuler ?

Sois objective, s'enjoignit-elle. *Sépare tes sentiments des faits, ça au moins tu le dois à Azur. Veille à ne pas te laisser conduire par tes émotions. Comme il t'a appris à le faire.* Quant à son aventure avec Shirin, eh bien, ils étaient tous deux des adultes consentants, aucun d'eux n'exploitait l'autre. Et quant aux mobiles de Troy qui voulait l'abattre, étaient-ils entièrement désintéressés ?

Sur son banc du Jardin botanique, chaque question qui lui perçait l'esprit en entraînait une autre plus complexe. Le psychiatre lui avait dit qu'il valait mieux différer le moment de prendre des décisions graves jusqu'à ce qu'elle se sente mieux, plus solide. Mais comment pourrait-elle progresser en pareilles circonstances ? Peri se sentait perdue ; la mince corde qui la tenait amarrée s'était rompue et elle glissait vers des eaux inconnues, sans savoir dans quelle direction nager. Bientôt, elle comparaîtrait devant le comité d'éthique. Que leur dirait-elle ? Quel genre de questions lui poseraient-ils en retour ? Ses sentiments tournaient en spirale, à une telle allure qu'elle n'était pas sûre de pouvoir les traduire en mots, surtout devant des étrangers et dans une langue qui n'était pas la sienne.

Elle vérifia sa montre. Le cœur battant si fort qu'il semblait prêt à exploser dans sa poitrine, elle se leva et se mit en route vers le bâtiment où la réputation du professeur Azur allait passer en jugement.

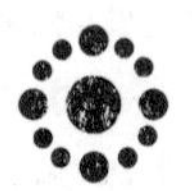

Drapé dans la quiétude de ses quartiers au collège, Azur était assis à son bureau, regardant par la fenêtre. Il tentait de ne pas laisser son esprit ruminer les effets possibles de la réunion du comité. La pensée que des gens qu'il aimait puissent souffrir au bout du compte pesait lourdement sur sa conscience. Il savait que Shirin serait bombardée de questions sur leur aventure. Elle tenterait de déguiser la vérité pour le protéger. En vain, raisonnait-il, puisqu'il avait déjà résolu de tout dire. Il n'avait rien à cacher. Il n'avait rien fait de mal.

Troy aussi serait convoqué. Il déballerait le paquet de mensonges qu'il appelait vérité. Azur n'avait jamais aimé ce garçon. Sournois. Très bonne chose de l'avoir mis à la porte de son cours. Au cours des années, il avait entendu maintes histoires d'étudiants et d'enseignants en conflit sur des définitions politiques, des opinions historiques et ainsi de suite. Pour sa part, il avait rarement été perturbé par des divergences d'opinions. Chaque année apportait quelques cas difficiles, des étudiants avides de montrer combien ils étaient malins, originaux et tellement au-dessus de leurs camarades. Et c'était très bien comme ça. Mais le comportement de Troy en cours lui avait déplu. Toujours à vouloir commander les autres étudiants, ridiculiser ceux qui n'étaient pas de son avis, insulter les gens, les suivre en dehors des heures de cours et les harceler de ses opinions sur Dieu. Il avait cru au début que la présence de Troy pousserait les autres à clarifier leur pensée, mais s'aperçut vite que la plupart se laissaient intimider par lui. Aussi il l'avait renvoyé de son cours, faisant de l'adolescent un exclu hostile, dangereusement vindicatif.

Azur savait que ses adversaires, qui étaient nombreux, se frottaient les mains, ravis à la perspective d'un scandale dont il serait le centre. Certains souhaitaient ouvertement qu'il se fasse virer. Il existe un type d'individus qui se réjouissent des malheurs des autres, aussi stupidement que celui qui croit se remplir l'estomac de la faim d'autrui.

Et Peri… belle, timide, fragile, toujours pleine de remords. Que dirait-elle de lui ? Il ne se faisait pas de souci à son propos. Après tout, les accusations la concernant étaient infondées, et il était certain qu'elle se montrerait objective, honnête. Elle témoignerait, sinon en sa faveur, du moins en faveur de la vérité, ce qui reviendrait au même.

Entre ses mains, Azur tenait une balance imaginaire, les arguments pour ou contre reposant sur chaque paume. Contre : accabler les étudiants d'exercices que certains pouvaient juger inappropriés, voire offensants ; en amener certains à perdre contenance en cours et à s'effondrer psychologiquement ; et bien sûr, entretenir une liaison avec l'irrésistible Shirin. Pour : ses longues années d'enseignement, de recherche et de travaux ; sa contribution à la vie intellectuelle et universitaire ; le nombre élevé de ses publications, livres ou articles ; et le fait que Shirin – le seul aspect « moral » de son dossier – ne soit plus son étudiante à l'époque où leur liaison avait commencé.

Malgré les efforts véhéments de Troy et ses alliés, les charges contre lui étaient faibles.

Il avait toujours argué que si on ne sait pas encaisser un coup, on ne sait pas comment gagner un combat. Même ainsi, il mesurait sa vanité de naguère. Il avait voulu exposer Dieu en usant d'un langage qui serait, sinon parlé, au moins compris et partagé par beaucoup. Dieu, non plus être transcendantal ou juge vengeur ou totem tribal, mais Dieu idée unificatrice, objet d'une quête commune. La recherche de Dieu, si elle était dépouillée de toutes ses étiquettes et ses dogmes, pouvait-elle être transformée en espace neutre où chacun, y compris les athées et les polythéistes, pourrait prendre part à une discussion de qualité ? Dieu pouvait-il unir les gens, en devenant simplement objet d'étude ? C'était une expérience mentale : si chaque âme sur terre complétait Dieu, comme l'affirmait Hâfez, que se passerait-il quand des individus insolites se retrouveraient placés dans la même pièce, contraints de se regarder dans les yeux, et encouragés à compléter mutuellement leur *compréhension* de Dieu ? Il reconnaissait qu'il s'était montré parfois exigeant, et dominateur. C'est vrai, il s'était servi de sa salle de cours comme d'un laboratoire. Mais c'était pour une bonne cause.

Les étudiants... désavantagés par leur manque de savoir, avantagés par leur âge, prompts à juger et égocentriques jusqu'à la moelle. Ils n'imaginaient pas que leurs enseignants aussi aient une histoire, un secret, une vie ailleurs. Avec eux, Azur avait créé une tour de Babel. Il les avait poussés aussi loin qu'il le pouvait. Il avait échoué.

Sa grande erreur avait été de s'impliquer avec Peri, son intérêt piqué à l'idée qu'une fille si discrète et renfermée puisse avoir un aspect caché, en lien avec ce qu'elle appelait « le mystique ». Peri, plus que tout autre étudiant de son séminaire, entretenait une querelle personnelle avec Dieu, et c'est ce qui l'avait attiré. Oui, il lui avait consacré du temps supplémentaire, même s'il voyait – c'était impossible de ne pas voir – qu'elle nourrissait des sentiments pour lui. Elle était trop jeune. Trop naïve. Trop refoulée. Il aurait dû être plus prudent, mais l'était-il jamais ?

Azur n'avait pas grandi dans une maisonnée pieuse. Son père était un riche entrepreneur anglais, dont le bonheur était inversement proportionnel à son succès ; sa mère, une pianiste chilienne talentueuse mais frustrée, obsédée par le ressentiment de n'avoir pas atteint de son vivant la renommée qu'elle estimait mériter. Sa famille avait une affaire à Cuba, où il était né. Son père lui racontait ses pêches au requin avec Ernest Hemingway – même s'il restait peu d'indices de cette remarquable amitié, hormis quelques photos et quelques billets manuscrits. Azur avait choisi de se consacrer à la philosophie, défiant ainsi les attentes et les devoirs familiaux. Cependant, pour faire plaisir à ses parents, il avait accepté de prendre comme discipline principale l'économie, ce qu'il fit, à Harvard.

Au cours de sa dernière année à l'université, sa vie changea quand il commença à suivre les cours d'un spécialiste du Moyen-Orient. Le professeur Naseem avait stimulé le jeune Azur comme jamais personne auparavant. Issu d'une famille berbère d'Algérie, il l'avait exposé à différentes cultures, à des perspectives fluctuantes et à des questions épineuses. Il lui avait aussi fait découvrir les œuvres des mystiques, Ibn 'Arabi, Maître Eckhart, Rûmî, Isaac Louria, *La Conférence des oiseaux* de Farid al-Din 'Attâr, et son auteur préféré, le poète Hâfez de Chiraz.

Une après-midi, Azur rendit visite au professeur Naseem dans sa maison de Brookline. C'est là qu'il rencontra la fille cadette de Naseem, Anissa. Grands yeux noisette, chevelure sombre bouclée, une vivacité qui touchait et enflammait tout son entourage. Ils parlèrent sans fin – de livres, de musique, de politique. Elle rêvait d'emménager dans son propre appartement. « Mais où que je vive, il faut que je voie l'eau », dit-elle.

Le soir même, Azur fut convié à rester dîner. Bien sûr, la nourriture était excellente, différente de tout ce qu'il avait goûté jusque-là, mais ce furent les rires détendus et les mélodies arabes qui l'envoûtèrent. Les yeux d'Anissa parcouraient son visage à la lueur des bougies. À ce moment-là, Azur aurait aimé que ce soient eux sa famille. Leur spontanéité, leur effervescence naturelle étaient si différentes de la politesse mesurée qui se pratiquait chez lui. À ce jour, Azur ne savait pas s'il s'était épris d'Anissa ou de sa famille.

Moins de sept semaines plus tard, ils étaient mariés.

Il ne fallut pas longtemps au jeune couple pour découvrir à quel point ils étaient incompatibles. Anissa vivait surtout repliée dans son propre esprit. Elle était farouchement possessive, très jalouse, et encline aux dépressions nerveuses, parfois pour les raisons les plus stupides. Elle suivait un traitement depuis son adolescence.

Anissa avait une demi-sœur, Nour, fille d'un premier mariage du professeur Naseem. Pleine d'égards, pensive, bienveillante, chaque fois que la famille se rassemblait, elle s'asseyait à table à côté d'eux, écoutant la conversation entre Azur et son père, posant des questions pénétrantes. Lentement, Azur se mit à la voir sous un jour différent. La douceur de son sourire, l'éclat de son regard, la délicatesse de ses doigts, le tranchant de son esprit. Elle respectait ses opinions à lui, lui ses opinions à elle. Jamais auparavant Azur n'avait pensé qu'un tel respect pouvait en soi susciter l'attirance.

Cette année-là, à la fin de l'été, Azur et Nour franchirent un seuil interdit. La famille le découvrit bientôt. Le professeur Naseem, ce remarquable vieillard, convoqua Azur et lui hurla ses griefs en plein visage, les veines de son cou gonflées comme des ruisseaux bleus. Il accusa son jeune prodige d'agir comme Shaitan en se faufilant dans sa demeure avec la seule intention de détruire sa sérénité et sa réputation durement acquise.

Azur et Anissa déménagèrent et réussirent à se réconcilier. Ils décidèrent de s'éloigner de Boston. Recommencer à neuf en Europe. *Elle ne pourra pas nous suivre, ta honte*, dit Anissa. *La honte ne traverse pas les océans à la nage.* Pourtant, elle en parlait constamment, pas ouvertement mais par des insinuations et des remarques sarcastiques, persuadée qu'aucune somme de remords exprimée par Azur ne pourrait réparer ce qu'il avait si gravement brisé. De façon fortuite, elle semblait savourer le péché de son mari, qui lui donnait un avantage moral dans leur couple, un sentiment de rectitude plus délicieux que des baies mûres.

Ils s'installèrent à Oxford, avec vue sur l'eau, où Anissa parut s'adapter facilement et où Azur trouva très vite sa place. Il y prospéra. Sa femme fut bien accueillie par la communauté locale. Aucune des personnes qu'elle rencontrait ne pouvait soupçonner la profondeur des ténèbres qui lui rongeaient l'âme. Quand elle était heureuse, elle était euphorique. Triste, elle était effondrée. Dans la joie ou le chagrin, Anissa vivait toujours aux extrêmes.

Elle était enceinte de quatre mois quand elle disparut. De bonne heure ce matin-là, la brume en suspens près du sol, elle alla marcher le long de la rivière et ne revint jamais. Son corps fut retrouvé vingt-six jours plus tard, alors que la police avait à plusieurs reprises sondé la rivière. L'*Oxford Mail* lui consacra un article avec une photo d'elle en robe de mariée, coiffée d'une couronne de fleurs printanières. Comment ils avaient réussi à se procurer cette photo, Azur ne le découvrit jamais. La mort avait été classée comme *inexpliquée*, annonça le porte-parole de la police. L'hypothèse du meurtre était écartée. Le *coroner* conclut à une cause indéterminée, mais Azur resta obsédé par cet unique terme : l'inexpliqué.

Le professeur Naseem rendit Azur et son aventure avec Nour responsables des sautes d'humeur d'Anissa et de sa brusque disparition. La famille ne lui pardonna jamais, pas plus qu'Azur, tout au fond, ne se pardonna. Mais cela le rendit hypersensible aux excuses. Il avait horreur que les gens demandent pardon pour des futilités quand il y avait dans la vie des excuses trop lourdes pour être exprimées. Entre la liberté de pensée qui avait marqué son éducation et la foi tournée vers la justice du professeur Naseem, il se découpa un espace personnel. Il enseignerait l'inexpliqué. Il enseignerait Dieu.

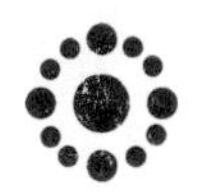

Tandis que le vent matinal s'adoucissait en brise, Peri se rendit à son audition devant le comité comme une somnambule. Ses jambes lui semblaient lourdes et raides. Le soleil se cacha derrière un nuage, un martinet prit son essor, et la saison parut muer – comme si le monde avait changé depuis qu'elle avait quitté le Jardin botanique et l'ombrage du sapin d'eau.

Troy faisait des allées et venues devant l'entrée. Shirin était assise sur les marches, les bras croisés contre la poitrine, les yeux gonflés de larmes. Chacun attendait Peri avec impatience pour tenter de la tirer de son côté. Quelque part à l'intérieur du bâtiment étaient réunis des individus à la mine impénétrable et aux questions impertinentes.

Où était Azur, se demanda-t-elle, et quelles pensées lui traversaient l'esprit ? Elle aurait tant aimé qu'il soit auprès d'elle en ce moment, afin qu'ils puissent se réfugier dans l'un des innombrables fantasmes qu'elle nourrissait à son endroit. Ils passeraient devant ces gens sans prendre garde à leurs regards sévères, indifférents à cette calamité surgie de nulle part pour les frapper. Elle aurait souhaité qu'il fasse nuit et qu'il lui parle de poésie et de philosophie et du paradoxe de Dieu, des mots qui voleraient dans le vent comme les étincelles projetées par les tisons d'un feu de camp ; seuls tous les deux sous un ciel qui pourrait se situer n'importe où, une ville universitaire rêveuse ou une cité bourdonnante, elle posant la tête dans le creux de son épaule. Elle aurait souhaité que tous leurs écarts, d'âge, de statut, de culture s'évaporent. Elle aurait souhaité qu'il se penche vers elle, lui effleure le visage, embrasse ses lèvres et prononce son nom comme une incantation. Elle aurait souhaité que son propre esprit et son cœur se fondent en une lame qui détruirait l'esprit de Shirin logé en lui. Cela faisait tellement longtemps qu'elle n'avait rien désiré avec une pareille ferveur.

Peri serra son manteau autour d'elle, sentant le froid pénétrer jusqu'à sa peau. Si elle témoignait en sa faveur, comme elle se sentait moralement tenue de le faire, peut-être qu'il comprendrait à quel point elle tenait à lui et qu'il l'aimerait

– au moins un peu. Peut-être… Mais au fond de son cœur elle savait que rien de tout cela ne risquait de se produire. Il serait lavé de tout soupçon et fêterait ce succès avec Shirin – qui obtenait toujours tout ce qu'elle voulait.

Comme à distance, Peri passa en revue tous ces points. Puis, lentement, comme si elle avait consommé toute son énergie, elle s'arrêta. N'était-ce pas elle, la fille qui avait regardé son frère jumeau s'étouffer mortellement sans appeler à l'aide ? Toujours entre deux chaises, redoutant d'attirer l'attention, réticente à choisir un camp, si obsédée par la peur de contrarier quelqu'un qu'elle finissait par décevoir tout le monde. Malgré toutes ses tentatives pour se transformer, elle n'était pas assez forte pour surmonter la paralysie émotionnelle imprimée dans son âme. Elle, Peri, Nazperi, Rosa, Souriceau, ne témoignerait pas. Ni maintenant, ni plus tard. Elle n'était pas un acteur mais un simple spectateur. C'était *leur* problème. Leur jeu idiot. Elle fit demi-tour et repartit comme si c'était la réputation d'un inconnu qui était en cause et non l'avenir de l'homme qu'elle avait aimé, rêvé et désiré de tout son être.

Il lui fallut des années avant de comprendre que sa neutralité avait contribué activement à la ruine de l'homme qu'elle chérissait. Qu'en trahissant Azur, elle trahissait la vérité.

La penderie

Istanbul, 2016

Un troisième individu, le visage à moitié caché par un bandana, avait rejoint les deux intrus. À sa manière de parler, il devait être leur chef. Sans doute attendait-il dans le jardin pendant que les deux autres se ruaient à l'intérieur du manoir et lui déblayaient la voie.

« Faites ce qu'on vous dit et il ne vous arrivera aucun mal », rugit-il. Pourtant il ne semblait ni en colère ni agité ; juste froid, détaché. « À vous de choisir. »

Peri s'aperçut qu'elle tremblait. Son cœur cognait contre sa cage thoracique. Devait-elle fuir ou se cacher ? Qui étaient ces hommes – mafieux organisés, cambrioleurs ordinaires, terroristes – toutes catégories qui fourmillaient à Istanbul ? Ou était-ce une histoire financière ? Combien de gens l'homme d'affaires s'était-il mis à dos en accumulant l'argent et suscitant l'envie à doses égales ? Elle se rappela son expression inquiète sur la terrasse. Mais ce n'était pas le moment de méditer. Observant la porte de la cuisine depuis le couloir où elle était accroupie, elle marqua un temps d'arrêt. Impossible d'aller s'y réfugier sans être vue du salon. Elle fit un pas en arrière. Sa main rencontra la surface du miroir derrière elle, qui bougea légèrement : c'était la porte d'une penderie encastrée.

Elle l'ouvrit. Derrière étaient rangés des manteaux, des cartons, des chaussures, des parapluies. Sans réfléchir, elle sauta à l'intérieur et tira le loquet magnétique. Le dos appuyé à la plaque de bois, elle se roula en boule dans le noir. Une nouvelle fois dans sa vie, elle se transformait en hérisson terrorisé.

Une minute plus tard, peut-être moins, quelqu'un arpenta le couloir en beuglant : « Sortez de la cuisine ! Tous. Maintenant ! »

Ils rassemblaient le personnel. Le cuisinier, l'aide-cuisinier, les commises au service de table engagées pour la soirée. Des pas pressés. Le piétinement de bottes. Des murmures effrayés.

Dans sa penderie, Peri appuya sur le bouton mode silencieux du mobile et tapa un message à sa mère. *Appelle la police, urgent. Tu sais où je suis.*

« Merde », se dit-elle, s'avisant que Selma était sans doute au lit et ne verrait son message que le lendemain. Quel soulagement que Deniz soit partie, et en sécurité. Mais Adnan était ici… *là*. Son mari, son confident, son meilleur ami. Son souffle se mua en gémissement aigu.

Il y eut un bruit sourd. Une femme hurla. Peri entendit un cri, qui se transforma en rire hystérique. À l'oreille, l'amie du fameux journaliste. « Vous ne les avez pas vus arriver ? Et vous vous dites voyant ? Medium mon cul, oui ! »

Étreignant ses genoux, Peri s'immobilisa. Est-ce que l'homme d'affaires récoltait ce qu'il avait semé ? Ou s'agissait-il d'une simple coïncidence – encore un coup du hasard auquel on cherchait vainement un sens ? Elle se rappela le système de vidéosurveillance et les fils barbelés qu'elle avait vus à l'entrée – totalement inefficaces. Le monde était plein de danger. Chaos et désordre étaient tapis à chaque coin de rue. Le mal venait-il en représailles de nos actions, ou était-ce le fonctionnement capricieux d'un destin arbitraire ? Si l'aléatoire était la seule règle, à quoi bon s'appliquer à devenir meilleur ? Comment expiait-on ses péchés anciens sinon en changeant de comportement ? Elle s'était toujours bien conduite, sauf envers l'homme qu'elle aimait il y a des années et que, dans un coin intact de son cœur, elle aimait encore. Et si jamais il n'y avait partout que confusion ?

Saisie de nausée, elle composa le numéro de la police. Un agent répondit et commença par la bombarder de questions, la traitant moins comme un témoin que comme une criminelle. Peri lui coupa la parole en parlant aussi bas que possible : « Il y a des hommes armés…

— Vous entends pas. Parlez plus fort », réprimanda-t-il.

Peri lui donna l'adresse.

« Pourquoi êtes-vous dans cette maison ?

— Je suis une invitée, siffla-t-elle exaspérée. Ils ont des armes à feu.

— Vous êtes dans quelle partie de la maison ? » demanda l'agent, mais il n'attendit pas la réponse. Il voulait savoir son nom, sa profession, où elle habitait. Des questions inutiles. Elle avait toujours été une citoyenne exemplaire, mais sur la base de données de l'État, elle était une création numérique, un nombre sans histoire.

Enfin, l'homme dit : « D'accord, on va envoyer une équipe. »

Ensuite elle vérifia la batterie. De quoi tenir encore un quart d'heure, peut-être moins. Elle se demanda ce qui se passerait dans l'intervalle : allait-on la repérer et la prendre en otage avec les autres ou la police allait-elle venir et lancer une opération où ils seraient peut-être tous sauvés ou tués ? Avant que la batterie ne s'épuise, peut-être, ce Dernier Repas de la Bourgeoisie turque serait terminé, bien ou mal. La vie paraissait souvent injuste, mais la pire injustice c'était la mort.

Qu'est-ce qui était le plus dur à accepter : qu'il y ait un but caché dans cette folie, si seulement on savait où le chercher ; ou qu'il n'y ait aucune logique du tout, et par conséquent aucune justice ?

Sa main tremblait de nouveau, comme mue par un esprit indépendant, le tentacule d'un poulpe. Dans la lumière phosphorescente du mobile, serrée entre les rangées de manteaux et les chaussures tandis que dehors son mari et ses amis étaient retenus en otage, elle fit apparaître le numéro que Shirin lui avait donné.

Elle appela Azur.

La disgrâce

Oxford, 2016

Chaque jour au crépuscule, Azur sortait faire une promenade. Il marchait une bonne dizaine de kilomètres, suivant des sentiers historiques, traversant des bois séculaires et longeant des terres agricoles vallonnées. L'esprit se clarifie toujours sous l'effet du grand air, estimait-il, résolu et pondéré mais sans destination particulière en vue. S'il était une chose concernant les êtres humains qu'il avait fini par croire fermement, c'est qu'ils étaient tous des caméléons mentaux, capables de s'adapter même à la honte et à la disgrâce. Il le savait non par spéculation mais par expérience personnelle. Il avait été couvert de honte. Il était tombé en disgrâce. Si quelqu'un avait dit jadis au jeune homme en pleine ascension académique et sociale, ambitieux et toujours sûr de lui, qu'un jour il tomberait à terre comme s'il avait volé trop près du soleil, il aurait trouvé cela trop déprimant pour le croire. À la vérité, cet Azur plus jeune, plus bardé de principes, aurait probablement dit que mieux valait mourir que vivre avec un pareil déshonneur. Et pourtant il était bien là, plus d'une décennie après le scandale, encore dans les parages, toujours vivant et encore profondément meurtri intérieurement.

Il y a quatorze ans, il avait été contraint à quitter son poste d'enseignant. Depuis, il conservait un lien ténu avec le collège qui était autrefois son domicile universitaire, comme un cordon ombilical qui ne fournissait plus d'aliment mais ne pouvait être tranché. On ne lui avait pas proposé de revenir enseigner, et il n'avait pas essayé, de peur que son nom ne cause de l'embarras à ses collègues ou au département. Au cours de ces années, il avait lu quantité d'articles sur son compte, dont un qui ne ressemblait à aucun autre. Celui-ci l'accusait d'être un mégalomane qui s'imaginait nanti d'une autorité, un amalgame foucaldien de pouvoir et de savoir qui détruisait les jeunes esprits inquiets comme un chancre. Esquissant un être de parfaite malfaisance, l'auteur établissait un parallèle entre la tentative de suicide de Peri et la disparition d'Anissa. « Voilà un homme qui a de toute évidence apporté la tragédie à chaque jeune femme qu'il a séduite intellectuellement. » Écrit avec passion et terriblement bien informé, l'article avait déstabilisé Azur, le faisant tomber dans une dépression si intense qu'il lui était impossible de se rappeler un temps où son univers n'était pas saturé de mélancolie. Néanmoins, il avait continué à travailler, comme s'il savait que s'il cessait d'écrire, il n'aurait plus aucune raison de se projeter dans l'avenir. Le travail était un réflexe de survie.

Il aurait pu partir pour l'Amérique ou l'Australie et commencer une nouvelle vie. Mais il avait choisi de rester. Sans responsabilités administratives ou pédagogiques, il avait tout le temps de lire, faire des recherches et écrire. Cela, combiné à un nouvel élan qui s'était emparé de son âme, le poussait à produire un livre après l'autre. Chacun des titres qu'il publia pendant ces années le propulsa plus avant vers la renommée et la reconnaissance de son talent, si bien qu'aujourd'hui il atteignait un stade qui serait resté hors de portée s'il n'avait pas perdu son poste. Peut-être que Plutarque avait raison, après tout. Le Destin conduisait ceux qui acceptaient d'être conduits, et ceux qui résistaient à cette idée, comme lui, étaient tirés en avant de force.

Il habitait toujours la même maison aux baies vitrées donnant sur les bois. Dans le jardin, il cultivait des herbes aromatiques et des légumes ; fréquentait une poignée de vieux amis, pas plus. Il cuisinait. La vie était paisible, ordonnée, et c'est cela qu'il voulait maintenant. Il avait encore des aventures amoureuses, plusieurs, et peu importait désormais si les femmes invitées dans son lit étaient liées ou non à l'université. Là résidait le paradoxe de la disgrâce publique qui, en privant un individu de ses fonctions sociales et de sa respectabilité, lui offrait une véritable libération. Oui, il était libre comme l'oiseau, et aussi insouciant. Mais il savait, bien sûr, que les oiseaux sont des créatures d'habitude, donc pas exactement libres, et qu'ils ont toutes sortes de sujets de préoccupation.

De temps en temps, il recevait un appel ou un mail d'un journaliste désireux de l'interviewer, ou d'un étudiant qui préparait une thèse sur ses ouvrages. Il en acceptait certains, en refusait d'autres, réagissant purement par intuition. Au début, il rejetait fermement toute tentative de s'introduire dans son espace privé. Il savait que la première question qu'on lui poserait porterait sur le scandale, peu importe le temps qui s'était écoulé depuis. Même si l'épisode n'était pas évoqué au cours de l'entretien, il le serait à coup sûr dans l'article, ce qui pouvait être pire. Aussi avait-il refusé les visites le plus longtemps possible. Mais l'inaccessibilité l'avait rendu encore plus attractif aux yeux des lecteurs. Il avait un public loyal qui connaissait, lisait et partageait tout ce qu'il produisait. Comme l'avait dit un journaliste, parmi les penseurs les plus déshonorés de l'époque, il était le plus vénéré.

Après la mort de Spinoza, il avait refusé de prendre soin d'un autre chien. La décision fut de courte durée. Un berger roumain des Carpathes âgé de deux mois apparut à sa porte avec un nœud doré attaché à son collier – un cadeau de Shirin. Une boule de poils blancs épais couverte de taches grises. Calme et intelligent, un animal fait pour les montagnes. Quoi de plus approprié que de lui donner le nom du philosophe roumain réputé pour ses opinions saturniennes sur Dieu et sur tout le reste ? D'ailleurs, le nom convenait aussi à l'humeur mélancolique d'Azur. Désormais, ce fut Cioran qui l'accompagna dans ses excursions.

Cette après-midi-là, Shirin vint frapper à sa porte, ventre énorme, joues en feu. La grossesse donne à certaines femmes un air de béatitude, et Shirin en faisait partie. Si jamais il fut une sainte pécheresse, c'était bien elle.

« Tu vas venir, n'est-ce pas ? S'il te plaît, ne dis pas non. Je vais faire un foin d'enfer », dit-elle, pianotant sur la table de ses doigts aux ongles vert vif.

Shirin était devenue une excellente universitaire ; après le scandale, elle était partie pour Princeton, d'où elle lui écrivait sans faute presque chaque jour. À son retour, elle trouva un poste dans son ancien collège. Depuis, ils étaient restés bons amis, malgré leur différence d'âge et leurs styles de vie discordants. Ni l'un ni l'autre n'avait tenté de ranimer leur ancienne liaison, ce qui était louable et sage de leur part, mais triste également, se disait Azur. Il savait qu'il devenait vieux.

« Écoute, ce type est infect. Raciste. Homophobe. Islamophobe. La pauvre Mona en aurait fait une crise cardiaque. Il est sans vergogne. Il prétend que Dieu parle par sa bouche. »

Azur sourit. « Il y en a beaucoup comme ça. Autant t'y habituer.

— Je ne veux pas, dit Shirin. Viens, s'il te plaît.

— Qu'est-ce que tu attends de moi, ma chère ? Tu crois que ma présence compte pour qui que ce soit, et surtout pour lui ? Je suis une disgrâce ambulante à leurs yeux. En outre, j'ai cessé de débattre sur Dieu. Je ne fais plus ça.

— Je ne le crois pas une seconde. Viens, c'est tout, je t'en prie. »

Après son départ, il fit du thé et s'assit à la table de la cuisine. Un rayon de soleil obliquant à travers le feuillage du sycomore dessinait un cercle moucheté sur son visage, accentuant ses traits ciselés. Dans le journal local plié à côté de lui, il y avait un article sur ce chercheur néerlandais connu pour ses idées polémiques sur l'islam, les réfugiés, le mariage gay et l'état du monde. Il affirmait avoir un accès direct à Dieu – une adhésion à un club privilégié. Depuis près de deux siècles, l'Oxford Union invitait d'éminents orateurs de l'extérieur, des plus conventionnels aux plus controversés. Mais personne n'avait souvenir d'un vacarme comparable à celui que soulevait ce *one-man-show*.

Azur leva sa tasse, laissant sur le journal une tache auréolant la tête de l'orateur – qui maintenant avait vraiment l'air d'un saint. Il contempla l'image un moment, comme figé. Puis, cédant à une impulsion, il saisit sa veste et ses clés de voiture.

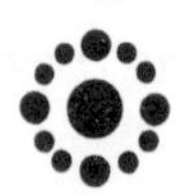

Vingt minutes plus tard, quand Azur approcha du bâtiment dont les contours se dessinaient sur un ciel couvert, il remarqua un groupe d'étudiants qui attendaient dehors avec des pancartes protestant contre l'orateur, exigeant qu'il soit expulsé du sol universitaire.

Un jeune homme l'arrêta. Un première année, à voir sa mine, qui ne pouvait pas connaître Azur.

« On a lancé une pétition contre ce monstre, vous voulez la signer ? » Il parlait anglais avec un accent, mais beaucoup d'aisance.

« Ce n'est pas un peu tard ? dit Azur. Il va parler dans dix minutes.

— Ça ne fait rien. Si nous rassemblons assez de signatures, l'Union y réfléchira à deux fois avant d'inviter quelqu'un comme lui la prochaine fois. En plus, on va essayer d'entrer et d'interrompre la conférence. » Il mit un stylo-bille et un bloc-notes sous le nez d'Azur.

« Désolé de vous décevoir, dit Azur, mais je ne signerai pas. »

Une expression de mépris passa sur le visage du jeune homme. « Alors vous êtes d'accord avec lui ? Un fasciste ?

— Je n'ai pas dit que je partageais sa vision du monde. »

Mais l'étudiant, ayant perdu tout intérêt à son égard, tourna le dos et s'éloigna d'un pas rapide. Azur se sentit partagé entre le laisser filer ou le rattraper.

« Attendez. » Il se hâta derrière lui.

L'étudiant fit halte, surpris.

« Vous êtes musulman, exact ? »

Un oui prudent de la tête.

« Vous avez lu Rûmî, je suppose. Vous vous rappelez cette phrase ? Si toute friction t'irrite, comment ton miroir sera-t-il poli ?

— Quoi ?

— Laissez ce type parler. Les idées doivent être défiées par des idées. Les livres par des livres meilleurs. Même si elles sont stupides, vous ne pouvez pas faire taire les voix des gens. Chasser les orateurs n'est pas la bonne façon de faire.

— Gardez vos envolées philosophiques pour vous. Personne n'a le droit d'insulter ma religion et ce qui est sacré pour moi.

— Mais vous imaginez votre sentiment de liberté si vous vous élevez au-dessus de la haine de cet homme ? Nous devons répondre à l'insulte par la sagesse.

— C'est encore votre Rûmî qui dit ça ?

— En fait c'est Shams, son initiateur et –

— Laissez-moi tranquille », interrompit le jeune homme, puis il se dirigea vers ses camarades et leur parla à l'oreille. Tous dévisagèrent Azur.

Pourquoi ne pouvait-il jamais tenir sa langue ? Cette langue qui lui avait déjà causé assez d'ennuis dans la vie. Se passant les doigts dans ses cheveux piquetés de gris, moins épais, il entra dans le bâtiment de l'Oxford Union. Une affiche à l'entrée indiquait le titre de la conférence : « Gardez l'Europe pour les Européens. »

Une excitation tendue bourdonnait parmi la foule rassemblée dans la salle. Certains étaient venus avec des sentiments de colère, de dédain et d'incrédulité envers l'orateur, qui avait construit sa carrière sur l'insulte et la dérision ; d'autres avec la satisfaction intime d'entendre enfin quelqu'un dire tout haut ce qu'ils pensaient eux-mêmes.

Tandis qu'Azur se frayait un chemin parmi le public, quelques anciens collègues le saluèrent de la main, d'autres firent semblant de ne pas le voir. La honte était une cape d'invisibilité. Il la portait en public. Cela ne le gênait pas, beaucoup moins qu'avant, d'observer avec quelle rapidité les gens jugeaient et prenaient leurs distances. À des moments comme celui-ci, il pensait à Peri, se demandait ce qu'elle faisait à Istanbul, quel genre de vie elle s'était construite. S'il était condamné à une disgrâce à vie, elle devait être condamnée au remords à vie. Qui saurait dire ce qui était le plus éprouvant pour l'âme ?

En le voyant approcher, Shirin se leva, lui fit signe d'une main, l'autre posée sur son ventre. Son enthousiasme était si touchant qu'Azur se sentit triste. Ce n'était pas la couardise de ses accusateurs ni l'opportunisme de ses rivaux qui l'avaient rendu vulnérable. C'étaient ceux qui, quoi qu'il arrive, l'aimaient et le soutenaient et le respectaient. Ils avaient attendu qu'il lave sa réputation. Il avait refusé de le faire, ayant toujours pensé que plus vous proclamiez votre innocence devant les autres, plus vous passeriez pour coupable à leurs yeux. De plus, rouvrir d'anciens dossiers aurait fait du mal aussi à Peri.

« Merci d'être venu, dit Shirin. Je savais que tu viendrais.

— Je vais partir tôt. Je ne crois pas que je pourrais le supporter jusqu'à la fin. »

Elle en convint.

Peu après, l'orateur monta sur l'estrade, sans cravate, dans un costume en cachemire bleu électrique. Il parla pendant trente minutes des dangers qui menaçaient la civilisation occidentale. Sa voix ondulait à un rythme calculé, réduite par moments à un murmure rauque, montant sur les mots dont il savait qu'ils inspireraient la peur. Il n'était pas raciste, déclara-t-il. Certainement pas xénophobe. Sa boulangerie favorite était gérée par un couple d'Arabes, son médecin privé était d'origine pakistanaise, et il avait passé les meilleures vacances de sa vie il y a plusieurs années à Beyrouth, où un chauffeur de taxi lui avait retrouvé son portefeuille perdu. Mais les portes de l'Europe devaient être solidement verrouillées. C'était la seule conséquence logique d'une omnipagaille majeure créée par d'autres. L'Europe était notre chez-nous. Les musulmans étaient des étrangers. Même un gosse de cinq ans sait qu'il ne faut pas inviter des étrangers chez soi. Chacun dans le monde enviait la richesse de l'Occident, et il fallait la protéger à la fois des gens du dehors et des Judas de l'intérieur, qui ne voyaient pas combien c'était mauvais de diluer une culture, de dénaturer une race, d'avilir un héritage. Mauvais, très mauvais ! Les mariages interraciaux et interreligieux mettaient tous en danger l'intégrité de la société occidentale. N'ayons pas honte de parler de pureté. Pureté ethnique, culturelle, sociale et religieuse. Il était éloquent, bien élevé et, comme tous les bons démagogues, il savait choisir son moment pour faire une plaisanterie.

Le problème de l'Europe, c'est qu'elle avait renoncé à Dieu. Les gens commençaient enfin à prendre conscience de cette erreur historique. Il était temps de ramener parmi nous Dieu le Sauveur – le ramener dans le monde académique, dans la famille, dans l'espace public. Les libertés ne devraient jamais être confondues avec le déni de Dieu. L'Europe avait perdu son temps à débattre de sujets ineptes – comme le mariage homosexuel – tandis que les hordes barbares se massaient à nos portes. Si les gens choisissaient d'être gays, très bien, mais qu'ils en assument les conséquences. Ils ne pouvaient pas prétendre au mariage – clairement défini comme un contrat passé devant Dieu entre un homme et une femme. Les turbulences actuelles – le terrorisme, la crise des réfugiés, l'extrémisme islamique en territoire européen – c'est ainsi que Dieu entendait faire la leçon aux Européens. Tester, corriger, affiner, perfectionner. Jadis, Dieu répandait le feu et le soufre sur les cités pécheresses ; aujourd'hui, Il faisait pleuvoir sur nous les réfugiés et le terrorisme. Chaque époque s'attirait son propre châtiment.

« Mes amis, Dieu est ici avec nous aujourd'hui. Ils ont tenté de Le bannir des universités. Ils L'ont offensé pendant si longtemps. Mais Il est présent dans toute Sa gloire. Je ne suis rien que Son ciboire, Son humble porte-parole. »

De son siège dans le public, Azur émit un son railleur, fort et ferme, perçant un moment de silence. Tous les regards se braquèrent sur lui, y compris ceux de l'orateur.

« Qui vois-je devant nous ? Nous sommes honorés par la présence du professeur Azur, si je ne me trompe pas, dit l'orateur, sauf qu'il n'est plus professeur. »

Des chuchotements coururent à travers la salle tandis que collègues et étudiants se dévissaient le cou pour mieux voir l'auditeur indiscipliné. Azur se leva. Auprès de lui, Shirin resta assise, le visage blanc comme celui d'un spectre.

« Vous avez raison, je n'enseigne plus. »

Avec une moue, l'orateur dit : « Oui, j'ai appris cela. C'est même arrivé jusqu'à notre coin tranquille d'Amsterdam. » Un sourire factice de compassion s'étala sur son visage. « Mais je me réjouis de voir de mes propres yeux que Dieu vous a ramené à la lumière.

— Qui a dit que j'étais dans le noir ? demanda Azur.

— Eh bien, c'est manifeste… »

Azur hocha la tête. « Alors laissez-moi vous donner de l'espoir. J'ai été tout sauf un saint. Si Dieu peut opérer à travers moi, il peut faire des miracles à travers n'importe qui – même ouvrir un esprit aussi fermé que le vôtre.

— Comme c'est admirable de votre part de citer saint François. À vos propres fins, j'imagine. Ainsi va la vie. Il faut que nous débattions un de ces jours. Ce sera divertissant. »

Là-dessus, l'orateur reprit son discours, laissant Azur encore debout, frustré de ne pouvoir entamer un débat qui ne risquait pas de lui être accordé dans un avenir proche.

Quand il rentra de sa promenade, revivant l'épisode à l'Oxford Union, la maison lui parut froide. Les photographies sur le mur, les carreaux autour de la cheminée. Il réchauffait des lasagnes de la veille quand le téléphone sonna. Un numéro inconnu, international apparemment. N'étant pas d'humeur à parler à quiconque, il décida de ne pas répondre. La sonnerie s'arrêta, un moment de silence épais.

Cioran à ses pieds émit un geignement. Puis le téléphone se remit à sonner.

Cette fois, un instinct le poussa à prendre l'appareil. Et il décrocha. À l'autre bout de la ligne, depuis un manoir balnéaire d'Istanbul, Peri s'efforçait de retrouver sa voix.

Les trois passions

Istanbul, 2016

Inspire. Expire. Pendant un moment, le temps sembla s'être dissous, et elle redevint la fille d'autrefois, catapultée hors d'un mauvais rêve ou projetée dans un autre – la penderie où elle s'était réfugiée lui rappelait la prison de son frère. Dehors, les invités et le personnel avaient été conduits dans le bureau tapissé d'or. Peri avait entendu leurs pas quand on les avait rassemblés en troupeau, mais maintenant un silence de mauvais augure régnait sur la maison. Elle resserra sa prise sur le téléphone de son mari en attendant la sonnerie. Une boule se forma dans sa gorge quand elle entendit la voix d'Azur au bout du fil.

« Allô ? »

Le timbre familier lui mit les larmes aux yeux. Sa bouche lui donnait l'impression d'être pleine de petites particules, de fines graines de remords. C'était effrayant, la vitesse à laquelle le passé partagé, comme une douleur liquide, affluait dans les silences du présent.

« Allô ? Qui est à l'appareil ? »

Elle faillit raccrocher, tant les mots refusaient sèchement de sortir. Pourtant, elle était lasse de se fuir, et la volonté d'affronter ses craintes la poussa en avant. « Azur... c'est moi, Peri.

— Pe-ri », répéta-t-il, et fit une pause, comme si la seule invocation de son nom embrassait la totalité des choses, le bon et le mauvais et tout ce qu'il y avait entre les deux.

L'esprit de Peri galopait. Son pouls galopait. Pourtant, quand elle reparla, sa voix était calme. « J'aurais dû vous appeler avant. J'ai été lâche. »

Azur garda le silence. Il savait que ce moment viendrait, mais il ne s'y était jamais préparé.

« Quelle surprise », dit-il enfin. Il semblait sur le point d'ajouter quelque chose mais y renonça. « Vous allez bien ?

— Pas vraiment », répondit-elle sans s'attarder sur ce point. Elle ne lui dit pas qu'il y avait des hommes armés dans la maison. Ni que cette conversation risquait d'être coupée brusquement, car la batterie serait bientôt à plat. Elle entendit un chien aboyer. « Spinoza ?

— Spinoza est mort, ma chère. J'espère qu'il est dans un monde meilleur. »

Elle se mit à pleurer en silence. « Je vous dois des excuses, Azur. J'aurais dû parler devant le comité.

— Ne vous faites pas de reproches, dit-il gentiment. Vous n'étiez pas en état de juger clairement. Vous étiez trop jeune.

— J'étais suffisamment vieille.

— Eh bien... j'aurais dû être plus attentif. »

Cette phrase la surprit. Alors il ne la haïssait pas depuis tout ce temps comme elle le craignait. Au lieu de cela il avait pris la faute sur lui.

J'ai lu votre dernier livre, avait-elle envie de dire. *J'ai lu tous les livres que vous avez publiés depuis... Vous avez changé. Vous paraissez plus cynique... plus détaché. Et je me demande si cela signifie que vous avez perdu votre agitation, l'esprit joueur qui pouvait charmer vos étudiants et envoûter tout un auditoire. J'espère que non.*

Elle entendit au loin à l'étage un martèlement de pas. Un bref remue-ménage. Quelqu'un hurla. Un coup de feu perça l'air. Puis un bruit sourd.

Le corps de Peri se raidit, sa respiration se fit haletante.

« Qu'est-ce qui s'est passé ? demanda Azur.

— Rien.

— Où êtes-vous ? »

À l'intérieur d'une penderie dans une villa chic d'Istanbul qui vient d'être envahie par des voyous, avec dans ma bouche le goût de la peur mêlé à celui d'une truffe baptisée Oxford. Non, elle ne pouvait pas lui dire ça.

« Ça a de l'importance ? dit-elle, gardant sa voix incroyablement basse.

— Quand je vous ai rencontrée, Peri, j'ai pensé, cette fille ne le sait pas mais elle porte les trois passions de Bertrand Russell : le besoin d'aimer, la soif de connaître, et une compassion presque intolérable pour les souffrances du genre humain. »

Le visage de Peri s'assombrit.

« Vous aviez les trois. Votre besoin d'amour si profond. Votre soif d'apprendre. Votre sensibilité envers les autres… au point de vous effacer totalement. J'avais de la peine pour vous. Mais aussi de la *colère* contre vous. Vous me rappeliez une femme que j'ai connue.

— Votre épouse ? demanda-t-elle timidement.

— Non, ma chère, quelqu'un qui s'appelait Nour. Je me suis mis à craindre de vous faire souffrir exactement comme je l'avais fait souffrir. La vérité, c'est que j'ai fait du mal à chaque femme qui est venue vers moi.

— Sauf Shirin.

— C'est vrai, elle était invincible. Elle le paraissait. Elle était plus jeune, mais elle était forte, têtue. Une guerrière-née.

Auprès d'elle il n'y avait rien à craindre. Rien de mauvais ne pouvait lui arriver.

— Vous vouliez un amour libre de toute culpabilité.

— Peut-être. Vous voyez, Peri, vous n'êtes pas la seule à vouloir présenter vos excuses à Dieu. »

Sur l'écran, la batterie du téléphone passa du noir au rouge. « Voudriez-vous faire quelque chose pour moi ? pria-t-elle.

— Allez-y.

— Un dernier séminaire. Maintenant. »

Il rit. « Que voulez-vous dire ? Un séminaire sur quoi ?

— Sur le pardon et l'amour. Et le savoir. Ce sera moi le professeur cette fois. D'accord ? »

Une pause prudente. « J'écoute, ma chère.

— Bien. Le cours d'aujourd'hui porte sur Ibn 'Arabi et Ibn Rushd – Averroès. Ibn Rushd était un philosophe éminent et Ibn 'Arabi un jeune étudiant prometteur quand ils se sont rencontrés pour la première fois. Ils se sont immédiatement compris, car ils étaient tous deux dévoués aux livres et à l'érudition et n'adhéraient ni l'un ni l'autre à l'orthodoxie. Mais ils étaient aussi très différents.

— En quoi ?

— Voyez-vous, c'est la même question à l'Est et à l'Ouest, n'est-ce pas ? Comment accroître votre connaissance de vous-même et du monde ? Ibn Rushd avait une réponse claire : par la réflexion. Le raisonnement. L'étude.

— Et Ibn 'Arabi ?

— Il voulait à la fois la raison et *les intuitions mystiques*. Il croyait que notre devoir d'êtres humains était d'étendre notre sagesse. Mais il reconnaissait aussi que certaines choses dépassaient les limites de l'esprit. Avant qu'ils ne suivent chacun leur chemin, Ibn Rushd demanda une dernière fois à Ibn 'Arabi, *Est-ce par la pensée rationnelle que nous dévoilons la Vérité ?*

— Et qu'a répondu Ibn 'Arabi ?

— Il a répondu oui et il a répondu non. “Entre le oui et le non”, a-t-il dit, “les esprits s'envolent de leur matière, et les cerveaux s'envolent de leur corps”. Il pensait qu'il n'y avait pas plus ignorants que ceux qui cherchent Dieu et pourtant, seuls ceux qui poursuivent une vérité plus grande qu'eux-mêmes ont une chance de l'atteindre.

— Dites-moi, Peri, pourquoi *vous* êtes-vous intéressée à cette histoire ?

— Parce que j'ai toujours vécu dans ces limbes entre oui et non. Ni étrangère à la foi, ni étrangère au doute. Indécise. Vacillante. Jamais sûre de moi. Peut-être qu'elle m'a faite qui je suis, toute cette incertitude. Elle est aussi devenue mon pire ennemi. Je ne voyais aucune issue. » Elle fit une pause. « Je vous ai parlé du bébé dans la brume. Si ce n'était pas une hallucination, c'était une expérience dont vous n'aviez jamais entendu parler auparavant. Un autre chercheur l'aurait raillée, c'est sûr, mais pas vous. Vous étiez toujours ouvert à la nouveauté, je vous admirais pour cela.

— Vous croyez être la seule déboussolée. Mais beaucoup d'entre nous le sont. »

Nous. Un soupir de mot. Si minuscule, si immense. Nous les déboussolés.

Peri secoua la tête. « Je vous admirais trop. Maintenant je le vois clairement. Quand on s'éprend de quelqu'un on en fait notre dieu – n'est-ce pas dangereux ? Et quand il ne nous aime pas en retour, on réagit par la colère, le ressentiment, la haine… »

Elle poursuivit : « Il y a dans l'amour quelque chose qui ressemble à la foi. C'est une sorte de confiance aveugle, n'est-ce pas ? L'euphorie la plus douce. La magie d'établir une relation avec un être au-delà de notre moi familier, limité. Mais si on se laisse emporter par l'amour – ou par la foi – il devient une sorte de dogme, une fixation. La douceur se change en amertume. Nous souffrons entre les mains des dieux que nous avons nous-mêmes créés.

— Je dois être la dernière personne sur terre qu'on puisse considérer comme un dieu.

— Ce n'était pas vous. C'était l'Azur que je m'étais créé. Celui dont j'avais besoin pour trouver un sens à mon passé fragmenté. Voilà le professeur dont je m'étais entichée. L'Azur de mon esprit. »

Et elle continua. Sa voix prenait de la vigueur, ses yeux maintenant accommodés à la pénombre, un mobile clignotant dans sa main blessée, elle faisait cours à un homme là-bas dans une maison à la sortie d'Oxford dont le chien attendait patiemment à ses côtés. Cela aurait pu être exactement l'inverse : lui en danger, elle en sécurité. Aujourd'hui, c'était elle le tuteur ; lui l'élève. Les rôles glissaient, les mots ne restaient jamais tranquilles. La forme de la vie était un cercle, et chaque point de ce cercle se situait à égale distance du centre – qu'on appelle cela Dieu ou d'un autre nom tout à fait différent.

Elle entendit le son de sirènes qui se rapprochaient du manoir. En quelques minutes, pas plus, tout allait changer – un nouveau départ ou une fin par trop précoce. Quand le téléphone émit un dernier bip avant de s'éteindre définitivement, elle ouvrit la porte de la penderie et sortit.

Remerciements

Ma terre natale, la Turquie, est un pays fluvial, ni solide ni établi. Pendant que j'écrivais ce roman, ce fleuve a changé si souvent, coulant à une vitesse vertigineuse.

Du fond du cœur, je remercie deux personnes qui me sont très chères : mon agent Jonny Geller et mon éditrice Venetia Butterfield. J'ai une dette envers eux pour leurs encouragements, leur soutien et leur confiance ; pour le soin qu'ils ont pris de mes anxiétés et mes crises de panique, pour ce voyage qu'ils ont accompli avec moi. Mes remerciements chaleureux à Daisy Meyrick, Mairi Friesen-Escandell, Catherine Cho, Anna Ridley, Emma Brown, Isabel Wall et Keith Taylor : les merveilleuses équipes de Curtis Brown et Penguin, c'est une vraie joie de travailler avec vous.

Je dois un merci grand comme la circulation d'Istanbul à Stephen Barber, qui a lu et relu ce livre, et m'a donné des avis on ne peut plus précieux. Je suis reconnaissante à Lorna Owen de sa perspicacité remarquable et de son aide. C'est une bénédiction pour un auteur de travailler avec la talentueuse Donna Poppy. Merci à Nigel Newton pour son enthousiasme et sa camaraderie.

Merci en abondance à mes enfants, Zelda et Zahir, qui ont enduré mes heures irrégulières d'écriture et la musique que j'écoute pendant que j'écris. Elle fait trop de bruit, je sais.

Un pays natal, on l'adore, bien sûr ; parfois il peut aussi être exaspérant et déroutant. Pourtant j'ai fini par apprendre que pour les écrivains et les poètes qui estiment que les frontières nationales et les barrières culturelles doivent être remises en question, encore et encore, il n'y a en vérité qu'une seule terre natale, perpétuelle et portable.

Le Pays des histoires.

Table des matières

Première partie

Deuxième partie

TROISIÈME PARTIE

Quatrième partie

Cet ouvrage a été mis en pages par

CET OUVRAGE
A ÉTÉ ACHEVÉ D'IMPRIMER
SUR ROTO-PAGE
PAR L'IMPRIMERIE FLOCH
À MAYENNE EN FÉVRIER 2018

N° d'édition : L.01ELHN000398.A002. N° d'impression : 92263
Dépôt légal : janvier 2018
Imprimé en France